Janusz
Głowacki

Good night, Dżerzi

Świat Książki

Redaktor serii
Paweł Szwed

Redaktor prowadzący
Ewa Niepokólczycka

Redakcja techniczna
Lidia Lamparska

Korekta
Elżbieta Jaroszuk
Maciej Korbasiński

Świat Książki
Warszawa 2010

Świat Książki Sp. z o.o.
02-786 Warszawa, ul. Rosoła 10

Skład i łamanie
Akces, Warszawa

Druk i oprawa
GGP Media GmbH, Pössneck

ISBN 978-83-247-2135-1
Nr 7905

Olenie

Drogi Janku, powiedziała kobieta, którą kochałem i która dobrze mi życzyła. Błagam cię, napisz tę historię bez żartów i poważnie. To jest twoja ostatnia szansa. Ludzie mają dość twojego cynizmu. Jeżeli tego nie zrobisz – zniszczą cię. A ja nie będę żyła z facetem zniszczonym.

Obiecałem, że zrobię, co się da, bo nie chciałem, żeby ona też ode mnie odeszła.

Rok temu, zanim się wszystko na dobre zaczęło

Roger i Raul to znani producenci z Broadwayu. Odwiedziłem ich w penthousie po zachodniej stronie górnego Manhattanu. To był jakby niezależny domek otoczony tarasem ze wszystkich stron. Willa postawiona na szczycie dwudziestopiętrowego wieżowca. Widok jak się należy. Po jednej stronie rzeka Hudson, pięć razy szersza od Wisły w jej najszerszym miejscu, od strony oceanu sunęły po niej wolniutko dwa duże statki. Na drugim brzegu paliły się światła New Jersey, trochę dalej świeciły przęsła George Washington Bridge. Po prawej stronie był Broadway i Central Park.

New Jersey to niby stan osobny, ale tak uzależniony od Nowego Jorku, że bardziej nie można. Miejsc pracy tam jest mało, ale kompleksów akurat. I jeżeli ktoś się urodził po niewłaściwej stronie Hudsonu, chyba że w bardzo bogatej rodzinie, to jego szanse dojścia do czegoś na Manhattanie za duże nie są. A dla tych, co się urodzili w Łodzi, powiedzmy, na ulicy Gdańskiej, Manhattan jest w ogóle poza zasięgiem. Z tym że Manhattan jest właśnie nieprzewidywalny. Na ogół wiemy, komu się może udać, a komu nie, a tutaj pewniacy giną bez śladu, a kompletnie beznadziejne przypadki nagle wygrywają.

Ten domek na dachu otaczała mała dżungla. W gigantycznych donicach rosły bananowce, sekwoje, drzewa pomarańczowe i palmy. Do jednej z nich, obejmując mocno pień, przytulała się duża iguana, a na fotelach spały cztery koty. Producenci byli w czarnych żałobnych garniturach, bo parę dni temu piąty kot Lakierek zasnął na parapecie, spadł i roztrzaskał się na West Endzie. Obaj nie wykluczali samobójstwa, bo koty na Manhattanie są niemal zawsze w depresji. Pochowali go na ekskluzywnym cmentarzu w New Jersey, tam gdzie pochowany jest sławny lew, który wciąż ryczy jako znak firmowy MGM.

Dobrze nam się rozmawiało, bo też mam dwa koty. Pierwszy to ogromny rudy kocur z Brooklynu, nachalny i pewny siebie. Raz w nocy czekałem na autobus, po stronie wschodniej Manhattanu, na rogu Dziewięćdziesiątej Szóstej, przy Central Parku, i to nie było przyjemne miejsce, pusto, ciemno, wiał wiatr. No i oczywiście z mgły się wynurzył ogromny Murzyn z drewnianą klatką. Przez chwilę obliczałem swoje szanse na ucieczkę, ale byłem za bardzo zmarznięty i zmęczony. Nie ruszyłem się z miejsca. Podszedł i spytał, czy mogę mu pomóc. Szybko wyjąłem pięć dolarów. Wyciągnął z kieszeni spięty gumką zwitek studolarówek i dołączył do nich moją piątkę.

– Nie to, bracie, miałem na myśli, ale tak czy inaczej dziękuję – powiedział. – Weź tego kota.

Odpowiedziałem, że jednego już mam.

– To będziesz miał dwa. Jest zdrowy, silny i wykastrowany. Urodził się na Brooklynie, a nazywa się But.

Postawił klatkę na ziemi i odszedł. Wołałem za nim, ale się nie odwrócił. Zaniosłem klatkę do domu i otworzyłem. Ze środka wyczołgał się rudzielec. Miał okrągły łeb, wielkie łapy i żółtozłote oczy. Obejrzał mnie obojętnie i zaczął obchodzić mieszkanie. Zneurotyzowana kotka z Manhattanu prysnęła ze swojego miejsca na kanapie. But podszedł do miseczki ze zdrowym jedzeniem dla kotów, obwąchał je nieufnie i zaczął jeść. Od tej pory mam dwa koty.

Piliśmy wino, rozmawialiśmy o samobójstwach i wszystko szło dobrze, dopóki nie wspomniałem, że piszę sztukę o Dżerzim. Opowiedziałem pierwszą scenę.

Scena Pierwsza

No więc, mieszkanie wygodne, ale niewielkie, w centrum Manhattanu. Za oknem mruga czerwony neon, „American Airlines; Something Special in the Air". Rok 1982, zima. Część living roomu oddzielona jest bordową kotarą. Tam śpi żona. Ta część będzie niewidoczna, żona na scenie się pojawi tylko raz, prawie na końcu. Początkowo będziemy tylko słyszeć jej głos. Z living roomu przechodzi się do gabinetu pisarza. No i łazienka, bardzo ważna część sceny. Na jej ścianie stare wyblakłe zdjęcie czarno-białe, a na nim rodzice trzymają za ręce małego chłopczyka. W living roomie przy stole siedzi nad partią szachów ojciec Dżerziego, ubrany tak, jak ubierało się

11

zamożne żydowskie mieszczaństwo w roku 1940. Ojciec ma trzydzieści parę lat. No i wchodzi Dżerzi, współczesny, nowojorski, pięćdziesięciosiedmioletni. Bo w tej sztuce czasy się będą mieszać i przenikać, jak to w życiu. Jest szczupły, wysoki, burza czarnych włosów. Zdejmuje płaszcz. Zostaje w garniturze i białej koszuli. Oczywiście krawat, czarne drogie buty. Jest o dobre dwadzieścia lat starszy od swojego ojca. Nie zauważa go zresztą. Natomiast ojciec unosi na chwilę głowę znad szachownicy, odprowadza syna wzrokiem, wzrusza ramionami i wraca do analizowania partii szachów. Przechodząc, Dżerzi rzuca w stronę kotary:

Dżerzi: Jestem.

(Off zza kotary)

Żona: Dobrze się bawiłeś?

Dżerzi: Bardzo dobrze. Dobranoc, kochanie.

Żona: Good night, Dżerzi.

Dżerzi wchodzi do gabinetu i sprawdza wiadomości. Słuchając, puszcza gorącą wodę do wanny.

1. Tu Jody. Bardzo chcę cię zobaczyć. Zadzwoń.

2. Dear sir, on behalf of the Yale University, of Literature Department. We would like to invite you... (przyspiesza taśmę).

3. Tu Jody. Muszę z tobą porozmawiać. Zadzwoń.

4. Głos kobiety z silnym akcentem hiszpańskim: Dżerzi, you mother fucker, don't try to fuck with me or you'll be fucking sorry.

5. On behalf of Spertus College of Judaica...

Znów przyspiesza taśmę.

Biurko zawalone książkami, ogromna biblioteka, stos

numerów „New York Times Magazin". Na okładce Dżerzi w bryczesach i wysokich butach do konnej jazdy stoi przed stajnią. Jest goły od pasa w górę, w ręku trzyma szpicrutę.

Teraz wejdzie do wanny. Zamyka drzwi od łazienki albo zasuwa kotarę. Muzyka. Najpierw Frank Sinatra, potem wtrącają się międzywojenne szlagiery polskie typu *Miłość ci wszystko wybaczy*.

No i za chwilę z łazienki wychodzi mały chłopczyk. Zmieniają się światła. Reflektory wydobywają rzeczy i meble, których przedtem nie widzieliśmy. Teraz jest rok 1940. Niemiecka okupacja i mieszkanie, w którym mieszka mały Dżerzi z rodziną. Neon za oknem już nie mruga. Chłopiec podchodzi do stołu, przy którym nad szachownicą pochyla się ojciec. Siada, przygląda się figurom. Ojciec, nie patrząc na niego, rzuca:

Ojciec: Przeżegnaj się.

Chłopiec powoli kreśli znak krzyża.

Ojciec: Szybciej!

Więc chłopiec żegna się szybciej.

Ojciec: Jak się nazywasz?

Chłopczyk: Jurek.

Ojciec: Jaki Jurek?

Chłopczyk: Lewinkopf.

Ojciec wali go w twarz, wywracając kilka figur. Chłopiec próbuje je ustawić. Ojciec powtarza:

Ojciec: Jak się nazywasz?

Chłopczyk: Jurek Lewinkopf.

Ojciec podnosi się i wyciąga ze spodni pasek.

Ojciec: Jak się nazywasz, szczeniaku?

Chłopczyk: Jurek (odpowiada chłopiec ze łzami w oczach i powtarza szybko kilka razy), Jurek, Jurek, Jurek Kosiński.

Teraz na scenę wchodzi piękna matka w eleganckim futrze. Na kołnierzu srebrzą się płatki śniegu. Wspaniałe czarne włosy wymykające się spod stylowego kapelusza. Chłopczyk biegnie do niej i przytula do futra rozpaloną twarz. Matka czule go całuje i patrzy z wyrzutem na męża, ukrywającego za plecami pasek.

Matka: Ty go, Mojżesz, bijesz, nie dlatego, że chcesz go czegoś nauczyć, tylko dlatego, że lubisz go bić.

Ojciec: Wyście powariowali. Jeżeli chcecie, żebym was przeprowadził przez piekło, to musicie się słuchać. Oboje.

Chłopczyk grający Dżerziego (do reżysera): Panie reżyserze, on mnie naprawdę uderzył.

Reżyser (niewidoczny z offu): Milczeć! Grać!

Matka: Jureczku, cokolwiek się stanie, pamiętaj, że mamusia cię kocha.

Matka rzuca nonszalancko futro na podłogę i znika ze sceny.

Ojciec: I Mieczysław! Nie Mojżesz, Mieczysław!

Potem z rezygnacją macha ręką i wraca do szachów. Zza sceny słyszymy pianino. To matka pięknie gra Walca Mefisto Franciszka Liszta. Chłopczyk podnosi futro i wchłania zapach matki. Wraca do łazienki. Zmieniają się światła. Teraz to znów Nowy Jork i migający za oknem czerwony neon.

*

– Może być – westchnął Roger, dolewając nam chilijskiego, czarnego wina. – Może być, tylko co ty właściwie chcesz o nim nowego powiedzieć?

Siedzieliśmy w wygodnych trzcinowych fotelach. To był październik, czyli Indian Summer, coś jakby polskie babie lato. Znad Hudsonu podnosiła się mgła, statki już odpłynęły i światła New Jersey stały się mniej wyraźne. Roger ostatnio trochę przytył, ale jak na siedemdziesiąt pięć lat wyglądał świetnie. Jego wodniste, okrągłe oczy patrzyły uważnie, a usta były w ciągłym ruchu, zjadał serwetki, bilety do teatru i karty parkingowe, było z tym często sporo kłopotu.

– Bo to, że kłamał, wszyscy wiemy – dorzucił Raul. – A to, że właściwie prawie nic po nim nie zostało, też wiadomo.

Na kolana Raula wskoczył tłusty czarny kocur, szturchając go w brzuch, domagał się pieszczot. I Raul całkowicie zajął się kotem, który przeżywał ekstazę, prężył się sztywno, podnosił ogon, wypinał tyłek. A kiedy Raul posłusznie zaczął go drapać w okolicach ogona, zaniósł się bardziej psim niż kocim skowytem.

– On był na pewno inteligentny, i to bardzo. – Roger czule przyglądał się kocim wygibasom. – Może nawet inteligentny na tyle, że podejrzewał, że większość tego, co napisał, jest nic niewarte i się rozsypie jak domek z kart przy najlżejszym podmuchu. – Wychylił się w stronę Raula i dmuchnął kotu w tyłek. – I dlatego potrzebuje jakiegoś wielkiego spektaklu ostatecznego. Pamiętasz, Raul, Dżerzi często mówił, że samobójstwo to najlepszy sposób na przedłużenie sobie życia.

Przez chwilę patrzyliśmy wszyscy na to, co działo się z czarnym kotem. Pozostałe trzy obserwowały go razem z nami. Już nie były obojętne, zaczynały przeciągać się i prężyć na swoich fotelach.

– Jak tak – zapytałem – to dlaczego wszyscy padliście przed nim na kolana? Pisaliście, że Dżerzi to skrzyżowanie Becketta z Dostojewskim, Genetem i Kafką.

– No, Michael, dosyć, dosyć. – Raul spróbował zrzucić kota na kamienną podłogę, ale ten wczepił się pazurami w jego spodnie. – Dosyć, czarnuchu.

Kot w końcu zrezygnował i miękko skoczył na podłogę.

– Zobacz, Roger, krew… znów będę miał ślady pazurów – poskarżył się Raul.

– Dlaczego, dlaczego? – Roger wzruszył ramionami. – Kochanie, przemyj wodą utlenioną i przynieś jeszcze jedną butelkę. – Uśmiechnął się do Raula i odprowadził go czułym wzrokiem. Raul pochodził z San Jose, był znacznie młodszy od Rogera, poruszał się jak oswojone, ale drapieżne zwierzę. – Pewnie dlatego, że świat już dawno stracił umiejętność odróżniania talentu od beztalencia i kłamstwa od prawdy. A może z jakiegoś innego powodu. Może dlatego, że Ameryka kogoś takiego jak Dżerzi nigdy przedtem nie widziała na oczy. Dlatego on nas wydymał. A teraz, jak rozumiemy, Dżanus, ty go zamierzasz pośmiertnie wyruchać.

– Chwileczkę – powiedziałem. – Zaraz, zaraz…

– Tylko się nie obrażaj. Pamiętasz, Raul, że on dziwnie pachniał.

– Paczuli jakby – zauważył Raul.

– Nie, nie, nie. To nie było paczuli. Czy pomyślałeś kiedyś, Dżanus, że dusza ma zapach? Może pachnieć kozłem, a może też różą. Napisane jest, że kiedy Bóg stworzył człowieka, tchnął mu przez usta swego ducha, ale może w tym samym czasie podczołgał się diabeł i tchnął mu w dupę swojego. Tylko mam jedną prośbę: uszanuj naszą inteligencję i nie mów, że chcesz o nim napisać prawdę.

– Otóż to – wtrącił Raul. – Pamiętaj, że im dalej od prawdy, tym bliżej do Dżerziego.

Roger pokiwał głową.

– Tak czy inaczej, życzymy ci powodzenia. Oczywiście zaraz pojawi się tłum ludzi, którzy się na ciebie rzucą z wrzaskiem, że znali go lepiej i że to w ogóle było nie tak. Ale tobie to nie powinno przeszkadzać, bo ty dymałeś pierwszy. Z tym że na nas nie licz. Bo nie mamy pewności, czy w Nowym Jorku poza nami są jeszcze ludzie, którzy pamiętają, kto to w ogóle był Dżerzi.

– No, to już przesadzacie – powiedziałem.

Raul odkorkował nową butelkę, a pod naszymi nogami trzy koty dołączyły do czarnego i zbiły się w kłębowisko pełne miauczenia i skowyczenia, drapania i gryzienia. Zaczynała się orgia kastratów.

Następnego dnia pogoda się popsuła, nagle zaczęło lać. Ale poszedłem do Barnes & Noble – ogromnej kilkupiętrowej księgarni na Broadwayu naprzeciwko Lincoln Center – i poprosiłem o monografię Kosińskiego.

– Kogo? Czy mógłbyś przeliterować to nazwisko? – zapytał młody sprzedawca.

Przeliterowałem raz, potem jeszcze raz i jeszcze raz, ale już przez zęby. Postukał w komputer, pokręcił głową i powiedział:

– Nic.

– Nic?

– Nic!

Oklapłem, nabrałem wątpliwości i dałem sobie z Dżerzim spokój.

Mgła

Wiele lat temu w Teatrze Powszechnym na Pradze obejrzałem sławną adaptację *Wojny i pokoju*. Nie pamiętam, kto reżyserował. W każdym razie to była sławna adaptacja Piscatora. Z całego spektaklu zapamiętałem jedną scenę. Po bitwie pod Borodino Napoleon, darując życie Piotrowi Biezuchowowi, informuje go: „Dla pana to los, dla mnie to przypadek". Pamiętam jeszcze, że aktor, który grał narratora, był gejem. Kiedy mówił: „I kto wie, jaki obraz przybrałaby bitwa, tylko ta mgła, ta straszna mgła...". Nie tyle zastanawiałem się nad sensem, ile śmieszyło mnie, jak pretensjonalnie wymawia to „mgłaaa". Homoseksualiści byli wtedy w Polsce mocno nielegalni. Spotykali się nocami potajemnie w rozmaitych katakumbach i tak jak pierwsi chrześcijanie poznawali po tajemniczych znakach.

Świetny pisarz Julian Stryjkowski opowiadał mi, jak uciekając przed Niemcami ze Lwowa w czasie drugiej wojny światowej, znalazł się w Moskwie, gdzie homoseksualizm był już naprawdę tępiony. Pewnego wieczoru, gnany tęsknotą, nie wytrzymał i zasłaniając twarz szalikiem, udał się do publicznej toalety. W drugim końcu zobaczył podobnie zamaskowanego mężczyznę. Z zamierającym sercem, bojąc się prowokacji, zaczął się jednak ostrożnie podkradać i nagle rozpoznał znajomego malarza ze Lwowa. Z płaczem padli sobie w ramiona. Julek wyznał mi, że takich spotkań miał w czasie tej strasznej wojny wiele. Błagałem go, żeby napisał historię drugiej wojny światowej opowiedzianej przez takie spotkania w publicznych toaletach i że to by mogło być genialne. Pokręcił głową, że owszem, myślał o tym, ale jest dysydentem i to mogłoby skompromitować jego walkę z komunizmem.

Tak czy inaczej, o losie i przypadku będzie tu trochę więcej.

– Masza – zanotował później Klaus Werner – powiedziała mi, że przypadek to tylko bat, którym przeznaczenie pogania to, co nieuchronne, do przodu.

Mój agent mnie nie lubi

Mój agent literacki mnie nie lubi. Nie byłem pewien, czy Dennis jest wysoki, czy niski, bo kiedy wchodziłem, nigdy nie wstawał zza ogromnego biurka, zawalonego kolejnymi wersjami scenariuszy i maszynopisami sztuk. Wiedziałem na pewno, że mnie i nie lubi, i nie szanuje.

Kiedy wjeżdżałem na siedemnaste piętro sławnej agencji na Pięćdziesiątej Siódmej ulicy po stronie zachodniej i, po odczekaniu swojego w recepcji, odszukiwałem go wreszcie w plątaninie gabinetów, Dennis, nie wstając, zwalał na mnie winę za każdy idiotyzm, jaki do Nowego Jorku dochodził z Polski. Z antysemityzmem, rasizmem, homofobią, kastrowaniem pedofilów, fanatyzmem religijnym i mocarstwowymi ambicjami na czele. Wyglądało, że całkiem starannie przygotowywał się na moje przyjście, bo miał powycinane odpowiednie artykuły z „New York Timesa". Czułem się jak Aleksander Matrosow, radziecki bohater Wielkiej Wojny Ojczyźnianej, własną piersią zasłaniający okienko bunkra, z którego walił niemiecki cekaem, żeby czerwonoarmiści przeszli.

W czasie kiedy Dennis mnie upokarzał, schodziło się, żeby posłuchać, paru agentów z tego samego piętra. Brodaty grubas, który reprezentował Pendereckiego, szef sekcji dramatu i sławny Sam Cohn, najważniejszy agent od prozy reprezentujący Arthura Millera, Woody'ego Allena i Doctorowa. Wszyscy mieli niezły ubaw. Trwało to długo i nie było przyjemne.

Po każdej wizycie u Dennisa przysięgałem sobie, że więcej nie przyjdę, próbowałem się oczywiście przenieść do innej agencji, ale pierwsze pytanie, jakie mi zadawano, brzmiało, czy w ciągu ostatniego roku zarobiłem milion dolarów. Więc kiedy wszyscy mnie wyśmiewali, też się próbowałem uśmiechać, pocieszając się, że jeżeli Bóg i sprawiedliwość istnieją, to pozwolą mi pewnego dnia się odegrać. Póki jest nadzieja na zemstę, można wiele przetrzymać.

Ale uwaga. Parę dni przed spotkaniem z Klausem Dennis do mnie zadzwonił, do tego nie przez sekretarza, ale osobiście, i całkiem przyjaźnie zapytał, czy jestem dziś wolny i mogę przyjść do agencji o jedenastej.

Zbliżały się święta, poganiany wiatrem śnieg walił po twarzy. Przed komisariatem po zachodniej stronie Manhattanu na Setnej ulicy stała kolejka czarnych dzieci. Długa. Żeby uczcić święta Bożego Narodzenia, burmistrz zarządził, że dzieci, które oddadzą swoją broń, dostaną za nią nowiutkie tenisówki Nike'a. Niektórzy się krzywili, że na pewno broń oddadzą tylko te dzieci, które mają zapasową, a jeżeli zapasowej nie mają, to odkupią ją później od policjantów na czarnym rynku. Dzieci czekały cierpliwie, nie otrzepując się ze śniegu. Pomyślałem o kolejce do Mauzoleum Lenina w Moskwie.

Na rogu Dziewięćdziesiątej Szóstej i Broadwayu wsiadłem do metra, ciągle zachodząc w głowę, czego Dennis może chcieć. Pierwsza myśl była, że chce mnie wyrzucić, ale z drugiej strony kontrakt z agencją miałem podpisany jeszcze na dwa lata... Potem pomyślałem, że może coś wyjątkowo idiotycznego wydarzyło się w Polsce i chciałby się przed świętami rozerwać.

O tej porze metro było prawie puste. Jakiś facet przebrany za Świętego Mikołaja dość żywiołowo czytał „New York Timesa", potem zmiął go i wrzasnął: „Pierdolony Bloomberg". Całkiem elegancki mężczyzna, wyglądający na profesora z Columbii, zwrócił mu uwagę, że w tym kostiumie nie wolno przeklinać. Święty Mikołaj spojrzał na niego z nienawiścią i powiedział: „Fuck you, too!". Zaczęli się kłócić, a potem bić. Szły święta, wszyscy myśleli

21

o prezentach i nikomu nie chciało się ich rozdzielać. Na Columbus Circle wysiadłem i podziemnym przejściem wydostałem się na Pięćdziesiątą Siódmą ulicę. Przed hotel Hilton zajeżdżał długi rząd czarnych limuzyn. Wysiadali uśmiechnięci mężczyźni w kaszmirowych płaszczach, spod których wyglądały śnieżnobiałe koszule i garnitury od Armaniego, oraz pięknie pachnące kobiety w futrach z szynszyli. To byli eksperci udający się na konferencję poświęconą walce z głodem w Afryce. Po raz kolejny upewniłem się, że moja matka miała rację, kiedy błagała, żebym nie pisał, tylko wybrał jakiś sensowny zawód.

Przy Carnegie Hall biały bezdomny próbował wcisnąć Murzynowi za pięć dolarów całkiem dużą klatkę dla ptaka. „Klatki to coś dla białych" – mruknął Murzyn. Na parterze sprawdziło mnie security i za chwilę się okazało, że Dennis jest całkiem wysoki. Bo mało, że wstał na moje powitanie, to jeszcze wyszedł zza biurka i zamówił dla mnie kawę, zapytał, czy wolę w kubku, czy w filiżance, z mlekiem czy czarną, a potem popatrzył z wyrzutem i zapytał: „Dżanus, dlaczego mi nic nie powiedziałeś" – i rozłożył przede mną pięknie ilustrowany magazyn.

New York crowd
and highly protected party

Przez parę lat snułem się na Manhattanie po przyjęciach. Doświadczony pisarz z Węgier, który robił to od lat dwudziestu, a miał jeden zrealizowany ze swojego scenariusza film, przekonywał mnie, że to absolutnie konieczne. Możesz spotkać kogoś ważnego, kto ci pomoże. Nigdy nie wiadomo, pójdziesz się odlać, a obok leje Steven Spielberg. Albo wchodzisz w kiblu do kabiny, a w sąsiedniej siedzi George Lucas. Podsuwasz mu dołem scenariusz, on ci odsuwa z powrotem, wtedy wrzucasz górą. Zawsze, ale to zawsze noś przy sobie jeden egzemplarz swojej sztuki albo scenariusza i pamiętaj, nie jesteś tu dla przyjemności, bądź kurewsko atrakcyjny, nie upijaj się ponuro, śmiej się głośno i opowiadaj dowcipy. Jak nie masz do nich pamięci, zrób sobie ściągawkę – pokazał mi gęsto zapisaną karteczkę.

Duże przyjęcia na Manhattanie dzielą się z grubsza na highly protected party, czyli elitarne, i na zwykłe, na które zwala się nowojorska hołota. Ta hołota to autorzy powieści, które się źle sprzedają, drugorzędni dziennikarze, jeżeli nawet z Pulitzerem, to przedawnionym, krytycy, których zdanie wszyscy mają w dupie, artyści z Europy, którym nie udało się przebić, początkujący transwestyci, producenci bez pieniędzy i modelki wychodzące z obiegu albo takie, które jeszcze do niego nie weszły. Te wypisują kolorowymi flamastrami swoje imiona ogromnymi literami na wywieszonych przy drzwiach listach obecności, z nadzieją, że wpadną komuś odpowiedniemu w oko. Przyjęcia takie najczęściej odbywają się w loftach, czyli w przerobionych na pracownie dawnych halach fabrycznych, od których roi się na dolnym Manhattanie, zwłaszcza między ulicami Houston i Canal, bo za Canal zaczyna się już China Town.

Czasem w tłumie kręcą się, ale tylko przez chwilę, fotoreporterzy z plotkarskich kolumn, żeby upewnić się, że na nikogo nie warto marnować czasu. Wiadomo, że na Manhattanie na dwanaście kobiet przypada jeden mężczyzna. Więc na takich przyjęciach jest zawsze o wiele więcej kobiet, często pięknych jeszcze, ale już zgorzkniałych, cierpiących na rozpaczliwą nowojorską samotność. Niektóre pracują w wydawnictwach czy reklamie i gdyby się przyłożyły, mogłyby nawet któremuś z młodych nieudaczników coś załatwić. Ale nikt im za bardzo nie wierzy, więc one też już przestały wierzyć i się ponuro upijają. Następnego dnia idą na jogę, potem do kościoła i, trzymając się za ręce, przekazują sobie znak pokoju.

Na takich przyjęciach najeść się nie da, jest tłok, sporo alkoholu, narkotyków oraz bardzo dużo hałaśliwej wesołości, podszytej smutkiem i czujnością. No, żeby tej szansy, której raczej na pewno nie ma, ale gdyby jednak była, przez głupotę, niepotrzebną rozmowę czy bezsensowne pójście z kimś do łóżka nie przepuścić. Wiem, co piszę, bo przepieprzyłem na takich przyjęciach dobrych parę lat.

A highly protected party to w ogóle inna rozmowa. Przed wejściem policja w mundurach, w środku ochrona po cywilnemu, dania wykwintne, alkohole drogie, wszyscy już osiągnęli wszystko, a w każdym razie bardzo wiele.

Nie używają proszków nasennych, nie denerwują się kryzysem, nad ich namiętnościami czuwają prawnicy. Więc kobiety nie boją się rozwodów, a mężczyźni wiedzą, że żonom poważniejsze romanse się nie opłacają. Nawet najstarsi są zdrowi, opaleni i młodzi, czasem tylko dziwnie szybko męczą się, wchodząc po schodach, albo wspominają mocno odległe czasy, nad ich zdrowiem psychicznym czuwają najdroższi psychiatrzy, więc samobójstwo popełnia się tylko, jeśli to zostało przedyskutowane.

Na takim właśnie superelitarnym przyjęciu znalazłem się, bo zaprosił mnie ożeniony z Polką sławny amerykański dziennikarz z aktualnym Pulitzerem. Urządzała je francuska ambasada w pięknym pałacyku na Piątej Alei przy Siedemdziesiątej Dziewiątej ulicy. Obowiązywały stroje białe, było lato, więc z tym nie miałem kłopotów. Niestety, nie miałem białych butów, ale chyba jasne, że dla przyjemności paru burżujów nie będę na jeden raz kupował białych butów. To nieetyczne i nieekologiczne. Czyli włożyłem buty czarne, które w mojej kreacji były nieprzyjemnym zgrzytem. Był tłok, więc jakoś to uszło.

Dla ozdoby i żeby uniknąć nudy, zaproszono parę gwiazd, a na schodach śpiewała czarna piosenkarka z Broadwayu z aktualną nagrodą Tony. Dania były dopasowane kolorem do ubrań. Tylko żółtawą biel szampana łamały zatopione w nim brzoskwinie. Za to kelnerzy znakomicie grali kelnerów.

A teraz, po co to wszystko opowiadam… Chodzi o to, że Krystyna, żona sławnego dziennikarza, uwielbia robić zdjęcia, czyli nie rozstaje się z aparatem. Tak więc posuwaliśmy się w nieustającym trzaskaniu jej malutkiego aparaciku. I naraz na parterze, niedaleko od jedynej w Nowym Jorku rzeźby Michała Anioła, tuż za marmurową kolumnadą, Krystyna wypatrzyła absolutnie profesjonalnie zaimprowizowane ministudio, w którym na tle gobelinów z czasów cesarstwa młodziutki fotograf, potrząsając grzywą rozbielonych włosów, robił zdjęcia ustawiającym się w kolejce śnieżnobiałym gościom. Krystyna popchnęła nas w tamtą stronę, za chwilę wręczono mi czarną tabliczkę, na której wykaligrafowałem białą kredą swoje imię, i było po wszystkim.

No i proszę bardzo, właśnie teraz Dennis rozłożył przede mną luksusowy magazyn. Otworzył go na założonej szesnastej stronie. Zobaczyłem, jak stoję cały na biało, czyli że buty wyretuszowano, i uśmiechając się niepewnie, trzymam przed sobą tabliczkę podpisaną JANUSZ! A magazyn się nazywał „Gay and Lesbian In New York". I Dennis powtórzył: „Dlaczego mi o tym nigdy nie powiedziałeś?".

Pogłaskał mnie po policzku i chyba się zarumieniłem, a on się ucieszył. Potem siedzieliśmy przy biurku, piliśmy kawę jedną po drugiej. Dennis pokazał mi swoje zdjęcie, na którym młodziutki i szczęśliwy przytula się do Tennessee Williamsa, i dał dyskretnie do zrozumienia, że bohater *Szklanej menażerii*, którego grał w filmie John Malkovich, jest na nim mocno wzorowany, a zaraz potem zapytał, czy byłbym zainteresowany napisaniem scenariusza filmowego o Dżerzim, bo właśnie miał spotkanie z niemieckim przemysłowcem, który brzmi poważnie i szuka pisarza. Najlepiej kogoś ze Wschodu i żeby znał Dżerziego osobiście. – Więc od razu pomyślałem o tobie, kochany.

Poczułem falę ciepła. No dobra, Janek, nie wolno ci tego przegapić. Moje najtańsze ubezpieczenie nie obejmowało leczenia zębów. Pociągnąłem łyk kawy i szybko wyjaśniłem Dennisowi, że Dżerziego to ja, czemu nie, dobrze znałem. Że to był mój bardzo bliski przyjaciel, bo kilka razy go w życiu spotkałem. Zaraz, zaraz, possałem łyżeczkę. Najpierw w roku 1975, kiedy jeździłem po Ameryce na stypendium Departamentu Stanu, poprosiłem, żeby mi to spotkanie zorganizowali, a Dżerzi się zgodził. Był wtedy akurat po wielkim sukcesie, bo jego powieść *Kroki* dostała National Book Award, czyli, bagatela, najbardziej prestiżową nagrodę literacką w Stanach Zjednoczonych. A znów w Polsce był, owszem, znany, ale tylko z dziko nienawistnych artykułów o *Malowanym ptaku*, a jego książek nie wolno było wydawać. Postanowiłem troszkę błysnąć erudycją i dodałem, że to coś jakby w *Mistrzu i Małgorzacie* Bułhakowa, gdzie krytycy atakują zakazaną Księgę Mistrza za „piłatyzm", a ludzie w Moskwie nie wiedzą, o co w ogóle chodzi. Zresztą zauważyłem, że Dennis też nie wie, o czym mówię, mimo to brnąłem dalej. Pisano, że Dżerzi robi karierę na opluwaniu i szkalowaniu Polski i Polaków przedstawianych jako psychopatyczni i prymitywni antysemici, a jedynym pozytywnym bohaterem jest esesman. Dla wzmocnienia efektu dodałem, że podobno było nawet specjalne posiedzenie Biura Politycznego poświęcone strategii walki z Dżerzim. Ponieważ nikt albo prawie nikt w komunistyczną propagandę nie wierzył, wywoływało to reakcje odwrotne, czyli podziw.

No i właśnie wtedy w siedemdziesiątym piątym zjadłem z nim lunch w restauracji Europa tuż przy Central Parku, gdzie Dżerziego traktowano jak króla, a ja musiałem zapłacić. Na szczęście on jadł tylko sałatę, więc ja też, chociaż sałatą się brzydzę. Wtedy mnie ostrzegł, żebym uważał na druty.

– Kolczaste? – zainteresował się Dennis.

Pokręciłem głową – chodziło mu o cenzurę. O to, że pisarze nad Wisłą żyją w szklanym kloszu, przez który przechodzą właśnie naelektryzowane druty, i wygodnie można sobie pofruwać, póki się prętu, czyli prawdy, nie dotknie. Wtedy jak ćma, mucha, komar albo pisarz skwierczy, spala się i leci w dół. A inni się cieszą, bo przybyło miejsca.

– To dokładnie tak samo jak w Nowym Jorku – uśmiechnął się Dennis. – Z tym że u nas chodzi o pieniądze.

Sekretarz wsadził głowę, a potem dolał nam kawy.

– Pamiętam, jak Dżerzi powiedział mi wtedy, że w Polsce wolał fotografować.

Bo na sfotografowaną nędzę, smutek albo starość cenzura przymykała oko. I że kiedyś robił zdjęcia w domu starców i obłąkanych, a tam była śliczna młoda pielęgniarka, którą próbował poderwać, a ona go kompletnie olewała. No i raz nie wytrzymał i się zakradł w nocy do jej pokoiku. A ona tam na łóżku kopulowała z jakimś porośniętym sierścią debilem, półczłowiekiem, który uciekł, trochę skowycząc.

Wyznania agenta Dennisa B.

– A to cały Dżerzi – ucieszył się Dennis. – Dom starców czy wariatów, to paru pisarzom by wystarczyło, to byłoby OK, dajmy na to, dla takiego Willa Faulknera. Ale Dżerzi musiał wsadzić tę swoją prawdę o ludzkiej naturze, jakieś zboczenie malutkie albo troszkę większe. I krytycy mu bardzo długo wszystko wybaczali, bo za te jego sadomasochistyczne figury w całości obciążano Hitlera. Zresztą gdyby Dżerzi nie zrobił tak gigantycznej kariery, toby go nie wykończono. Bo człowiek jest ogólnie tak ulepiony, że wielkiego sukcesu bliźniego nie przetrzyma. Zaczyna koło niego węszyć albo sprawdzać, jak w pokerze, a u Dżerziego akurat było co sprawdzać.

Ja mu z początku troszkę pomagałem, bo widzisz, ja kupuję dusze, a potem je odsprzedaję. Ludzie w Nowym Jorku sprzedają i duszę, i dupę szybciej i taniej, niż ich na to stać. Ciebie mi wciśnięto właściwie za darmo, jego dostałem za nieduże pieniądze. A odsprzedałem w dobrym momencie, z zyskiem.

Dennis odebrał telefon od Philipa Rotha, Johna Guare'a i Daria Fo. Napiliśmy się jeszcze kawy i Dennis się zamyślił.

– Wiesz, ja nie przepadam za swoją pracą... nudzę się... nie mam w ogóle czasu na czytanie czegoś dobrego, tylko w kółko kolejne wersje scenariuszy albo sztuk, ale mam chwile, które sprawiają mi pewną radość. Kiedy, na przykład, uda mi się wykreować zupełne zero i postawić je na świeczniku, to zaspokaja moją próżność. To jest rodzaj rozkoszy, którą przeżywają kobiety, kiedy tworzą swoich kochanków i wmawiają ich światu. Jest w tym rodzaj boskiego żartu. No bo Bóg musiał mieć piekielne poczucie humoru, żeby, na przykład, stworzyć Hitlera. Oczywiście Hitler to loser, zobacz, ilu Żydów przeżyło.

Dennis znów odebrał kilka telefonów, komuś pomógł, komuś przekreślił kilka lat pracy i złamał życie. Po czym się rozmarzył.

– A Dżerzi był zachwycający. Piekielnie brzydki i piękny, dziko chciwy i absolutnie bezinteresowny, bardzo sprytny i okropnie głupi. Ciągle coś albo kogoś udawał albo grał, miał wielki talent aktorski. Nie mówię o tej roli u Warrena Beatty'ego w *Czerwonych*, ale w życiu... Gdyby on był tylko aktorem, to może by go nie wykończyli, bo aktorom się bardzo dużo wybacza, właściwie nie bardzo wiadomo dlaczego... Może są w sumie mniej szkodliwi... Czułem, że on się czegoś boi, ale on się bał ostrożnie, a bać się ostrożnie to znaczy być agresywnym, i on był agresywny. Prawda, Dżanus, że my, geje, jesteśmy łagodniejsi... A ten producent się nazywa Klaus Werner. Drogi Dżanusku, czyżbym miał coś na tobie zarobić?

Café Provincia

Śnieg padał od kilku dni. Grube, ciężkie płatki zasypały chodniki i ulice. Ludzi i samochodów na Broadwayu prawie nie było. Autobusy i taksówki ślizgały się ostrożnie na zamarzającej skorupie.

– Czy wierzysz w sny? – zapytał Klaus Werner.

Wybełkotałem coś w rodzaju, że raz wierzę, raz nie. Na pewno są bardzo ciekawe, coś w tym musi być, i tak dalej, w tym stylu.

– By się przydało, żebyś wierzył. Bo właściwie wszystko się zaczęło od snu Maszy, tego, co jej się przyśnił w Moskwie w mieszkanku na Nowym Arbacie. No i od tego, że mi się złamała górna trójka. Jadłem kawałek suchej kiełbasy, takiej, wiesz, pachnącej ogniem, dymem i polem. To było jakieś trzydzieści pięć lat temu, w tysiąc dziewięćset osiemdziesiątym pierwszym chyba, na początku. Ja wtedy dużo projektowałem. Wyjechałem do Moskwy. Robiłem tam interesy, pomyślałem też, że zobaczę kolekcję takiego młodego designera, on już nie żyje, zastrzelili go albo umarł na AIDS. Nie pamiętam.

Już drugą godzinę siedzieliśmy w malutkiej kawiarence na Broadwayu między Dziewięćdziesiątą Dziewiątą i Setną ulicą, gapiąc się w okno. To miejsce nazywało się Café Provincia, pachniało kawą, świeżym pieczywem i kurzem. Tylko dwa stoliki przy oknie i kilka krzeseł ustawionych przed zawieszonym na ścianie podłużnym lustrem. Z tyłu szumiała wielka lodówka, za kontuarem stał ekspres do parzenia kawy, który kiedyś pewnie błyszczał. Na górnym Manhattanie nie ma już wielu takich miejsc. W szklanej gablocie leżały francuskie kruche ciasteczka i croissanty, a z drewnianego kosza wystawały świeże bagietki. Właściciel, chyba Irlandczyk, parzył nam kawę i znikał w jakiejś klitce na zapleczu. Po drugiej stronie ulicy, prawie niewidoczne w śnieżnej mgle, sterczały dwa spiczaste trzydziestodwupiętrowe budynki. Właściwie omówiliśmy już wszystko, ale ciepło tej małej dziupli, kawa i śnieg przytrzymywały nas w środku.

– Moja marynarka ci się podoba?

Marynarka była uszyta z cieniutkiego kaszmiru, czarna, dopasowana, zapinana na jeden guzik. Z lewej kieszeni wystawała okładka książki *Portret artysty z czasów młodości*.

– Lubisz Joyce'a?

– Nie. Dlaczego? – zdziwił się Klaus Werner. – Nie lubię też śniegu.

Miał zmęczoną, szarą twarz i smutne, okrągłe, trochę za blisko spiczastego nosa osadzone oczy, jasne, długie włosy były starannie zaczesane do góry. Chyba je farbował, bo brwi miał czarne. Po angielsku mówił prawie bez akcentu, znacznie lepiej ode mnie. Zamówiliśmy po raz trzeci podwójne espresso. Filiżanki ozdobione japońskimi rysuneczkami były małe, kawy było w nich jeszcze mniej.

– Nie lubię śniegu – powtórzył. – Wtedy w Moskwie też sypało. Z tym zębem poszedłem do Salomona Pawłowicza. On pracował w rządowej klinice, ale miał też w swoim mieszkaniu tajny prywatny gabinet, całkiem nieźle wyposażony. Przyjmował tylko wyjątkowych pacjentów. Ja się dostałem dzięki protekcji solisty z Teatru Bolszoj, tancerza, poznałem go w Paryżu, występował w *Jeziorze łabędzim* i cudownie tańczył księcia Zygfryda. Na bankiecie po występie nosił koszulę z delikatnego lnu, stylizowaną na kozacką. Nie mogłem się powstrzymać i spytałem o cenę – okazało się, że coś tak uroczego można było kupić w Moskwie za niecałe dwie zachodnie marki. Nie miałem wątpliwości, że w Monachium dałoby się wyciągnąć za nią dobre pięćdziesiąt.

Bez wahania zrobiłem go wspólnikiem. W Moskwie był bogiem, więc mediacje z władzą i zakładami Czerwony Październik wziął na siebie. To był świetny interes, ale wróćmy do Salomona Pawłowicza. To była postać. – Klaus niespodziewanie się uśmiechnął, prawie nie otwierając ust. – Salomon był nieduży, pulchny, a kiedy się pochylał, jego policzki kołysały się nade mną jak dwa kotlety. Miał czarne kędzierzawe włosy i maleńką różową łysinkę na ciemieniu. Sztukując mój ząb, nucił szlagiery z końca lat czterdziestych i co chwila uśmiechał się do młodziutkiej asystentki o nieludzko długich nogach. On poruszał się bardzo szybko, a ona leniwie, biały fartuch sięgał jej najwyżej do połowy ud, a kozaczki powyżej kolan. Pamiętam, że pachniała pięknie, miała bezwstydne oczy i spokojną wiarę w przyszłość.

Ten dentysta na zmianę plombował i do niej mrugał, nucił i dziękował Bogu. A dziękował głównie za to, że nie stworzył człowieka, dajmy na to, trzymetrowego i z potężnymi kłami, tylko, nie mając złudzeń co do ludzkiego charakteru, w trosce o przetrwanie gatunku i ogólnie życia na ziemi, podarował ludziom zęby krótkie i mizerne, wymagające stałych reperacji, którymi jeść się da, ale zagryźć to już jest dosyć trudno. Z tym że człowiek sobie poradził i wymyślił kałasznikowa.

Klaus Werner pogładził klapy.

– Nie uważa pan, że ten Joyce pasuje do marynarki? Kiedyś sporo projektowałem – powtórzył. – Teraz skończyły mi się pomysły. Mam w Monachium parę fabryk, robię bieliznę. Rodzina traktuje mnie niepoważnie, brat ma wielką kancelarię prawną i udziały w stoczniach w Hamburgu, wie pan, eksport-import.

Pocieszyłem go, że ten pomysł z Joyce'em jest całkiem dobry. Machnął ręką.

– Salomon Pawłowicz, szlifując mój odnowiony ząb, oświadczył, że nie jest ślepy. Przecież widzi, że okrucieństwo jest normą, a świat ani nie był, ani nie będzie sprawiedliwy. Ale i tak rację miał Lebiediew-Kumacz, autor szlagieru *Serce*, pisząc: „Jak dobrze jest na świecie żyć".

No i właśnie wtedy, kiedy już wypłukałem usta i oglądałem w lusterku swój nowy ząb, weszła Masza. Boże, jaka ona była piękna i w ogóle o tym nie wiedziała. Na sobie miała niedopasowane hinduskie dżinsy i czarny sweter, chyba zrobiony na drutach. Była wysoka, szczupła, trochę za niska na modelkę, ale miała cudne usta. Ta górna warga, jakby spuchnięta, skośne oczy jak u Chinek. Wcale nie czarne, tylko zimny błękit i długie, jasne włosy. Powiedziała, że jej babcia zachorowała, więc ona przyniosła jajka i zapytała, czy może opowiedzieć swój sen. A Salomon Pawłowicz traktował sny poważnie. Usiedliśmy wszyscy wygodnie, powiedział: proszę bardzo, i zaczęła opowiadać.

Sen Maszy

Śniło mi się że poprosiłam Boga żeby dał mi poczuć kim jest dodałam że serce mam słabiutkie a duszę za małą żeby wytrzymać jego światło ale proszę żeby chociaż troszeczkę pozwolił siebie poczuć czekałam i czekałam w ciemnościach nagle nastała ogromna jasność i zobaczyłam kurczaki wisiały do góry nogami bez głowy i pierza w równych szeregach poczułam zapach świeżego mięsa mdły taki że chciało się wymiotować zobaczyłam sinawą poświatę a one wisiały w takiej długiej bez końca sali jakby operacyjnej w szpitalu zadzwonił dzwonek raz i jeszcze raz podłoga się usunęła i te kurczaki razem z żeliwnym rusztowaniem na którym wisiały spadły we wrzący olej no to piekło kurczaków pomyślałam gdzieś za drzwiami ptaki walczyły i hałasowały co z tego i tak się będą smażyć jest w Rosji powiedzenie komu Bóg przeznaczył utonąć tego nie powieszą a tu proszę oskubali zabili powiesili utopili i jeszcze usmażyli taki los

– Czyli coś jakby barbecue? – zapytałem.

– No taka smażalnia.

– I co?

– I się obudziła.

– A co z Bogiem?

– O to samo spytał Maszę Salomon Pawłowicz – podobno nie pokazał się.

Broadwayem przejechały w dół miasta dwa ogromne pługi. Zgarnęły zwały śniegu na zaparkowane przy chodnikach samochody.

– Nie syp tyle cukru – powiedział Klaus. – To trucizna. Nie mogłem tego Maszy wytłumaczyć, czy myślisz, że Dżerzi spał ze swoją matką?

Za oknem przeszło dwóch czarnych mężczyzn z szuflami. Za odkopywanie samochodów brali 30 dolarów. Chętnych na razie nie widziałem.

– Nie myślałem o tym.

– A to pomyśl. Mówił, że chciałby się matce odwdzięczyć za urodzenie i dać jej erotyczną satysfakcję. Napisał taką scenę seksu ze swoją matką w jednej książce. Sypie ten śnieg i sypie.

– Pomyślę. Parę lat temu sypało tak, że ludzie po Broadwayu jeździli na nartach.

– Nie lubię Broadwayu. – Pokręcił głową. – Przypomina mi brudną, bezzębną babę, pachnącą moczem i byle jak polaną perfumami, owszem, pozłacaną, ale farba się łuszczy. Tyle dobrego w tym śniegu, że trochę ją zasłania.

Klaus podniósł się i zapłacił.

– Za cztery godziny mam samolot. Jeżeli w ogóle odleci. W poniedziałek zadzwonię do Dennisa i powiem, żeśmy się dogadali i żeby przysłał moim prawnikom projekt kontraktu do Monachium. Wyślę ci zapiski Maszy. Te, które Dżerzi jej ukradł. Pewnie chciał to wydrukować jako swoje. Ale nie zapamiętał, gdzie je schował. Znasz rosyjski?

– Ze szkoły, czytać mogę.

– Ja znam całkiem dobrze, ciekawe są. Pierwsza część po rosyjsku, potem zaczęła po angielsku. Nieźle jej szło, szybko łapała języki. Po angielsku pisała lepiej niż on, kiedy wydrukował *Malowanego ptaka*. On schował te zapiski w jakiejś walizce i zapomniał kodu. Całą szafę miał zawaloną walizkami, których nie umiał otworzyć. Tracił pamięć. A miał dopiero pięćdziesiąt parę lat. Już po wszystkim żona je rozpruła.

– I dała ci to.

– Powiedzmy. – Uśmiechnął się po raz drugi, prawie nie otwierając ust. Ale jego okrągłe oczy ciągle patrzyły uważnie.

– Dużo zapłaciłeś?

– Nie przekroczyła granicy przyzwoitości. Przyjadę za dwa tygodnie i opowiem ci parę rzeczy, jak to wyglądało z mojej strony. Jeżeli się dogadamy z Dennisem, przyślę ci więcej.

– Chciałbym zobaczyć Maszę…

Przez chwilę w milczeniu gapiliśmy się na ulicę.

– Dobrze – kiwnął w końcu głową. – Jeżeli ona się zgodzi. Ale to może nie być przyjemne.

Napisał coś na serwetce. To był numer telefonu i imię Jody.

– Jody?

– Jody – potwierdził. – A Dżerziemu się moja marynarka podobała.

Od razu sięgnął po płaszcz. Niby zwykły, z szarej popeliny, ale podbity futrem z norek. Włożył też coś, czego się w Nowym Jorku nie nosi – kapelusz.

– On podobno na parę godzin przed tym, co zrobił, poprosił kierowcę taksówki, żeby zakręcił okno, bolało go gardło i bał się, że się przeziębi. Przyślę ci parę kartek o tym, jak do niego poszedłem. Dosyć upokarzające, ale zapisałem. A ty się szybko do tego bierz. Chciałbym, żeby ten film się zaczął kręcić jesienią, zanim ten pomysł wyda mi się głupi.

Starannie zawiązał szalik. Na ulicy w jedną chwilę śnieg oblepił nas gęstą, mokrą masą. Dopiero wtedy zauważyłem, że trochę kuleje.

– Jeszcze jedno – powiedział, rozglądając się za taksówką. – Od czego chcesz zacząć?

– Pewnie od paznokci długich, polakierowanych na krwistoczerwony kolor, i od wanny.

Oczy czarne, życie marne
(Retro 1)

Czyli paznokcie kobiety, długie, polakierowane na krwistoczerwony kolor, i wanna. Rok 1937. Miasto Łódź i wygodne mieszkanie zamożnej żydowskiej inteligencji. Tapety w żółte kwiaty, kredensy, tapczany, kapy, obrazy. A raczej kopie obrazów, ale są też zdjęcia rodzinne. Ale najważniejsza jest wanna. Całkiem sporo ludzi się upiera, że wanna to miniaturka oceanu, można się w niej urodzić, ogolić nogi, odpocząć, mieć seks i albo się obudzić, albo nie. Właśnie w wannie podniszczonej, z tu i tam odłażącą emalią, a wypełnionej gorącą wodą, długie wypielęgnowane ręce kobiety pięknej, o semickiej urodzie, kąpią czarnowłosego małego chłopczyka. Paznokcie połyskują czerwienią, a dziecko jest radosne. Służąca – wieśniaczka o szerokiej, dobrej twarzy – przygląda się temu ze sceptycznym uśmiechem i kręci głową.

– Oczy czarne, życie marne – mruczy i dodaje: – Teraz takie czasy idą, że blondyn by bardziej pasował.

Podaje ręcznik, a chłopczyk wesoło opryskuje ją wodą.

– Nie wariuj, Jureczku. – Wyciera twarz. – Jak Pan Bóg pozwoli, będziesz miał dosyć czasu na wariowanie.

Potem znów ta sama wanna, ale chłopiec już urósł. Ma teraz sześć lat. Matka delikatnie myje mu głowę. Pochyla się nad wanną, z wyciętej głęboko sukni wychylają się wielkie białe piersi. Chłopiec ma wzwód. Zawstydzony próbuje to ukryć, ale przecież matka wszystko widzi.

Uśmiecha się czule i z dumą. Dotyka go, a chłopiec zamyka oczy i zagryza wargi do krwi. Znów czerwień.

Casting

Manhattan teraz. Mglisty wieczór listopadowy. Nad
głowami tłumu, który się przewala Czterdziestą Drugą
ulicą, płynie wanna. Niesie ją trzech mężczyzn w zie-
lonych kombinezonach. Na plecach wielkie białe litery
„Good night, Dżerzi".
    Prawie nikt nie zwraca na nich uwagi. Przechodnie na
Czterdziestej Drugiej, zwłaszcza wieczorem, na odcinku
między Broadwayem a Dziewiątą Aleją, są rozgrzani namiętnościami i byle czym się nie zajmują. Parę lat temu na
tym kawałku mówiło się głównie szeptem. Szeptali pod-
pierający ściany czarni sprzedawcy cracku i wypinające
przypudrowane biusty, na których błyszczały złote krzy-
że, kolorowe prostytutki. Negocjujący ceny klienci i wy-
straszeni turyści. Teraz Czterdziesta Druga sporządniała.
    Zamiast wysadzanych brylancikami złotych zębów
sutenerów błyszczy, świeci i miga kolorowymi światłami
pałacowe wydanie McDonalda. Dalej gigantyczne biu-
rowce, kilkupoziomowe kina, Madame Tussaud, czyli
muzeum figur woskowych. A porno-shopy, peep-show
i porno-kina przegoniono w głąb Ósmej i Dziewiątej Alei.
Razem z nimi wyniósł się zapach pieniędzy, moczu i wolności, ale tłum na chodnikach pozostał.

Tymczasem wanna mija już Dziewiątą Aleję i Port Authority – ogromny dworzec autobusowy, dalej półmrok, długi sznur maleńkich teatrów, a połyskuje już tylko rzeka Hudson.

Przed opuszczoną starą fabryką na Dziesiątej Alei ludzie z wanną przepychają się między całkiem innym tłumem: niemieckimi żandarmami w niekompletnych mundurach, polskimi chłopami, bywalcami porno-klubów w skórzanych stringach, agentami KGB, żydowskimi chłopcami w myckach, prostytutkami i eleganckimi intelektualistami z górnego Manhattanu w marynarkach z tweedu. W środku wiruje tłum charakteryzatorów, garderobianych, krawców i rekwizytorów. W pokoju, w którym będzie później gabinet pisarza, reżyser z ponurą miną tasuje stos zdjęć czekających na audition aktorów. Siada za biurkiem. Dziobie palcem w któreś zdjęcie. Szef castingu wybiega na korytarz, a scenograf ustawia na bibliotecznych półkach książki. *Zbrodnia i kara*, *Idiota* i *Biesy* Dostojewskiego, Lermontowa *Bohater naszych czasów*, Stendhala *Czerwone i czarne*, Balzaca *Blaski i nędze życia kurtyzany*, *Martwe dusze* Gogola, *Pani Bovary* Flauberta. Niecodzienny u amerykańskiego pisarza zestaw.

Wchodzi znany aktor. Ma zmęczoną twarz, czarne włosy, duże smutne oczy. Reżyser daje mu znak, żeby usiadł, i przegląda jego résumé.

Reżyser: Dziękujemy, że przyjechałeś. Jak ci się pracowało z Johnem?

Aktor: Był OK.

Reżyser: Jesteś Żydem?

Aktor: Głównie Włochem, ale też Amerykaninem,

z tym że jeśli trzeba, to mogę być i Żydem. Nie mam nic przeciwko Żydom.

Reżyser: Ja akurat mam. Dlatego robię ten film. Umiesz zrobić polski akcent?

Aktor: Umiem rosyjski. Co masz przeciwko Żydom?

Reżyser: Rosyjski wystarczy. Powiedz: „Na początku było słowo". Do Żydów wrócimy kiedy indziej.

Aktor: Na początku było słowo. Też za Żydami nie przepadam.

Reżyser: To było bardzo dobre. Bardzo nam pomogłeś. Dziękujemy ci.

Ale aktor (nie jest głupi, wie, że jest źle): Przygotowałem monolog (patrzy prosząco). Ten jego pierwszy wykład na Columbii z czterdziestej strony scenariusza.

Reżyser: Nie. Bardzo dziękujemy. Nie trzeba. Damy znać…

Ale szef castingu też prosząco: Bill przyleciał z Los Angeles… Żeby spróbować u ciebie, odmówił dużej roli.

Pokonany reżyser kiwa głową: OK. Dawaj wykład. Sam, podrzucaj.

Więc Sam, czyli asystent, czyta: Sala wykładowa na Uniwersytecie Columbia. Dżerzi na katedrze. Tłum studentów.

Aktor (jako Dżerzi): A teraz, młodzi Amerykanie, przygotujcie się na najgorsze. Jesteście gotowi? OK. Pokażę wam najokrutniejsze stworzenie, jakie żyje na ziemi. Proszę…

Sam czyta: Spod pulpitu katedry wychodzi sześcioletni chłopczyk. Śliczny jak cherubinek – blondynek. W rękach ma zabawkę – karabinek maszynowy. Sala wybucha śmiechem.

Aktor: Hm… śmiejecie się, młodzi intelektualiści… Ale nie jestem pewien, czy macie rację. On ma na imię Doug. To niby jest człowiek, ale nie do końca. Nie wie, ani co to śmierć, ani co to rozkosz. A w co się najbardziej lubi bawić? Jak to w co? W zabijanie, oczywiście. Ciągle mu czegoś nie wolno. A to lodów, a to gry komputerowej, a to jazdy po Central Parku na wrotkach, więc się broni, bawiąc w rzecz najciekawszą i niewinną. W okrucieństwo…

Reżyser (przerywa): Bardzo dziękuję.

Aktor: To jeszcze nie koniec.

Reżyser: Wiem, czytałem, to naprawdę było coś. Damy znać, będziemy w kontakcie…

Aktor stoi przez chwilę, nic nie mówiąc. Potem wzrusza ramionami, odwraca się i wychodzi.

– No, nie mów, że to było złe – zauważa szef castingu. – On miał łzy w oczach…

– Dobrze, dobrze – macha ręką reżyser. – Ostatnia linijka perfect.

– Dżerzi też nie lubił Żydów. – Szef castingu czuje się obrażony.

– Co ty się martwisz o Dżeriego, Dżerzi to nie problem, mamy Jacka. Ty mi powiedz, co jest z Susan?

– Wiesz, co jest? Nie ma jej. Nie ma jej, zapomnij o niej.

– Umów mnie z nią jeszcze raz. Na dziś, w Russian Tea Room.

– Nie ma po co. She passed on it. Wiesz dobrze, co miała w kontrakcie, jak dostanie rolę u Johna, nie zagra u ciebie Maszy.

– Wiem, ale nie wierzę. Ona była... pieprzeni prawnicy... idealna była do tego. Umów mnie. Przekonam ją, że za Maszę dostanie Oscara. Umów mnie...

– A ja ci mówię, że ten Bill był świetny. Ludzie na niego przyjdą.

– Nie pieprz mi o Billu... Możemy go wziąć na ojca.

– Nie weźmie. Za mała rola.

– To niech nie bierze... Co z Maszą?

– On się spodziewał...

– Ja się też spodziewałem, że mamy idealną Maszę.

– Spróbuj tę Rosjankę. Ona czeka... Dennis ją przysłał.

– A mój ojciec się spodziewał, że będzie burmistrzem, i dostał trzy kule.

– Gdzie?

– Dwie w brzuch, jedną w głowę. Mówisz, że Dennis ją przysłał...

– Gdzie to było?

– Co cię to obchodzi, gdzie to było. To mój ojciec. Mówię, umów mnie z Susan. W Kosowie to było.

– Twój ojciec był Chorwatem?

– Serbem.

– Serbem?

– Przeszkadza ci to? On był Serbem, ja też jestem Serbem.

– Przeszkadza, nienawidzę Serbów, no ale ty dostałeś nominację. Na Susan szkoda czasu... Ta Rosjanka...

– Co ta Rosjanka?

– Czeka ta Rosjanka.

– A ty nie masz nic przeciwko Rosjanom?

– Zagrała na Off-Off fantastycznie w *Trzech siostrach*. Dzika, młodziutka, studiuje na Columbii, niewinności ma w sobie od chuja. Dennis ją przysłał.

– Pieprzę Off-Off i Of też, w filmie co zagrała? Broadway też pieprzę... Mówisz, że Dennis? Niech wejdzie.

No i wchodzi Irina, młodziutka, bez make-upu. Oczy skośne, włosy blond, pełne wargi, podarte dżinsy i T-shirt.

Szef castingu: Dałem jej pierwszy sen Maszy.

Reżyser: OK. Zaczynaj.

Irina: Sen Maszy?

Szef castingu: Sen Maszy.

Irina: OK, to jest na sto procent sen, bo nie może się zdarzyć, żebym była zamknięta w pokoiku bez wanny, tylko z prysznicem i zadrutowanym oknem, za którym szumi ocean, a zza ścian po obu stronach krzyki, śpiewy, jęki, śmiechy, westchnienia – czyli ściany byle jakie. A ja w samym szlafroku bez paska, żebym się nie targnęła, siedzę na łóżku i słucham tego, co mi oznajmia pierwszy z dwóch: głupia mordo kochana, nie broń się nam i innym ludziom potrzebującym. Odwdzięczymy się może nie krwią ostatnią, ale w dolarach żywych, więc grzecznie, jak narzeczona, rozkładaj nogi, pokonaj wstyd czy co tam będzie trzeba, to i brzytwa nie będzie potrzebna. No, powiedz sama, jaki to pożytek, gdyby cię trzeba było zagrzebać w obcym piachu, na dodatek bez popa, a od rodziców w Moskwie ściągać zadłużenie... Twój odręcznym podpisem poświadczony kontrakt opiewa na jeden rok. Po zwróceniu za bilet masz na czysto dwadzieścia procent od klienta, czyli od stówy. Jak trafi się dwadzieścia dziennie, obłowisz się jak zamorska królewna...

Szef castingu: Co ty, kurwa, mówisz?

Reżyser: Daj jej skończyć.

Irina: No i potem śnili mi się mężczyźni rozmaici: mali, duzi, grubi, chudzi, młodzi, starzy, Żydzi, Amerykanie, czarni, baptyści, katolicy i prawosławni, czyści i brudni, z wykształceniem albo bez, z wymaganiami albo nie. A pod sufitem jak śmigło w samolocie tnie powietrze duży wiatrak chłodzący tak wysoko, że doskoczyć nawet z łóżka, żeby obciął głowę, nie ma jak. Aż tu nareszcie jeden ludzki staruszek, który też przyszedł obciążyć sumienie, ulitował się, nazwał córuchną i ja widzę w sennej wyobraźni, jak wolniutko drepcze na pocztę z moim błagalnym listem do Moskwy po ratunek.

Szef castingu: To co to jest?

Irina: Ci się nie podoba? Mnie też nie.

Szef castingu: Żeś pomyliła audition.

Irina: To nie sen Maszy?

Szef castingu: Pewnie, że nie. Nachlałaś się, zjeżdżaj.

Irina: To mój prywatny sen rzeczywisty. Wypiłam owszem, ale tyle co nic... z nerwów... normalnie nie piję dużo.

Szef castingu (do reżysera): Przepraszam cię.

Reżyser: A ja piję dużo... No i co dalej? Niech mówi.

Irina: Wiem, że to nudne, bo to historyjka co drugiej Rosjanki w Ameryce. A co powtarzalne, to przewidywalne. Czechow tak napisał. A wypiłam, kolego, tyle co nic, jak mówiłam zresztą już.

Szef castingu: Dziękujemy ci, możesz iść.

Reżyser: Zamknij się, a ty mów dalej. (Do szefa castingu) Czechowa też nie lubisz?

Irina: Mówić dalej? Może lepiej dam do tyłu.

Reżyser: Gdzieś się tak nauczyła angielskiego?

Irina: W szkole, w burdelu i na Uniwersytecie Columbia. Wiem, że mam ruski akcent.

Reżyser: Na to bym nie wpadł.

Irina: Ale to ma być Rosjanka, nie? Czyli się cofam nad ocean. Lecę z Moskwy zarobić jako jednoroczna nowojorska kelnerka na mieszkanie i dwójkę zaplanowanych dzieci, a w pierwszym rzędzie spłacić Zachara długi wobec Armii Rosyjskiej, bo przysłali prikaz, że kiedy go z własnej winy wzięto w Czeczenii do niewoli, miał na uposażeniu kałasznikowa z dwoma magazynkami, torbę z granatami, gazmaskę, nowe umundurowanie z butami, łopatkę saperską. Wszystko kłamstwo na kłamstwie. Z ciężkim sercem rzucam aktorstwo. Jako zaliczkę dostaję bilet i dwóch czeka na lotnisku JFK. Jadę sobie z nimi limuzyną, szyby zaciemnione. Jeden prowadzi, drugi leje mi wódkę do gardła, syczy do ucha, rozstawia nogi. Kopię, gryzę, krzyczę, przystawia brzytwę i wchodzi, a ja nie mam na nic sił, czyli rozpacz. Przez okno widzę samochody pełne ludzi i co mi z tego. Ten, co prowadził, zjeżdża na bok i się wymienia z tym, co był moim drugim mężczyzną w życiu, i robi ze mną to samo, lejąc wódkę i zatykając nos tak, że nie mam wyjścia... mam się jeszcze cofnąć?

Reżyser: Wystarczy. (Do szefa castingu) Rzeczywiście niewiniątko. Dawaj teraz sen Maszy.

W porno-kinie

Jeżeli w tłumie na Czterdziestej Drugiej ulicy wanna nie zwracała szczególnej uwagi, to jeszcze łatwiej było przeoczyć inwalidzki wózek na kółkach. Siedziała na nim biała kobieta, która wciąż była piękna. Miała oczy skośne, zimnoniebieskie, trochę wypukłe kości policzkowe i bardzo duże, jakby spuchnięte usta. Spod czarnego beretu wyglądały włosy gęste, jasne i opadające na kołnierz kaszmirowego, też czarnego płaszcza. Właściwie bardziej popielate niż jasne – bo kilka siwych nitek. Na nogach ciepłe futrzane botki. Krótko mówiąc, listopadowy chłód nie dawał jej rady.

Kobieta, która popychała wózek, była szczupła, wysoka, miała bardzo białą cerę, ciemne włosy, wąskie zacięte usta, wielkie czarne oczy i trochę spiczasty podbródek. Lekki dopasowany kożuszek musiał kosztować majątek, a na nogach układały się w fałdy buty z bardzo miękkiej skóry. Wyglądała na zamożną mieszkankę górnego Manhattanu, która nie pasuje ani do wózka, ani do Czterdziestej Drugiej.

Wprawnie wymijała ludzi falujących na chodniku i tak samo jak ludzie z wanną posuwała się w stronę rzeki, ale na Dziewiątej Alei skręciła w dół miasta. Tam zanurzyła się między byle jakie sklepy z tanią bielizną, banki, bary i coffee shopy, do których tuliły się ocalałe resztki biznesu porno.

Naiwniacy, którzy przyjeżdżają na Manhattan ze środkowych stanów, mogą sobie wyobrażać, że porno-kina to ulubione miejsca zboczeńców, erotomanów, degeneratów czy Bóg wie kogo. Tak zwane przyzwoite turystki, mijając je, nerwowo chichoczą, a ich mężowie, mrugając do siebie na boku, z oburzeniem kręcą głowami i rozkładają ręce, ubolewając nad upadkiem świata.

Zupełna bzdura. W środku lata, kiedy upał znęca się nad ludźmi, a zwłaszcza zimą, kiedy od Hudsonu wieje lodowaty wiatr, takie kina to przede wszystkim idealne schronienie dla doświadczonych nowojorskich bezdomnych. Te ocalałe na Manhattanie resztki z dawnych czasów są stare, brudne, tanie, ale mają i ogrzewanie, i klimatyzację. Za cenę jednego biletu, czyli kilkunastu znalezionych sprzedanych pustych butelek i puszek po piwie i coli, można tu bezpiecznie przespać cały dzień w całkiem wygodnych fotelikach z wymęczonym pluszem i nabrać sił na przetrwanie nocy, kiedy zmrużenie oczu na ulicy kończy się raz tak, a raz inaczej.

Drugą grupą wypełniającą takie kina są czarne kobiety z opieki społecznej. Do ich codziennych obowiązków należy dwugodzinny spacer z samotnymi białymi staruszkami, których życie dowlokło się do takiego miejsca, że albo nie widzą powodu, żeby się podnieść, albo nie mogą, bo są sparaliżowane. A kina mają wygodny podjazd, więc czarne opiekunki, zamiast łazić jak głupie po ulicach, marznąc albo się pocąc, wpychają inwalidzkie fotele ze swoimi klientkami, ustawiają je twarzami do ekranu, a same zbierają się w grupki i nie śledząc akcji, plotkują, zapijając popcorn coca-colą. Te na wózkach martwym wzrokiem patrzą na ekran i coś z tego, co się tam dzieje, albo do nich dociera, albo nie. Murzynki, które dojeżdżają do pracy z Harlemu albo południowego Bronksu, często nie mają z kim zostawić dzieci, więc chłopcy i dziewczynki biegają między rzędami, płosząc pojedynczych onanistów.

Ale biała kobieta, która doszła aż tutaj, pchając wózek, to było coś nowego. Tym bardziej że ta na wózku przez chwilę wymachiwała obronnie rękami i wyglądało, że wcale nie chce być tutaj wepchnięta. Zresztą za moment się uspokoiła i tak jak tamte staruszki obojętnie patrzyła w ekran.

Tak czy inaczej, kiedy się pojawiły, na chwilę rozmowy ucichły i słychać było tylko jęki kopulujących na ekranie par. Potem wszystko wróciło do normy, bezdomni znów naciągnęli na oczy wełniane czapki, a czarne kobiety zamówiły więcej popcornu.

Gdyby komuś się chciało uważnie rozejrzeć, co nie było łatwe, bo w kinie panował półmrok, mógłby zobaczyć, że zza wypłowiałej kotary w lewym dolnym rogu sali wystaje oko kamery filmowej.

Głos
(po raz pierwszy w tej opowieści)

Ale za daleko jesteśmy od wanny nowojorskiej, w której Dżerzi zbiera siły na życie nocne, czyli prawdziwe. Więc do wanny napływa gorąca woda, a w niej pienią się i buzują sole błotne regenerujące tak, że bardziej nie można. I dopiero wtedy ma sens chude i długie ciało zanurzyć. I jest cudnie, ale zadzwonił telefon, i to nie jest ten, który Dżerzi chciałby usłyszeć. A przymilny głos męski zaskrzeczał po polsku:

– Dobry wieczór, wieczór dobry, jestem ekspertem od ocalonych z Holocaustu. Studiowałem ich wszystkich co do jednego: pisarzy, aktorów, doktorów i policjantów. I ani jeden z nich nie przeżył większego koszmaru...

– Odpieprz się – przerywa Dżerzi.

Ale głos gada dalej:

– ...ani jeden nie był bardziej zmiażdżony psychicznie i fizycznie niż ty. I żaden, ale to żaden nie był bardziej uczciwy, opowiadając o tym w swoich książkach i prywatnie...

– Znów jesteś?

– No pewnie, że jestem. Boże mój, jak ona to pięknie napisała. I to żona zastępcy naczelnego „New York Timesa". Nikt nie był bardziej uczciwy od ciebie. Nigdy, nikt! Oczywiście ja to wiedziałem, ale i tak się wzruszyłem. Widzisz, a tak się bałeś. A pamiętasz?

– Pamiętam co?

– Tylko mi nie przerywaj, trochę kultury...

– Nudzisz.

– A pamiętasz? Jak ten Elie Wiesel, największy spec od Holocaustu, dostał twoją książkę do głównej recenzji i co napisał... Pamiętasz? A książka była świetna.

– Wyłączam się.

– Nie dasz rady. Kiepsko napisał. Dlaczego ty tak do mnie mówisz? Kto ci wtedy podpowiedział, że on jeszcze nie wysłał do redakcji? No kto? I żebyś do niego polazł, zanim wyśle, i powiedział, że to żadna fikcja nie jest? No kto? I żeś pobiegł do niego, dygnął, podniósł spódniczkę, pokazał czarną podwiązkę z różyczką.

– Chromolę cię i nie słucham.

– Ale tam, nie słuchasz. Słuchasz. Ja zawsze wiem, kiedy słuchasz... Zresztą chwileczkę, już kończę. I Wiesel się podniecił, bo na tej podwiązce miałeś napis „Holocaust". I go przekonałeś, że to dokładnie twoja historia, a ten dzieciaczek, co się błąka wśród sadystycznych i psychopatycznych polskich chłopów, to ty i tylko ty. I co on wtedy zrobił? On podarł tę kiepską recenzję i napisał nową, entuzjastyczną. A dlaczego? A dlatego, że on jest na pewno wielki, wspaniały człowiek, survivor, laureat pokojowego Nobla. Ma tylko jedną nieistotną słabostkę, ni chuja się nie zna na literaturze i ciekawią go tylko i wyłącznie cierpienia narodu żydowskiego. I co się stało? Taki drobiazg, że książka się od razu zrobiła arcydziełem... Bo żeśmy rozwiązali jego zagadkę, tak jak Edyp rozwiązał Sfinksa... Ładne, co? Z tą podwiązką też się wyraziłem metaforycznie, jestem pod twoim wpływem. I kto ci pierwszy pogratulował?

– Fuck you.

– Twój angielski jest coraz bogatszy, i cię mianował... Kim cię Wiesel mianował? Oficjalnie świadkiem Holocaustu cię mianował. Bagatela. I wtedy wszyscy krytycy się za nim ruszyli, zostałeś Beckettem, Genetem, Kafką i Dostojewskim w jednej osobie.

Dżerzi odkłada słuchawkę. Ale za chwilę po kolejnym dzwonku podnosi.

– Halo?

– Dlaczego tak się zachowujesz? To nietaktowne – mówi ten sam głos. – To pospolite chamstwo. Przecież ja jestem po twojej stronie, bałeś się, że ci nie uwierzą, że się kapną. I kto miał rację? Jesteś superstar? Ja ci z serca gratuluję i to zdjęcie na okładce, półnagi, ze szpicrutą...

– To jest uzda, nie szpicruta.

– Szpicruta, szpicruta, tylko jedno mi obiecaj, od tej pory nie boisz się już niczego. Nie zadręczasz się, niech cię boska ręka broni, żebyś się zadręczał. Bo ty, Dżerzi, masz taki charakter, że zawsze znajdziesz powód. Koniec. Bałeś się, że się wyda, żeś całą okupację spędził z rodzicami, i się nie wydało. Uwierzyli... W cyjanek też uwierzyli. Kupili. Przyklepali. Matka cię kryje. Co matka, to matka. Prawda?

– Chamskie bydlę.

– A co, czuły punkcik? No nie mów, że się za mną nie stęskniłeś. Co? Chlupu, chlupu... Kąpiemy się? Przecież się boisz wody, tak napisałeś. Chodzi o tych chłopów, co cię topili... A prysznica w ogóle nie bierzesz, bo ci się kojarzy z komorami w Auschwitz. Och, Dżerzi, Dżerzi. Jak ja cię kocham, ty skurwysynie.

– Czego chcesz?

– Ogólnie trochę wdzięczności chcę. Szacunku wymagam, bo zasługuję. Dzięki tobie i moim radom miliony przeczytały o Holocauście? Przeczytały! A w ogóle ty nie kłamiesz, tylko popełniasz nieścisłość. I tak się umawiamy, bo to, co przeżyłeś z rodzicami, to też niezły koszmar. No, może troszeczkę mniejszy, jeżeli koszmar warto centymetrem mierzyć.

– Starczy!

– Kurwa mać, ja z tobą jak z przyjacielem. No już, nie kłóćmy się, bo nie ma o co. Szykuj się na wieczór i nie gniewaj. Ja z życzliwości, owszem, czasem mi się coś wymknie, to gdzie dziś idziemy. Plato's, Retreat, Hell Fire, Chateau Nineteen czy coś poważniejszego? No, to na razie, muszę lecieć, jestem bardzo zajęty.

Znów dzwonek telefonu. Dżerzi podnosi słuchawkę. Z nienawiścią mówi:

– Słuchaj, ty skurwielu.

Ale to dzwoni J.B., czyli szycha z Los Angeles. Ważna osoba z przyznającej Oscary Akademii.

– Cześć, Dżerzi. To jest twoje stałe nagranie? Cha, cha, cha! Muszę coś takiego u siebie nagrać.

Więc Dżerzi się tłumaczy.

– Przepraszam, naprawdę przepraszam.

– OK. OK. Dzwonię z LA. Za tydzień będę w Nowym Jorku, zjedzmy lunch. Widziałem ten artykuł w „New York Timesie". Mocne. Nie wiedziałem, że jesteś taki szeroki w ramionach.

– To ta Leibovitz.

– Tak, ta dziwka robi dobrą robotę. Mam dla ciebie coś lepszego. W czwartek o dwunastej trzydzieści w Russian Tea Room. Ty skurwielu. OK, good night, Dżerzi, sleep well, cha, cha, cha.

Co robi glizda, jak jej ktoś nadepnie na ogon

Ta szafa w ścianie to właściwie mały pokoik. Między rzędami garniturów, koszul, krawatów i butów piętrzy

się stos walizek zamkniętych na dobre, czyli na zakodo-
wane zamki. Dżerzi szarpie się z jedną z nich, wścieka
i rezygnuje. Coraz gorzej z pamięcią. Kupuje nowe walizki, ale starych nie wyrzuca, bo może kiedyś sobie kod
przypomni i przypomni sobie, co w nich ostatnio schował. Coraz częściej nie poznaje ludzi, którzy zaczepiają
go na ulicy, po to nosi przy sobie mały aparat fotograficz-
ny. Niby dla zabawy robi im zdjęcia. Potem pokazuje żonie i ona mu wyjaśnia, z kim miał lunch. Ale teraz bierze
z biurka przygotowaną sztywną kopertę. Potem rytualne
pożegnanie z niewidoczną żoną.

– Dobranoc, kochanie, wychodzę.

– Baw się dobrze.

– I love you.

– I love you, too.

I już miasto. Wieczór późny, bliziutko na rogu Pięćdziesiątej Siódmej ulicy i Siódmej Alei kręci się i czeka
jak zawsze kilka prostytutek. Bardzo się różnią od po-
nurych, wyniszczonych narkotykami i alkoholem, które
podrywają kierowców olbrzymich ciężarówek przy highwayu nad Hudsonem.

Te tutaj śliczne są i czekają na wracających z kolacji
biznesmenów, którzy nie znają rozkładu zamaskowa-
nych burdeli i się spieszą do domu. Bardzo młode, kolorowe i białe.

Dżerzi zna większość z nich. Dziś ma spotkanie
z Portorykanką Carmen, szczupłą, wysoką, w obowiąz-
kowych szpilkach i króciutkiej złotej mini. Wieje zimny
wiatr, ale rozpięte futerko odsłania prawie gołe, wielkie,
oliwkowe piersi. Dżerzi pokazuje jej kopertę i za chwilę

siedzą w coffee shopie, a przed nimi na stole akty Carmen wykonane profesjonalnie, i artystyczne, i pornograficzne. Carmen jest pod wrażeniem.

– Fuck, great, jesteś naprawdę dobry.

– Masz piękną cipkę, Carmen.

– Są super. Pokażę je w agencji.

– Tu się rozłożyłaś i zobacz, lewa warga jest dłuższa.

– I co?

– Nic, transseksualistki mają wargi równo obcięte jak u fryzjera. Ty jesteś naturalna.

– Biorę te cztery i jeszcze to.

– Dobrze. Wisisz mi za dwa orgazmy, masz witaminy?

Carmen podsuwa mu malutką torebeczkę, ale Dżerzi się krzywi.

– Chcę prochy.

– Jak wolisz, ale prochów nikt nie bierze, ona wróciła.

– Nie chcę heroiny, chcę prochy. Wpadnij po pracy.

– Bierz to, co jest. Wpadnę, jak skończę.

Zacina wiatr, mocny, zimny, a on opatulony płaszczem idzie Pięćdziesiątą Dziewiątą w stronę Broadwayu i Central Parku, już otulonego mrokiem.

Mija Piątą Aleję i hotel Plaza. Tutaj zaczyna się długa kolejka czatujących na klientów dorożek, mniej albo bardziej eleganckich, ozdobionych wstęgami, latarniami i pióropuszami. Ich budy są podniesione tak jak kołnierze kurtek dorożkarzy, tych, co opierają się o murek oddzielający Pięćdziesiątą Dziewiątą ulicę od parku. Na Dżerziego nie zwracają uwagi, nie wygląda na gościa, co by chciał się nocą przejechać po parku za pięćdziesiąt dolarów. Część go zresztą rozpoznaje.

Dorożki to interes Włochów, owszem, dopuścili kilku Irlandczyków i jednego Polaka, teraz palą papierosy, rozgrzewają się wymieszaną z dżinem kawą w plastikowych kubkach i czekają. Smutne, zmęczone po nowojorsku konie dygocą z zimna pod derkami, ogrzewają się, wsadzając pyski w worki z obrokiem. Ta kolejka ciągnie się od Piątej Alei aż do Columbus Circle. W dzień jest tu spore zamieszanie, nocą ruch słabnie, ale okazje się zdarzają, więc trzeba czekać. Niebo jest czyste, księżyc przegląda się w kubłach wody, połyskują miedziane ozdobne uprzęże.

Druga strona Pięćdziesiątej Dziewiątej ulicy to sznur luksusowych hoteli i piekielnie drogich apartamentów. W jednym z nich czuwa przy oknie zmęczony Sycylijczyk, popija kawę i stawia znaczki, sprawdzając, czy któraś z dorożek nie zrobiła lewego kursu. Bo piętnaście procent od każdego musi być obowiązkowo przekazane organizacji. Polak, który tu parę lat jeździł, miał opuchniętą od alkoholu, błyszczącą czerwoną twarz i ksywkę Żarówa. Kiedyś zainwestował w konia, skombinował dorożkę i nielegalnie ustawił się w szyku. Od razu jacyś ludzie pobili najpierw jego, potem konia. Przyszedł znowu, potem go za upór polubili. Przyjechał z Krakowa, tam pracował jako kaskader przy filmie *Popioły*, a na początku lat osiemdziesiątych wyemigrował. Wytrzymał długo. Dopiero ostatnio zaczął się trząść – albo wódka, albo parkinson, i gdzieś zniknął. Jedni mówili, że wrócił do Polski, ktoś się upierał, że umarł i go pochowano na

Potter's Field, gdzie grzebie się wszystkich bezdomnych i bezimiennych.

Nagle ból w skroniach, dzwonienie w uszach, Dżerzi staje, ściska rękami głowę. Jezdnią, tuż za dorożką, której udało się upolować klienta, posuwa się chłopski wyłożony słomą wóz. Na koźle śpi zawinięty w długi, brudny, ale ciepły kożuch chłop, spod pachy sterczy mu bat. Koń jest byle jaki, ma niechlujną, zlepioną grzywę i silne kudłate nogi. Na wozie w kłębowisku walizek i toreb upchana jest rodzina. Matka Dżerziego w miejskim eleganckim futrze drzemie, tuląc do piersi dwie śpiące kury, jej ognistoczerwone paznokcie błyszczą. Ojciec w płaszczu i kapeluszu pali papierosa i poucza niewidocznego jeszcze syna.

– Syneczku, pamiętaj, najważniejsze to żyć niezauważalnie, zrobić się nieważnym, tak nieważnym, żeby nie warto było na ciebie tracić kuli. Wtedy możesz ocaleć, stajesz się niewidzialnym.

Teraz Dżerzi widzi na wozie siebie. Nie chłopca, ale siebie, ubranego modnie po nowojorsku, otulonego płaszczem Burberry.

A ojciec mówi dalej:

– Fryderyk Nietzsche napisał, że każda glista, jak jej się nadepnie na ogon, to się kurczy. Kurcz się, synku ukochany, kurcz. Znikaj.

– A ty się, tatko, kurczysz?

– Kurczę się, synku, kurczę.

– A skurczysz się jeszcze bardziej?

– Skurczę się, synku.

– A ja się jeszcze skurczę?

Dżerzi z ulicy przygląda się sobie na wozie. Wymieniają spojrzenia. Ból głowy powoli mija. Opiera się o murek.

Nocne zdjęcia

Jednokierunkowa uliczka między Drugą i Pierwszą Aleją po wschodniej stronie górnego Manhattanu prowadzi w stronę rzeki. W tym miejscu East River zmienia nazwę na Harlem River. Ale na razie, jeszcze przez chwilę, aż do Dziewięćdziesiątej Szóstej ulicy, to dzielnica i elegancka, i droga. Uliczka zastawiona jest po obu stronach zaparkowanymi samochodami. Ciasno. Tak ciasno, jak się parkuje w Nowym Jorku, zderzak w zderzak. Późny wieczór, ciemność daje sobie radę ze światłami w oknach. Bo ta część Manhattanu wcześnie idzie spać. Knajp mało, przechodniów na lekarstwo. Na niewielkiej przestrzeni między samochodami stoi czarny luksusowy buick z pracującym cichutko zapalonym silnikiem. O wiele głośniej łopocą poruszane zimnym wiatrem plastikowe torby na śmieci – czyli klasyczna nowojorska symfonia uliczna. A za kierownicą siedzi Dżerzi, jak zawsze elegancki, więc lśniąco biała koszula, krawat, garnitur, błyszczące buty. A tunelem między samochodami zbliża się Harris, jego menedżer w dżinsach, T-shircie i tweedowej marynarce. Nieduży, łysiejący i wściekły.

– Jesteś idiota. – Sadowi się obok, a na tylne siedzenie

58

wrzuca nożyczki i resztki taśmy klejącej. I dopiero wtedy troskliwie zapina pasy.

– No to zaczynamy – uśmiecha się Dżerzi. – Zakładasz, że dzisiaj strącę wszystkie? Stawiasz stówę?

– Nie, pieprzę twój sposób na relaks. Mnie to nie odstresowuje. I nic nie stawiam.

– I masz rację.

Dżerzi rusza. Buick nabiera szybkości i prawie ocierając się o samochody po stronie lewej, strąca przyklejone do nich taśmą książki. Jest i skupiony, i spokojny, ale do czasu. Nagle ręce na kierownicy zadrżały, tuż przed maską wyrasta trzydziestoletni mężczyzna o jasnych, ułożonych w fale włosach i szczerej słowiańskiej twarzy. Dżerzi hamuje gwałtownie, obok kuli się przerażony Harris, ale mężczyzna zniknął, rozwiał się w powietrzu, więc Dżerzi dodaje gazu i ociera kropelki potu.

– Co ty, kurwa, robisz! – krzyczy Harris.

Samochód z pełną szybkością przecina szeroką Pierwszą Aleję i prawie uderza w przejeżdżającą żółtą taksówkę. Harris zamyka oczy, pisk opon, ryk klaksonów, ale udało się. Buick znów pędzi pustą uliczką w deszczu rozpadających się i wirujących w powietrzu książek i okładek.

– Fuck it, fuck it, fuck it – powtarza Harris prawie szeptem i oddycha z ulgą, bo samochód wreszcie zwalnia i wolniutko zawraca w stronę Park Avenue. A potem już jadą aleją Parkową, zapchaną o każdej porze taksówkami, prosto na dół miasta.

– Chujowo je przykleiłeś.

– Bo co?

– Bo za bardzo wystawały, to było za łatwe… Widziałeś go?

Samochód mija hotel Waldorff-Astoria, przejeżdża minitunelem pod wieżowcem, nad którym wtedy świecił jeszcze ogromny napis Pan American.

– Kogo widziałem?

– Był tam.

– Kto? Przestań mnie straszyć i się wygłupiać.

– Z pisaniem?

– Z samochodem.

– Przeznaczenie lubi, jak się je przyciśnie do muru, wtedy ma jakąś sytuację. Może coś odwlec albo przyspieszyć.

– Przestań bredzić. Ty nie kusisz losu, tylko policję.

– Prawo jest po to, żeby je przekraczać. Święty Paweł to napisał w Liście do Koryntian. Przecież to niemożliwe, żeby się nie zmienił.

– Kto się nie zmienił? Znów bierzesz prochy? Przecież ty nie wierzysz w przeznaczenie, tylko w przypadek.

– Czyje to były książki?

Skręca w Greenwich Village. Tu jedzie się wolniutko, ścisk na jezdni i taki sam na chodnikach. Światła knajp i zatłoczonych restauracji. Tłum nędzarzy udających bogatych i odwrotnie.

– Jak to czyje? Odstaw heroinę, proszę cię.

– Nie biorę heroiny. Moje?

– A czyje? Bierzesz, bierzesz.

– Pinball?

– Pinball. Rozwaliłeś pięćdziesiąt sztuk. Nic nie szkodzi, książka nie idzie.

– Pieprzysz. Jest na liście bestsellerów „New York Timesa".

– Nie bądź głupi. – Harris wzruszył ramionami. Już doszedł do siebie. Może się nawet roześmiał i teraz obserwuje zatłoczone chodniki. – Jest na liście, bo ja kupiłem dziesięć tysięcy. Wisisz mi za nie.

– Posłuchaj, chujowy menedżerze. Była o mnie cover story w „New York Times Magazine" i chcesz powiedzieć, że to nie pomogło?

– S&M – krzywi się Harris.

– Co S&M?

– Wiesz, co S&M. Wkurwiłeś krytyków, a zawsze się upierałeś, że nie wolno się identyfikować z bohaterem twoich pojebanych książek. I co? Goły od pasa w górę, w białych bryczesach, czarnych wysokich butach. Stoisz zadowolony z siebie ze szpicrutą.

– Z uzdą.

– To była szpicruta. Trzeba być kretynem, żeby dawać takie zdjęcie na okładkę czcigodnej gazety.

– To było przed stajnią, idioto, wszyscy wiedzą, że gram w polo.

– Wszyscy wiedzą, że jesteś sadomaso. Nie mogłeś się opanować? Za trudne, co? Myślisz, że ci wszystko ujdzie, co?

Buick sunie w karuzeli świateł samochodów i nagle tuż przy modnej restauracji Down Town ktoś wyjeżdża i zwalnia miejsce przy chodniku. Dżerzi akrobatycznie zmienia pas, zjeżdża z lewej strony na prawą, ryk klaksonów i furia kierowców polujących na miejsce.

Ale oni za chwilę są już w środku. Zapach włoskiej

kuchni, tłok. Pod ścianami na półkach wystawa win. Huk, mieszanina kolorów, zapachów. Włoski miesza się z angielskim. Hałasy kuchni z jazgotem sali.

Tutaj spotykają się modelki i modele po pokazach, jest tak głośno, że trzeba do siebie krzyczeć, ale słowa nie są potrzebne, mogą raczej zaszkodzić. Nierealnie długonogie kobiety, śliczni chłopcy, fryzury, futra na półnagie ciała, chrzęst i błysk biżuterii, krok sztucznie wystudiowany tak znakomicie, że już się zrobił naturalny. O stoliku nie ma mowy, ale udaje im się dopchać do baru.

Barman ich zna, uśmiecha się, nalewa bourbona. Przy jednym ze stolików Steven Wright z jakimś towarzystwem. Kwadratowa szczęka, niewysoki, buldogowaty. Lśni czerwone wino w kieliszkach wielkości sporego wazonu. Steven prowadzi sławny show telewizyjny, więc wymieniają uśmiechy. Pod ścianą przy dwuosobowym stoliku Masza i Klaus Werner. Nie jest łatwo zwrócić na siebie uwagę w tej rewii piękna i młodości. Ale Maszy się to udaje. Może to te skośne oczy, długa szyja, wysoko uniesiona głowa, popielate włosy, które czule gładzi Klaus, a może spuchnięte wargi.

– Otóż mylisz się, myśląc, że ci wszystko wybaczą…

– Widzisz? – spytał Dżerzi.

– Stevena?

– Pieprzę Stevena. Wiesz dobrze, kogo. Widzisz ją?

– Widzę i co?

– Chcesz się założyć, że możemy ją dzisiaj obaj wyruchać?

– Boże, ty mówisz tak głupio jak…

– Piszę?

– Jeździsz. Pierdolony świadek Holocaustu.

– Ty w nic nie wierzysz, w nic. Dlatego będziesz przez całe życie chujowym menedżerem, ani w Boga, ani w diabła, ani w seks, ani nawet we mnie. W nic... Za *Pinballa* żeś mi załatwił najgorszą zaliczkę, jaką dostałem, a ja ci mówię, że ona się z nim nudzi, ja to czuję, najgorszą zaliczkę w życiu...

– Psychologia to najsłabsza strona twoich książek, nie chcieli dać więcej, próbowałem coś utargować.

– Pieprzysz. Nie targowałeś się w ogóle.

– Bo z nimi się nie da targować. Z Jeffem i Jordanem można robić wszystko, tylko się nie targować.

– Z każdym można się targować. Mojżesz się targował z Bogiem. A to mogło nie być dużo łatwiej niż z Jeffem i Jordanem, targował się, bo wiedział, że ma rację, że nawet Bóg może być omylny. Bóg, a nie pieprzeni Jeff i Jordan. Para idiotów.

– Posłuchaj, Dżerzi, napisałeś kiepską książkę, która nie idzie. Ale napisałeś też parę dobrych. Się uspokój.

Barman dolewa im bourbona uprzejmie, ale z wyższością człowieka, który nie ma złudzeń, bo ma na co dzień do czynienia z alkoholem.

– I cię proszę, przestań rozbijać wypożyczone samochody i opowiadać w wywiadach te głupoty, że twoja pierwsza praca w Nowym Jorku to było szoferowanie dla czarnego szefa mafii narkotykowej. To głupota i tandeta.

– Owszem, jest za chuda, ale ma kurewskie, skośne oczy. On miał na imię Abel i kazał mi jeździć tak szybko, żeby klienci, z którymi robił interesy, się pocili ze strachu.

Tak było i lubię patrzeć, jak ty się pocisz, dwustu tysięcy dolarów nie potrafiłeś utargować.

– A co Mojżesz wytargował?

– Jak to co? Bóg zaczął od pięćdziesięciu... że ocali Sodomę i Gomorę, jeżeli się znajdzie pięćdziesięciu sprawiedliwych, a potem spuścił do dziesięciu. Z pięćdziesięciu do dziesięciu, rozumiesz?

– I jak się skończyło?

– A to już nie jest wina Mojżesza. Zrobimy tak, że ja wyjdę i zadzwonię do barmana z budki, żeby go poprosił, a wtedy ty podejdziesz do niej, powiesz, że jestem prezesem CBS, a ty jesteś moim kierowcą. Ja czekam przed knajpą... nie, lepiej, że jestem milionerem ekscentrykiem i że ona jest dla mnie tym, co Bunin mówił wszystkim kobietom – że jest porażeniem słonecznym.

– Idziemy. – Harris pokręcił głową. – Wypijemy, płacimy i idziemy.

– Bóg z pięćdziesięciu spuścił do dziesięciu, rozumiesz? Nie, ale ty jesteś za kiepsko ubrany jak na kierowcę, mówiłem ci, idziesz ze mną wieczorem, masz wkładać garnitur.

Właśnie wtedy Masza podnosi się, idzie w stronę toalety.

– Zobacz, no tylko zobacz, jakie ma długie nogi, jak rusza dupą.

– Pieprz się, Dżerzi. – Harris podniósł się i ruszył w stronę drzwi. – Pieprz się sam. Jutro zadzwonię.

Maszy sen albo nie sen
(z pamiętnika Maszy)

Miałam siedem lat i w środku nocy usłyszałam hałas w ubikacji wyszłam z łóżka żelaznego w którym spałam na waleta z braciszkiem czteroletnim Griszką sprężyny zawyły a Griszka się pokołysał i zapadł spojrzałam w okno a tam ciemność gałęzie przemarzniętej chudej topoli skrobią w okno żeby je wpuścić szkoda ich ale co jak potem nie będą chciały wyjść i ojciec przyłoży a hałas w łazience większy niż był strach ale przeszłam przez pokoik gdzie matka i ojciec spali równo na tapczanie obudzić czy nie obudzić nie obudziłam tylko skręciłam na korytarzyk do ubikacji gdzie się piętrzyły stare opony co to je ojciec zbierał na wszelki wypadek gdyby kiedyś odłożył na auto otwieram drzwi i co ja widzę... na sedesie siedzi człowieczek czarny znaczy na czarno ubrany a na kolanach trzyma skórzaną dyplomatkę większą od niego bo sam jest całkiem mały przestraszony i zajęty ja nie jestem żadnym tchórzem mam na podwórku reputację czyli łapię za pręt żelazny co się odłamał z balustrady na balkonie a człowieczek aż zadygotał otworzył walizkę pełną rubli i mówi z dziwnym akcentem dam ci to wszystko tylko pod warunkiem jednym że mnie nie skrzywdzisz ale ja mu nie zaufałam nic a nic bo co to za gadanie a te ruble na pewno fałszywe wzięłam zamach a człowieczek wpadł do kibla jakby go wessało postałam spuściłam wodę przygniotłam klapę ciężarem który ojciec podnosił dla sportu i wróciłam do łóżka ale topola która sięgała do czwartego piętra dalej biła nachalnie w okno i drapała jakby coś chciała więcej niż się ogrzać czyli wyszłam na balkonik popatrzyłam się na ciemne bloki pustą piaskownicę trzepak i wtedy nagle topola się odchyliła chmury pogalopowały na cztery strony w górze się zrobiła dziura a z niej wyjrzała twarz dobra ale cierpiąca troszkę jak na chuście Weroniki popatrzyła na mnie uśmiechnęła się i przemówiła nie bój się nic a nic pamiętaj że jesteś moim dzieckiem aha pomyślałam czyli mam teraz dwóch ojców jeden dobry drugi zły chmury jakby tylko na to czekały wróciły na miejsce a ja do łóżka

Masza na sto procent wiedziała – co wynika z dalszych jej zapisków – że to nie był żaden sen, tylko matka jej tłumaczyła, że musiał być, bo klamka od balkonu była za wysoko, żeby do niej dosięgnęła, ale matki nie można było brać poważnie, jako że jest, a raczej była, alkoholiczką, a Griszka dobrowolnie poświadczył, że też słyszał hałas w łazience, bo nie spał i dobrze widział, jak czarny człowiek wyszedł ze ściany, tylko się go przestraszył i naciągnął kołdrę na głowę.

Masza tego czarnego narysowała ze sto razy w klasie przedostatniej o kierunku artystycznym z naciskiem na rysunek. I by go namalowała, gdyby przydzielano im farby.

Potem matka skończyła z piciem, bo ją ojciec skutecznie oduczył. Sam pił dwa razy więcej, ale że był olbrzym, to po nim spływało, a matka była jak laleczka, taka drobniutka. Ojciec ją odzwyczajał na różne sposoby. Najbardziej udana kuracja rozpoczęła się od pomysłu, na który wpadł do spółki z obiema ciotkami Walentyną i Lilą – że najlepszym sposobem to do jej dumy się odnieść.

No i raz, kiedy Masza miała równo dziewięć lat i siedziała w szkole na lekcji przyrody o pająkach, obie siostry grube jak wieloryby wdrapały się na pierwsze piętro do klasy. Na nauczycielkę, która spytała: „Co? Po co? Dlaczego?", nie traciły czasu, tylko łapały powietrze i machały rękami, a jak się oddyszały, pokazały na Maszę palcem i wrzasnęły: „Wy, dzieci, się nie bawcie z Maszą, bo jej matka to pijaczka". Dzieci były grzeczne, więc od razu zaczęły krzyczeć: „Matka pijaczka, córka łajdaczka, ojciec alkoholik, braciszek paranoik", ale niedługo, bo się Maszy bały.

Ciotki się ukłoniły, Masza rzuciła w nie tornistrem, a najbardziej jej było wstyd przed klasą, że one takie grube i spocone.

Potem poleciała do domu, nic nikomu nie mówiąc. Aż dopiero matce, która akurat stała sobie na balkonie czwartego piętra, na jednej ręce trzymała braciszka Griszkę, a drugą, wolną, rozwieszała bieliznę. Matka zaczekała, aż Masza skończy, podała jej Griszkę, a sama skoczyła z balkonu na dół, ale że była leciutka, to się zaczepiła suknią. Maszę zamurowało, a suknia puszczała, ale powoli. Na szczęście sąsiad z dołu, emeryt, weteran wojny ojczyźnianej i inteligent, akurat siedział na balkonie i pisał wspomnienia o bitwie pod Kurskiem, więc ją złapał i wciągnął. A matka tylko podziękowała i z płaczem zniknęła. Wróciła za pół roku odzwyczajona, i to tak, że Masza jej nie poznała. Pomyślała, że obca kobieta się pcha, i nie chciała wpuścić do mieszkania.

Jedenaście lat później miała do siebie żal, że powiedziała o tym potem Klausowi, bo on zaczął jej wyliczać kieliszki, jako że alkoholizm to niby dziedziczny jest.

A ona przez tamte pół roku była zupełną matką dla braciszka. A jedyną pomocą był piesek kudłaty Dziadek, mieszaniec lisa z kundlem, przybłęda, ale z sercem, który najpierw wychowywał ją, a potem Griszkę. Jak szła na zakupy, a do sklepu z wózkiem nie wpuszczali, to zostawiała Griszkę pod opieką Dziadka, żeby go przypadkiem Żydzi nie ukradli na macę, a jak Griszka płakał, to Dziadek stawał na tylnych łapach, trącał nosem grzechotkę nad wózkiem i Griszka ryczał ze śmiechu.

Kiedy się wydało, że Masza bierze ekstradodatkowe lekcje rysunku, ojciec się wściekł, chociaż były darmowe, bo wybrał dla niej karierę i szczęśliwy los w fabryce elektronicznej. Mało, że pobił, to postanowił wżenić ją w mieszkanie i w ten sposób ogarnąć sytuację. Po naradzie z ciotkami wybrał odpowiedniego, dorodnego pięćdziesięciolatka, tramwajarza ze stażem, więc z zapewnioną emeryturą. Będzie pod nim leżała i puszczała bańki nosem, to jej się odechce rysować, bo kobyłka skacze, póki się jej uprzęży nie założy.

Wtedy już Masza przygotowała ucieczkę z domu. Niby oficjalnie według przepisów na małżeństwo była za młoda, ale matka ją pocieszała, że nie ma wyjścia, kobieta w Rosji żyje zadaniowo, żadnych pytań, jest służącą najpierw u siebie w domu, potem w domu męża i męża matki, ale wyjścia nie ma, bo pojedyncza kobieta jest w Rosji wrogiem, zagrożeniem każdej rodziny i nikt jej nie zaprosi. A mężczyźni po rewolucji i wojnie są na wagę złota.

Walentyna i Lila zorganizowały za łapówkę zaświadczenie, że Masza jest w ciąży, i wtedy wiek już nie grał roli. No i dała nogę pierwszy raz, i sobie zamieszkała na schodach przy kaloryferze. Jak się okazało, niepotrzebnie, bo kandydat na męża uznał, że się nie nadaje, to znaczy, urodą owszem, tak, ale jest ogólnie za młoda i jak podrośnie, będzie zdradzać. A on już jedną kobietę, co go zdradzała, poddusił i na więcej nie ma siły.

Gdzieś po tygodniu matka Maszę odnalazła, a ojciec wziął za kark i zaprowadził do metra. Tam wisiały fotografie bandytów poszukiwanych przez policję. I zapowiedział, że jak jeszcze raz da nogę, to tam zobaczy swoje zdjęcie na pierwszym miejscu. Skończyła szkołę, zdała egzaminy i przygotowywała się po cichu do Akademii.

Pierwsza miłość Maszy – bez wzajemności
Zanim pojawił się Klaus W.

Tymczasem Kostia krążył już dookoła, zastawiał sieci oraz knuł. Kiedyś ją wypatrzył, jak wychodziła szczęśliwa z lekcji rysunków, i napuścił pełnoletnią Tańkę. Tańka była po szkole, trochę na razie modelowała i tak jak on należała do lepszego świata. Matka była wicedyrektorką w wydawnictwie technicznym, a ojciec na placówce inżynieryjnej w Chinach.

Nauczyciel Maszy był malarzem wybitnym i trudno się było do niego dostać. Kiedyś uczył w Akademii, tyle że go wyrzucono za poglądy religijne i uczęszczanie do cerkwi. A Kostia miał z nim zadawnione kontakty.

Tak więc napuszczona przez Kostię Tańka zadała Maszy parę pytań. Po pierwsze, czy jest dziewicą. Na to Masza znała odpowiedź, bo odkąd skończyła dziewięć lat, była jak wszystkie dziewczyny w klasie dwa razy do roku sprawdzana przez lekarkę pod tym kątem. Po drugie, czy umie tańczyć i się ogólnie w tańcu zachować, bo taniec to nie są żarty, a jak zainteresowany nią Kostia, który jest przystojny, studiuje malarstwo, ma kilka par dżinsów, zachodnie płyty, dobry sprzęt i własną pracownię, ją przytuli, to też ma się do niego przytulić. Jak pocałuje w szyję, to też ma go dziabnąć w szyję, oko za oko, ząb za ząb, z tym że musi mieć suche usta, żeby go nie zaślinić.

Masza chciała się dowiedzieć coś więcej o Kostii albo chociaż zobaczyć zdjęcie. Ale Tańka machała ręką, że szkoda czasu. Tańca jej szczęśliwie uczyć nie było trzeba, bo miała uzdolnienia baletowe i ćwiczyła z Griszką.

Balanga była w mieszkaniu Tańki, której rodzice wyjechali na Krym. Włożyła suknię matki, przefarbowaną z brązowej na czarną, pięknie pod nią wyglądały jej piersi młode i dobrze sterczące, czarne rajstopy i buty przerobione z tenisówek na baletki. Na balandze zobaczyła, że jest trochę za biednie ubrana, bo dziewczęta były w dżinsach, obcisłych sweterkach i szpilkach. Ale Kostii to nie przeszkadzało.

Maszy się nie spodobał, ale tańczył dobrze, był ubrany jak trzeba i nawet nie zauważyła, kiedy się zaczęła do niego przekonywać. Jej matka narzekała później, że ma żółte zęby od papierosów, ale jak on pięknie i z rozmachem palił. Do tego był postawny, długonogi, miał najbardziej niebieskie dżinsy pod kolor oczu i taką samą dżinsową koszulę.

Masza w takim wielkim mieszkaniu nigdy przedtem nie była. I od początku oszołomiła ją utalentowana, radosna młodzież oraz wódka przemieszana z winem, którą Kostia raz po raz nalewał. Do tego w tańcu mało że ją przyciskał i całował w szyję, to w usta bardzo długo i namiętnie, bo z językiem, na co niby była przez Tańkę przygotowana, jednak nie wytrzymała, wyrwała się, wybiegła na klatkę schodową. I dopiero ją na półpiętrze przymurowało, przyłożyła twarz do chłodnej szyby, a serce hałasowało. Stała dobre piętnaście minut, planując, gdzie z Kostią po ślubie zamieszkają, o ile ma mieszkanie, ostatecznie można w pracowni, bo Tańka podkreśliła, że ma. Kiedy wezmą ten ślub, byle nie w maju, bo to pechowy miesiąc, i ile będą mieli dzieci. Myślała wtedy o dwojgu: chłopiec i dziewczynka. Chłopiec miałby na imię Antoszka, a dziewczynka Sofija, czyli mądrość.

Kiedy już to mniej więcej obmyśliła, wróciła porozmawiać z Kostią, tyle że jakby wyparował. Przepychała się przez wszystkie cztery pokoje i balkon, gdzie młodzi pili, całowali się, tańczyli i nic. Wypytywała nawet doświadczoną Tańkę, która ją zapewniła, że będzie dobrze, jest pod jej opieką, i nalała wódki, a Kostia się znajdzie.

Rzeczywiście miała rację, bo otworzyły się drzwi od ubikacji i ze środka wyszła zadowolona, gruba kobieta krytyk, pisząca recenzje na słoniowatych nogach z wy-

71

staw malarskich, a za nią spocony Kostia z rozpiętym rozporkiem, wtedy Masza wybiegła po raz drugi, teraz nieodwracalnie.

Do domu miała pieszo i po ciemku dwie godziny, metro już nie jeździło, bardzo płakała, trochę szła, trochę biegła przez puste ulice, przyjrzał jej się samotny milicjant, ale się nie ruszył, biegła sama, potem się przyłączył cień psa, a kiedy minęła jakiś plac, cichy i pusty jak cmentarz, zahamował przy niej moskwicz, a za kierownicą siedział dorosły chłopak o okrągłej, szczerej i wesołej twarzy i zapytał, czy może coś pomóc albo poczęstować papierosem... Zapaliła, ale nie tak pięknie, jak Kostia, opowiedziała o jego zdradzie, a on na to, że głupek, niewart nawet jednej jej łzy. Wysiadł, otworzył przed nią drzwiczki, zaprosił do środka i miał podrzucić do domu, tyle że zawiózł zupełnie gdzie indziej, czyli nad rzekę Moskwę. A tam kończyło wódkę czterech jego kolegów, zachwyconych z takiego prezentu jak Masza o tak późnej godzinie, więc zapytali grzecznie, od którego chciałaby zacząć.

Masza nie przestraszyła się w ogóle, bo pamiętała obietnicę twarzy podobnej do chusty Weroniki. Tylko wyjaśniła spokojnie chłopakom, że jest dziewicą, i czy chcieliby, żeby takim sposobem rozpoczęła życie kobiety ich matka czy inna siostra. Wtedy już widocznie czar chusty zaczął działać, bo ruszyło ich sumienie i zaczęli się naradzać. W końcu uzgodnili, że dziewictwo to rzecz święta i nietykalna, więc uczciwie zrobią na nią zrzutkę. Następnie zaczęli obliczać i się kłócić, ile to może kosztować, i ten, który da najwięcej, będzie pierwszy. Wyciągali zaskórniaki i rozkładali drobne. Ale wtedy ten, co ją przywiózł, poczuł w sobie siłę dobra i wyrzuty sumienia, dyskretnie dał znak, żeby podsunęła się w stronę moskwicza. Wskoczyła, a on za nią i odjechali, kiedy tamci jeszcze liczyli i się kłócili. W domu ojciec cierpliwie czekał z pasem, aż się doczekał, a matka cicho popłakała.

Następnego dnia, kiedy rodzina była w pracy, pod klatką stał Kostia z tulipanami, nie chciała otworzyć, ale wytłumaczył się przez drzwi i wtedy otworzyła. Wyjaśnił, że to straszne nieporozumienie. Po pierwsze, był pijany, po drugie, został wykorzystany siłą, po trzecie, przez cały czas myślał o niej, nie chciała wierzyć, ale ukląkł i wtedy uwierzyła.

Ponieważ niesprawiedliwość świata się na nią po raz trzeci tej nocy zwaliła i przygniotła, więc z braku sił i argumentów pojechała do niego. Tam czas zaczął tak szybko biec, że nawet nie zauważyła, jak przegalopował miesiąc, i nie zdążyła złożyć papierów na Akademię, nie mówiąc o egzaminach.

O rodzicach bała się myśleć, wyparowali. Coś jak Kostia na przyjęciu. Tylko wieczorami, tracąc oddech, z dudniącym sercem podchodziła ostrożnie do metra, sprawdzając, czy jej zdjęcie, tak jak obiecał ojciec, wisi wśród poszukiwanych przestępców na pierwszym miejscu, ale nie.

Kostia niby to mieszkał z rodzicami w Moskwie eleganckiej, na Majakowskiego, ale cały dzień poświęcał na malarskie wizje. Masza mieszkała sobie w pracowni, wdychała zapach farby i patrzyła na dziwny taniec, jaki Kostia wykonywał przed obrazami, malując. Dawał trzy kroki do przodu z pędzlem albo szpachlą i trzy do tyłu.

Trzy do przodu, dziesięć do tyłu, odwracał się plecami, pochylał i patrząc między nogami, oceniał obraz. Potem odkładał szpachlę, pędzel, przerywał ten taniec koło rozpoczętego obrazu i zabierał się do pozbawiania Maszy dziewictwa, robił to przez pół roku z marnym skutkiem, obciążając winą grubonogą krytyczkę, bo przeżył z nią szok, z którego wciąż się otrząsa, aż raz udało się i po tym pierwszym razie, który trwał nie dłużej niż pięć sekund, zrozumiała, że kocha Kostię na zawsze. A on wyjaśnił, że akt miłosny nigdy nie trwa dłużej, a wszystkie opowieści na ten temat to propaganda.

Tęskniła za mamą, Griszką i psem, ale Kostia dawał jej farbę, płótno, a nawet lekcje. Namalowała mały obraz i dwa duże. Na małym był zdziwiony piesek, przywiązany do szyn kolejowych sznurem, na dużym kot z Puszkina na drzewie, chodzący po łańcuchu i mruczący bajki, na trzecim drzewko, które wyrosło ze szpary w murze i rozkwitło. Kostia chwalił, chociaż sam drążył w abstrakcji.

Szok nie ustępował, ale Masza go pocieszała, że nie wolno się przejmować, bo nie na tym polega miłość, tylko na czymś innym. Że teraz już wie, że będzie do końca swego życia go kochać i wspierać, bo to się należy każdemu geniuszowi, i że Bóg wyraźnie pobłogosławił ich związek, bo ten jeden pięciosekundowy wkład wystarczył i spodziewa się dziecka – albo Sofii, albo Antoszka. I tu się wydarzyło coś, czego nie brała pod uwagę.

W jedną chwilę Kostia zdecydował, że jest oddany sztuce i tylko sztuce. Że owszem, chciał z Maszą dzielić życie, ale nie tak. Liczył, że w niej jako dziewicy była

74

pierwotna moc i siła świata, która pomoże mu dotknąć transcendencji, a sztuka odsłoni przed nim swoje tajemnice. A tu musi ze smutkiem powiedzieć, że nie. Że czuje się wykorzystany nie tylko przez krytyczkę, ale jeszcze bardziej przez Maszę. A tak jej przecież ufał. Masza bez zbędnych słów zabrała szczoteczkę do zębów, obraz z pieskiem i zgłosiła się do szpitala. Do sali operacyjnej wpuszczali po jedenaście dziewczyn. A dookoła co ładniejszych zbiegali się studenci medycyny i kiedy lekarz pracował, zagadywali: – Cześć, dziewczyny, wstąpiłyście na manikiur? – albo: – Głupie krowy, trzeba było paść się na takim pastwisku, gdzie nie jebią. – Z zaciśniętymi zębami dowlokła się do domu, powtarzając w kółko: – Oto twoja miłość na całe życie – i zamknęła w ubikacji.

Wtedy po raz pierwszy zwątpiła w pomoc Twarzy, bo ból wykręcał jej ciało na wszystkie strony świata. Tyle że Kostii ze swego serca wygnać nie potrafiła. Mimo że ani się nie pojawiał, ani nie telefonował. Dopiero po miesiącu pierwszy raz poszła pod jego okna, bo może sobie zrobił jakąś krzywdę z rozpaczy? Zadarła głowę, zobaczyła światło, a z okna płynęły śmiechy, muzyka oraz gęsty dym papierosowy.

Potem była jesień. Żeby uratować Maszę przed pasożytnictwem i kłopotami z milicją, w Ministerstwie Komunikacji ciotka Lila, która miała szerokie stosunki, załatwiła jej przepisywanie na maszynie rozporządzeń i okólników. Po godzinach Masza biegła do nauczyciela rysunków, który resztką sił poszukiwał prawdy i Boga na dnie stakańczyka, słuchał w kółko kwintetu smyczkowego Schuberta, tłumacząc, że to najpiękniejsza na świecie rozmowa ze śmiercią, i ciągle dawał jej lekcje. Więc rysowała kwiaty, garnki, jabłka, buty, dłonie, drzewa, żeby nauczyć się posługiwać światłem i przestrzenią. I to ją uratowało. A wieczorami, kiedy wszyscy w domu spali, zapalała papierosa, siadała w kuchni, patrzyła w ciemne okno i szkicowała tuszem cień topoli i swoją twarz, która odbijała się w szybie.

Ściana śmiechu
(Klaus W. wchodzi do akcji)

Pod koniec listopada spotkała Tańkę, która wyznała, że Kostia to też była jej wielka omyłka. Ale w malarstwie idzie mu dobrze i grupa, w której Kostia gra pierwsze skrzypce, ma wystawę w Akademii, i żeby przyszła popatrzeć, bo co było, to nie jest. Masza akurat wróciła z lekcji i miała w plecaku obraz z pieskiem, który bardzo poprawiła. Zgodziła się iść głównie po to, żeby ostatni raz popatrzeć mu w oczy i zrozumieć, jak on mógł i co to w ogóle za człowiek.

Tam zobaczyła swojego Kostię, który stał i rozmawiał z tą samą krytyczką na słoniowatych nogach, a jej tylko po starej znajomości kiwnął głową. To już było za dużo, nie spojrzała na obrazy i wybiegła. A na schodach jakiś student powiedział, że to wszystko gówno i jak chce spojrzeć w oczy prawdziwej sztuce, to dwa przystanki metrem stąd, w budynku do kapitalnego remontu jest wystawa sztuki nowoczesnej, podziemna i najwyżej jednodniowa, o której wiedzą tylko swoi i wybrani. Pojechała, dom się jakby zataczał, zadzwoniła w umówiony sposób, drzwi się z trudem otworzyły, zrobiła krok i straciła równowagę. To był długi, ciemny korytarz, gdzie podłoga się chwiała i wyginała. Wyłożono ją nierówno gąbkami, materacami dmuchanymi i szeleszczącymi gazetami. Co krok traciło się równowagę, leciało w lewo albo w prawo, odbijało od ścian, upadało na kolana.

Z góry i z dołu buchał śmiech, nagrany na taśmę albo coś, a przez dziury w ścianach podglądały rozbawione twarze.

Potknęła się, wywaliła, podniosła, do przodu było jeszcze do przejścia dobre piętnaście kroków, do tyłu siedem i chciała wrócić, ale za nią już wywalała się bardzo zadowolona para, za nią następna i po prostu nie było jak. Zagryzła wargi, poczuła się naga, okradziona i ośmieszona. Pchała się, toczyła albo na czworakach lazła do przodu, aż uderzyła głową w drzwi, i to był koniec wystawy.

Zleciała po wyślizganych drewnianych schodach na podwórko i dopiero tu zatrzęsła się, pokopała ścianę, wybuchnęła płaczem i zobaczyła Klausa Wernera. Był wysoki, gładko uczesany, w drogim garniturze i białej jak śnieg koszuli, czyli z całą pewnością obcokrajowiec. Podał jej chusteczkę i przemówił łagodnie w wyszukanym rosyjskim, że się przecież znają, bo spotkali się u Salomona Pawłowicza.

„Ty moja klacz, a ja twój kowboj"

Na Brighton Beach metro wlecze się z górnego Manhattanu prawie godzinę. Samochodem jest szybciej, najpierw Battery Tunnel, czyli pod East River na Brooklyn, potem Ocean Parkway i skręt nad Hudson, która, zanim wpadnie do oceanu, rozlewa się szeroko i zawsze zatłoczona jest w tym miejscu sterczącymi z wody jak wielopiętrowe domy oceanicznymi okrętami. Potem jeszcze parę skrętów i już jest Mała Odessa, czyli Brighton Beach, gdzie szum oceanu zagłusza hałas metra.

Café Karenina jest na samym boardwalku, między Tatianą i Gastronomem Moskwa. Ten boardwalk to szeroki na kilkadziesiąt metrów i długi na parę kilometrów drewniany pomost na potężnych palach, biegnący na samiutkim skraju plaży, wzdłuż oceanu, aż na koniec Brooklynu, czyli Coney Island. Po drodze jest lunapark i tam się kończy terytorium wywalczone w ciężkich bojach przez rosyjską mafię. Resztę kontroluje Puerto Rico.

W lecie Café Karenina to coś zupełnie wspaniałego. Przy wystawionych na powietrze stolikach można popić stoliczną, zagrać w szachy, zjeść syberyjskie pielmienie i popatrzeć, jak mewy z wrzaskiem biją się o wyrzucone przez ocean na plażę kraby, oraz posłuchać najmodniejszych rosyjskich przebojów:

Na ręku tatuaż
W kieszeni „Playboy"

Ty moja klacz
A ja twój kowboj

Zimą to już nie to, bo trzeba siedzieć w środku.

Ryśkowi powodziło się dobrze, ale nie czuł się szczęśliwy. Był w Polsce znanym aktorem teatralnym, zagrał parę ról szekspirowskich i świetnie barona w *Trzech siostrach*. W Café Karenina pracował jako kelner i mszcząc się za wszystkie krzywdy, jakie naród polski przez wieki znosił od Rosji, a szczególnie za wbicie noża w plecy w roku 1939 oraz mord w Katyniu, dymał właścicielkę restauracji, grubą Olgę, chociaż ani jej nie kochał, ani mu się nie podobała.

Popijaliśmy kawę wymieszaną z absolutem i patrzyliśmy na uśpiony ocean. Przed południem w restauracji było pustawo. Tylko w kącie niedaleko od nas kobieta o twarzy zmęczonej, ale twardej, takiej, co to jej byle co nie da rady, popijała słodką herbatą śledzia w oliwie. A przy oknie dwóch kelnerów o podpuchniętych twarzach kończyło jajecznicę na szynce.

– Ten pierwszy – Rysiek pokazał małego okrągłego z przylizanymi do czaszki resztkami włosów – mówi, że był w Rosji dyrektorem elektrowni atomowej, ten drugi upiera się, że wykładał matematykę teoretyczną na Uniwersytecie Łomonosowa. Chuj ich wie, może byli, może nie byli. Co to ma teraz i tutaj za znaczenie. U nas jak w szpitalu wariatów, wybierasz sobie, kim chcesz być, i jesteś. A ty, Janek, daj sobie spokój ze scenariuszem o tym Dżerzim, on już nic a nic nikogo nie obchodzi. Napisz musical o polskim papieżu na Broadway, ja bym mógł go zagrać, bo jestem podobny, co każdy powie, i akcent by nie przeszkadzał.

Często wpadałem do Kareniny pogadać z Ryśkiem, no bo Azja, co tu ukrywać, była mi bliższa niż Ameryka. Parę lat temu Brighton działał jak w zegarku. Wszystko zaczęło się psuć, odkąd zamknęli Godzillę. To był największy Żyd, jaki się kiedykolwiek narodził, miał równo dwa metry i cztery centymetry. Rządził Małą Odessą, był szanowany i lokalnie, i przez amerykańską policję, a nawet FBI, które się mafią tutejszą zajmowało ostrożnie, żeby nie być oskarżone o antysemityzm, a do tego Rosjanie byli jeszcze okrutniejsi od Jamajczyków i mścili się na rodzinach.

Godzilla po wygraniu wojny z Puerto Rico dbał o dzielnicę. Poziom lokalnej szkoły był wysoki, a język rosyjski nauczany starannie: Puszkin, Gogol, Czechow, Jesienin, były wieczory poezji i czytanie Turgieniewa i Sołżenicyna. Remonty i inwestycje wykonywano w terminie, a burdel stał na wysokim poziomie. Godzilla miał zresztą szersze spojrzenie, nie tylko kontrolował dolewanie wody do ropy i benzyny, fałszowanie kart kredytowych, narkotyki i prostytucję, ale robił rzeczy wymagające wyobraźni, takie jak sprzedaż dwudziestu rosyjskich wojskowych helikopterów uzbrojonych w rakiety do Iranu czy nieudaną, tylko na skutek przecieku, sprzedaż rosyjskiej łodzi podwodnej dla kolumbijskiej organizacji. Wtedy FBI już nie miało wyjścia i Godzillę zdjęło.

Ten burdel to było dwadzieścia pięć pokojów z pięknym widokiem, bo okna wychodziły na ocean. Pracowały tam głównie dziewczyny z Ukrainy i Białorusi. Najczęściej całe klasy przyjeżdżały po maturze na parę miesięcy i potem wzbogacone wracały i wymieniały się z koleżankami. Co rano witały wschód słońca śpiewem, a stare kobiety emigrantki wynosiły przed domy krzesełka i życzliwie słuchając, kołysały się do taktu. Po upadku Godzilli to już nie było to. Remonty się spóźniały, policja amerykańska schamiała, jedna klasa nie dostała wiz i zaczęto zatrudniać przypadkowe dziewczyny z Rosji, które narzekały, jak to Rosjanki, że albo za dużo klientów, albo za mało.

Wtedy zaczęły się też kłopoty, w jednym oknie burdelu nawet założono drucianą siatkę, bo dziewczyna się podobno buntowała i, krótko mówiąc, chciała wyskoczyć. No i nareszcie ostatnio przyjechał taki młody, krótko ostrzyżony i poszła informacja, że go na miejsce Godzilli przysłano z Moskwy. On się w ogóle nie odzywał, tylko wynajął pokoik w hoteliku Newskim i szeptano, że się incognito przygląda. Potem zaczął przesiadywać w Rusłanie i Ludmile, gdzie przychodziło mocno szemrane towarzystwo. Z początku odnoszono się do niego nieufnie, bo za młody i trochę mało wyglądał na Żyda.

Ale lody przełamało małżeństwo emerytów, które poszło ze skargą na sąsiadów, że za głośno puszczają radio, i dało mu jakiś prezent, a potem ruszyła lawina. On nic nie obiecywał, tylko brał, kiwał głową i słuchał, ale strach zaczął działać, radio ściszono, dwóch ostro pijących nauczycieli wyrzucono, a potem jednego dnia on zniknął, a razem z nim zniknęła ta zbuntowana dziewczyna z burdelu. I naraz się okazało, że to w ogóle nie był ten, którego oczekiwano.

– I co się z nimi stało?

– A chuj wie. Może wrócili do Rosji, może są gdzieś tutaj – skrzywił się Rysiek. – Nowy Jork to jak ocean, rozpłynęli się. Zobacz tę rzekę Hudson, jaka ogromna, i co? Wpływa do oceanu i już po niej ani śladu, jest Atlantyk i tyle. A ty wiesz, że jak jest przypływ, to Hudson zaczyna płynąć do tyłu? Za Godzilli – zastanowił się – Dżerzi często tutaj wpadał. Był ceniony jako sławny Żyd mówiący po rosyjsku. Został nawet jurorem w wyborach Miss Małej Odessy w kategorii cztery–siedem lat. Przyszedł, obejrzał te przestraszone, umundurowane na sekslaleczki dzieci na szpilkach i przemówił do rodziców:

– Nie męczcie malutkich dziewczynek. Dajcie im jeszcze dwa, trzy lata. Ja też byłem męczony jako dziecko i to mnie załatwiło na całe życie. Owszem, mam sukces, sławę i pieniądze, ale biorę dragi, chodzę do seksklubów, zadaję się z prostytutkami, nie mam dzieci ani rodziny. Czy chcecie, żeby wasze dzieci były takie jak ja?

I ci wszyscy rodzice chórem wrzasnęli:

– Tak!

– Tak mi w każdym razie opowiadał – roześmiał się Rysiek. – On był nieźle popieprzony. Raz piliśmy wódkę-tonic w Kareninie na boardwalku, a on nagle się skulił i szepnął:

– Widziałeś go?

– Kogo?

– Tego, co się we mnie wpatrywał.

– Gdzie?

– Już się schował, w jasnym płaszczu… To jest ten facet z Sandomierza.

– Z jakiego Sandomierza?

I on opowiedział, że jak był mały, to ten facet przychodził pożyczać pieniądze od rodziców. Szantażysta taki. Ojciec z nim rozmawiał, bo ojciec miał dopuszczalny wygląd.

– I co – spytałem. – Poznałeś go?

– On się w ogóle nie zmienił.

– Przez pięćdziesiąt lat?

– Nic a nic.

Powiedziałem Ryśkowi, że zamiast roli papieża napiszę dla niego rolę tego, co się nie zmienił. I że jego akcent też nie będzie przeszkadzał. Ale on się skrzywił.

– Zaczekaj – powiedziałem. – Spokojnie zaczekaj.

Co powinniśmy wiedzieć o Jody, zanim dojdzie do jej spotkania z Dżerzim w Central Parku

Na pewno to, że ma dwadzieścia dziewięć lat i że w Nowym Jorku to jest dużo, a w Los Angeles jeszcze więcej, do pracy w telewizji po trzydziestce nie przyjmują. Jest szczupła, wysoka, po ojcu ma wąskie usta, a po matce duży biust. Rodzice wyemigrowali z Mediolanu, ale ona urodziła się już na Manhattanie, w dzielnicy, którą nazywają nie bez powodu Little Italy. Tu skończyła szkołę publiczną i po angielsku mówi bez akcentu. Ma czarne, wielkie oczy, a włosy falami spływają jej na ramiona. Ta włoska dzielnica jest na dole Manhattanu, po stronie wschodniej, tuż za Lower East Side, a przed China Town i Wall Street.

Rodzice Jody tęsknili za Mediolanem i mieli malutką kawiarnię, którą nazwali Nostalgia. Matka robiła najlepsze w okolicy cappuccino, ale też i świetne sandwicze: prosciutto, salami, mozzarella, pomidory na długich, chrupiących bagietkach. Czyli kontuar, sześć stoliczków, a na ścianach zdjęcia z dedykacjami od Oriany Fallaci, Daria Fo i Maria Puzo. Matka Jody kochała ojca i książki, tym drugim zaraziła córkę. Ojciec był piękny, szpakowaty, miał astmę, kilka kochanek i palił czerwone marlboro. A matka była dobra nie do wytrzymania. Raz, wracając ze szkoły w zimie, Jody zobaczyła ją, jak zmarznięta przytupuje na ulicy.

– Ojciec jest taki chory – powiedziała córce. – Jest u niego ta gruba kochanka, Claudia. Czekam, aż wyjdzie. Niech on ma jeszcze coś z życia.

Jody skończyła szkołę wprawdzie publiczną, ale najlepszą, PS 41 w Greenwich Village, a potem prestiżową i prywatną Nightingale-Bamford na górnym Manhattanie. Następnie przysięgła sobie, że jej życie będzie wyglądało inaczej niż matki. Dostała pracę w wielkiej agencji artystycznej William Morris, tam poznała Michaela i nawiązała z nim taki sobie romans, to znaczy bez zobowiązań z jej strony, ale on oszalał z miłości.

I nagle wstrząs, ojciec się uparł, żeby przed śmiercią pożegnać Mediolan. Poleciał z matką, no i samolot się rozbił. Jody od razu dostała dwa miliony od towarzystwa ubezpieczeniowego. Sprzedała Nostalgię, wynajęła ogromne mieszkanie na górnym Manhattanie i założyła własne wydawnictwo na Madison Avenue. Michael też odszedł z Williama Morrisa i został jej doradcą. Są razem, ale jak to w Nowym Jorku, mieszkają osobno. Michael jest drobnym, chudym Żydem, zna pięć języków, ma ogromną czarną czuprynę i wielkie piękne oczy, które zapalają się, kiedy mówi o Dżerzim. Na studiach napisał pracę porównującą bohatera *Malowanego ptaka* z Anną Frank. Kocha tylko Jody i książki. Zanim weźmie którąś, myje ręce, a książkę starannie obwąchuje. *Malowanego ptaka* zna na pamięć. Kiedyś napisał list miłosny do Dżerziego i spotkali się. Poprosił go, żeby otworzył książkę w dowolnym miejscu i przeczytał jedną linijkę. Wtedy wyrecytował bez wahania całą stronę. Dżerzi był pod wrażeniem, a Michael z dumą przedstawił mu Jody.

Kiedyś Dżerzi odwiedził ją w wydawnictwie późnym wieczorem, kiedy wszyscy już wyszli. Przedtem spytał, czy ma psa. Jeżeli ma, to poprosił, żeby go zamknęła w innym pokoju. Ma przecież rodzaj psychozy związanej z psami. Chodzi o psa z *Malowanego ptaka*. Ten zły, ogromny pies nazywał się Judasz. Kiedy Dżerzi jako mały, porzucony przez rodziców czarnowłosy chłopiec błąkał się po polskich wsiach w czasach zagłady, chłop sadysta, u którego mieszkał, wieszał go pod sufitem za ręce, a pies skakał w górę, próbując go rozszarpać. Chłop przybłędy nienawidził, ale bał się księdza, który mu zabronił małego zabić albo nawet wydać Niemcom. Do tego był przekonany, że raz, kiedy spał, chłopiec policzył mu zęby i stąd ma nad nim pewną władzę, i nie wolno mu go osobiście skrzywdzić. Po cichu liczył, że pies załatwi sprawę za niego. Dżerzi zapisał to w swojej książce. Jody ma tylko łagodnego, brązowego setera o lśniących, smutnych oczach, ale zamyka go w którymś z pokojów.

Dżerzi przyszedł i przysiągł, że wszystkie plotki o jego rzekomym życiu erotycznym to bzdura i absurd. Jest kaleką, a ze swoją nieformalną żoną, austriacką baronową, nigdy nie spał. Żona jest tylko jego sekretarką. Właśnie dlatego pisze tyle o seksie, że jest on dla niego niedostępny, w czasie chłopięcej odysei polscy chłopi skatowali go tak, że jego członek został zmasakrowany i się wessał.

Miał wielką siłę przekonywania. Ale Jody słuchała nieufnie, wtedy poprosił, że jeżeli nie wierzy, to proszę bardzo, niech sama sprawdzi, najlepiej ręką. Jody dotknęła i rzeczywiście miejsce było puste. Wzruszyła się i nagle poczuła mocne uderzenie w palce. To Dżerzi uwolnił przyklejonego taśmą kutasa w stanie erekcji. Zaskoczona i oszołomiona Jody nagle poczuła go w środku. Dżerzi kochał się z nią bardzo długo. I Jody po raz pierwszy w życiu przeżyła głęboki orgazm. Krótko mówiąc, została jego kochanką, a Dżerzi wprowadził ją do swojego sadomasochistycznego teatru. Miał największą w Nowym Jorku kolekcję pejczy, uświadamiał korzyści wynikające z bólu i przebierania się, on sam na przykład nieskończenie długą erekcję uzyskiwał dzięki pranajamie, jodze oraz skórzanym rzemykom, które, odpowiednio podwiązane, nie dopuszczały do odpływu krwi i hamowały orgazm. Przez ich kilka pierwszych stosunków Dżerzi się od orgazmu powstrzymywał, nie chcąc tracić życiowej energii „chi".

A Jody się uzależniła, powiedziała o wszystkim Michaelowi. Cierpiał, ale nie miał żalu, rozumiał ją doskonale, bo gdzie mu do genialnego pisarza, odczuwał nawet rodzaj żałosnej satysfakcji psa dumnego ze swojego pana. Prosił tylko, żeby pozwoliła mu być blisko, przyjął rolę zaufanego służącego, robił zakupy, kupował bilety do teatru i kina. Do momentu kiedy Dżerzi wspomniał, że Michael pozwolił mu schować się w szafie-garderobie i podejrzeć przez uchylone drzwi, jak się kocha z Jody. To było oczywiście, zanim Dżerzi został jej kochankiem.

Jody wyrzuciła Michaela z pracy i zerwała z nim stosunki. Michael porozpaczał, ale na pociechę Dżerzi dalej utrzymywał z nim kontakt. Kiedy żelazna kurtyna pękła, Michael postanowił jechać do Polski, aby odnaleźć szlak, którym poruszał się w czasie Holocaustu mały Jurek.

Tymczasem zainteresowanie Dżerziego osłabło. Spotykał się z Jody coraz rzadziej, aż doszło do wymuszonej przez nią rozmowy w parku.

Sandomierz
(Retro 2)

Sandomierz, 1941 rok. Pukanie do drzwi. Mały Jurek siedzi w mieszkaniu rodziców przy stole i rysuje słońce, chmury, ptaki, samoloty zrzucające bomby, czołgi, leżących na ziemi zastrzelonych ludzi. Mieszkanie jest trochę podobne do łódzkiego, ale mniejsze i prowizorkę się czuje. To tylko stacja przesiadkowa, pod ścianami walizki, część nierozpakowana. Ojciec pochyla się nad szachownicą, a matka suszy ręcznikiem świeżo umyte, wspaniałe, czarne włosy. Pukanie do drzwi, matka ucieka w głąb mieszkania, a ojciec otwiera. Za drzwiami stoi Walery. Twarz szeroka, życzliwa, polska.

– Dobry wieczór, panie Lewinkopf. Można?

– Bardzo proszę, panie sąsiedzie. Bardzo proszę, ale nazywam się Kosiński. Mieczysław Kosiński. Mam na to papiery. Może chce pan zobaczyć? Niech pan wejdzie.

– A to bardzo chętnie popatrzę.

Ojciec pokazuje Waleremu dokumenty, no owszem, ręce mu się trzęsą, ale tylko trochę. Walery ogląda je uważnie.

– A to bardzo dobrze. A żony nie ma?

– A wyjechała na wieś.

– A to bardzo dobrze, bo ona z tymi włosami kłuła w oczy. Czyli na wieś?

– Na wieś.

– A to bardzo dobrze. A wie pan co? Moja żona się potomka spodziewa.

– No proszę, serdecznie gratuluję, serdecznie.

– A synek sobie rysuje?

– A rysuje.

– Jak to dziecko.

– Jak to dziecko, niech pan siada, panie sąsiedzie, może kieliszek?

– A bardzo chętnie.

Więc ceremonia nalewania. Obaj stukają się i wypijają.

– A może mógłbym w czymś pomóc? – pyta ojciec.

– Dobre, mocne. Widzi pan, rozchodzi się o to, że moja żona, jak powiedziałem, jest w stanie błogosławionym, i się jako taka musi odżywiać. A straszna drożyzna, panie…

– Kosiński.

– I pomyślałem… panie Kosiński…

– I bardzo pan dobrze zrobił, panie sąsiedzie.

– Oczywiście oddam, co do grosza.

– A nie ma o czym mówić. O, tutaj akurat mam pięćdziesiąt dolarów.

Widząc, że Walery spodziewał się więcej, szybko mówi:

– O, i jeszcze jedne pięćdziesiąt.

– Dziękuję, panie Kosiński. Teraz takie, wie pan, czasy, że trzeba sobie pomagać.

Z głębi mieszkania słychać hałas. To matce wypadła na ziemię szczotka do włosów.

– A kto to? Co to? – pyta Walery.

– To pan nie wie, że u nas straszy – mówi mały Jurek.

Rusłan i Ludmiła

Wczesny ranek, ocean jest jeszcze blady po nocy, ale skacowane słońce wschodzi. Arkadij Abramowicz Trosman nieduży, ale szeroki, ostrzyżony krótko, z obowiązkową blizną na policzku, który niedawno został przysłany z Moskwy na Brighton, żeby zrobić porządek, siedzi przy stoliku w zamkniętej jeszcze restauracji Rusłan i Ludmiła, popija herbatę z wódką. W dłoniach trzyma świeżo obciętą głowę, a w oczach ma łzy.

– Dlaczego? – pyta głowę. – Dlaczego mi to zrobiłeś? Dlaczego zrobiłeś to swojej matce? Przecież wiesz, jak ja nienawidzę zabijać. Czy ja cię o wiele prosiłem? Miałeś tylko dopilnować tego wyładunku łopat, czy to naprawdę tak dużo? Gdybyś to zrobił jak należy, pilibyśmy teraz razem herbatę w Rusłanie... Dlaczego mi to zrobiłeś? Dlaczego? – Ociera łzy i odkłada głowę na ręcznie malowaną, porcelanową tacę.

Wino we wszystkich kolorach

Powiedziałem Klausowi, że, owszem, piszę, ale nie jestem pewien kolejności tych scen, mam kłopoty z zaplanowaniem, bo zaplanować to znaczy zrozumieć, a z tym też mam kłopoty.

Tak więc przepraszam, ale żeby opowiadać dalej, muszę się na chwilę cofnąć do roku 1982. Też mam całkiem dosyć solidarnościowych wspomnień, ale trudno.

Więc jest rok 1982, styczeń, emigracji sam początek. Ale uwaga, uwaga, ja się już nie trzęsę ze strachu w Londynie, gdzie mnie akcja generała Jaruzelskiego przytrzasnęła. Nie napastuję obcych głupimi pytaniami, co dalej robić, po nocach nie zgrzytam zębami. I gdybyście weszli do sławnej restauracji Maxim w Paryżu, rozebrali się w szatni i przeszli do głównej sali lustrzanej, tobyście zauważyli, jak przy trzecim stoliku po lewej stronie od godziny siedzę sobie, a nawet się rozpieram w złoto-czerwonym bardziej fotelu niż krześle i popijam bez ograniczeń i to, i tamto. Najpierw oczywiście podwójny absolut na lodzie, potem wino we wszystkich kolorach, a za jakiś czas przejdę do koniaku. Napisałem, że piję, ale też zagryzam, a to kawiorkiem czarnym, a to gęsią wątróbeczką, a jak akurat chcę, to sobie wydłubię ślimaczka ze skorupki w sosie cytrynowo-czosnkowym. Wydłubuję, ale też robię do siebie miny w ogromnych na całą ścianę kryształowych lustrach. Od razu wyjaśniam, że tak robię zawsze, kiedy jestem pijany, najczęściej w toalecie, ale teraz mrugam do siebie i się wykrzywiam, chociaż nie jestem sam, bo obok mnie po stronie lewej odbija się w lustrze Jean Pierre, a z prawej Jean Baptiste. Z tym że należy pamiętać, że w lustrze lewe jest prawe, a prawe lewe, tak mi się w każdym razie w tej chwili wydaje.

Jean Pierre ma lat pięćdziesiąt, nie ma włosów, za to puszyste baczki i jest producentem, a i reżyserem w sławnym filmowym studiu Gaumont. A Jean Baptiste to już w ogóle szkoda gadać. Anioł, włosy w kolorze starego złota, pięknie falujące, twarz opalona, oczy niebieskie. Na dodatek kuzyn dalszy, a może bliższy Coco Chanel, dla której to firmy Jean Pierre nakręcił właśnie commercial i z tego powodu jemy kolację.

Czy zauważyli państwo, że całkiem często pojawiam się w miejscach, na które mnie finansowo jakby nie za bardzo stać? No więc właśnie, co ja tu robię w pożyczonej marynarce i dumny z cudzych pieniędzy? To się akurat da wyjaśnić. Trzy dni wcześniej zadzwonił do mnie do Londynu Jean Pierre. Mieszkałem wtedy u stolarza alkoholika na ulicy Chiswick, naprzeciwko smażalni Kentucky Fried Chicken, która wydawała mi się wtedy całkiem eleganckim lokalem. Stolarz wył z tęsknoty za Białymstokiem i narzeczoną Jolą, którą podejrzewał o zdrady. W podsłuchiwany przez służby bezpieczeństwa w Białymstoku telefon zaklinał się, że wróci z kasą i będzie ją nosił na rękach, ale jeżeli się okaże, że pod jego nieobecność stęka pod kimś innym... to tymi samymi rękami ją udusi. Więc Jean Pierre, który znał mnie z Polski i wiedział, gdzie jestem, zadzwonił, że chce u mnie zamówić scenariusz. W jeden dzień, nie wiem, jakim cudem, załatwił wizę i przysłał bilet, i tak wylądowałem w jego apartamencie na Avenue Montaigne. Wykąpałem się w jednej z trzech łazienek, w których codziennie zmieniano kwiaty, a następnie znalazłem się w Maximie.

Nie będę opisywał reszty dań ani z pewnością błyskotliwej rozmowy, w której nie brałem udziału tylko dlatego, że nic nie rozumiałem, bo była po francusku. Przejdę do rzeczy, czyli w stu procentach niezobowiązującego pytania, które po angielsku zadał mi Jean Baptiste, czyli: Co u mnie słychać?

Mój ojciec dał mi przed śmiercią kilka najgorszych rad, jakie dostałem w życiu, ale jedna była dobra: Nigdy się, Janku, nad sobą publicznie nie roztkliwiaj. I z tej akurat nie skorzystałem. Byłem pijany, ale to mnie nie usprawiedliwia, w końcu nie byłem dzieckiem i swoje wiedziałem.

A tu proszę, zamiast odpowiedzieć: I'm fine i everything is OK, wygłosiłem paskudnie patetyczny monolog o terrorze, nocnych aresztowaniach, mojej przerażonej córeczce itd. W lustrze zobaczyłem, że wymachuję rękami, i dopiero to mnie przyhamowało, ale na swoje nieszczęście dodałem, że chcę o tym pisać.

Siedzieliśmy w milczeniu wystarczająco długo, żebym nabrał pewności, że się wygłupiłem. No więc uśmiechnąłem się, potem roześmiałem, żeby pokazać, że, mój Boże, zdarza się, tak czy inaczej, w ogóle nie o to chodzi, wszystko jest w porządku i tak dalej. Ale Jean Pierre jednym ruchem zgasił mój uśmiech. Kelnerzy nadpłynęli z espresso oraz armaniakiem i wtedy się zaczęło.

Rozpoczął Jean Pierre:

– Wstydzę się za siebie. Czy możesz mi wybaczyć?

– Niby co? – zdziwiłem się całkiem szczerze.

Znów uciszył mnie ruchem ręki.

– Chciałem, żebyś napisał dla mnie tandetę. Zupełne gówno. Takie love story biednego polskiego emigranta, zakochanego w córce francuskiego producenta. Chciałem to zrobić także ze względów humanitarnych. Oczywiście zarobiłbyś dużo pieniędzy. Ale teraz zrozumiałem, że tobie nie wolno tego robić.

– Zaraz, zaraz – wtrąciłem. – Chwileczkę, na razie mógłbym...

– Nie. To wspaniale, że chcesz pisać o tym, co najważniejsze. O krzywdzie i bólu zdradzonego narodu. Chcesz to robić, chociaż nikt ci za to nie zapłaci grosza.

Spojrzał na Jean Baptiste'a, a ja za nim.

– Absolutnie nikt. – Jean Baptiste pokiwał głową.

– Ja – ciągnął Jean Pierre – byłem kiedyś taki jak ty. A teraz spójrz na mnie.

Poprawił krawat, a Jean Baptiste przetarł złoty, wysadzany brylantami rolex.

– Owszem, jestem bogaty, mam apartament na Avenue Montaigne, który widziałeś, pałacyk w Marbelli, dom w Saint-Tropez, do którego chciałem cię zaprosić, żebyś spokojnie pisał. Mogę mieć każdą piękną, młodą kobietę. I cóż z tego, kiedy straciłem dla siebie szacunek. – Ponuro zwiesił głowę.

Znów siedzieliśmy w milczeniu przy stolikach, obok tłum takich samych jak my, młodziutkich starców zerkał ciekawie na inne stoliki, żeby sprawdzić, czy w pośpiechu nie przeoczyli czegoś, na co dałoby się wydać chociaż jeszcze parę setek.

– Lustra – powiedział Jean Baptiste. – Lustra… – Jean Pierre chciał coś wtrącić, ale Jean Baptiste zamachał tylko ręką. – Pozwólcie mi skończyć. Chyba mam pomysł… A gdyby tak – podniósł do góry długi, delikatnie wytoczony palec. – Gdyby tak Żanus rozbił krzesłem te lustra… w proteście przeciw burżuazji francuskiej, która obojętnie przyjęła zduszenie wspaniałego robotniczego zrywu. Zdradziła ideały rewolucji? Co wy na to?

Lustra pięknie błyszczały. Kryształowe i ogromne, zajmowały całą ścianę, a Jean Pierre spojrzał na mnie z namysłem.

– Co o tym sądzisz?

Roześmiałem się, bo myślałem, że żartuje. Ale Jean Pierre był poważny, bardzo poważny.

– To wcale nie jest takie głupie. W jedną chwilę stałbyś się sławny, cały Paryż by o tobie mówił, dziennikarze szturmowaliby areszt.

– Areszt? – zapytałem.

– Mój Boże, zamknęliby cię, oczywiście na chwilę, potem proces, wywiady, może nawet daliby ci zaliczkę na tę książkę o nocy nad Polską.

– Myślę – wtrącił Jean Baptiste – że on by nawet nie musiał pisać, na wywiadach zarobiłby fortunę, może by nakręcili o nim film? A poza tym pomożesz Polsce-ojczyźnie znacznie lepiej niż książką, której nikt nie przeczyta.

Jean Pierre wyraźnie się do pomysłu zapalił. Trzeba by tylko przygotować oświadczenie, coś w rodzaju *Oskarżam* Emila Zoli.

Kelner podbiegł z kartką, błysnęła stalówka grubego mont blanc.

– Ja myślę o tej love story… – wtrąciłem.

– To już nie wchodzi w grę – zniecierpliwił się Jean Pierre. Pisał szybko w natchnieniu i podsunął zapisaną kartkę Jean Baptiste'owi, ten rzucił okiem i pokiwał z uznaniem głową.

– Pierwsze zdania napisałem po angielsku, ale końcowe okrzyki muszą być po francusku, więc ci to zapisałem fonetycznie. Musisz uderzyć krzesłem szybko i mocno kilka razy, zanim kelnerzy cię obezwładnią. – Oczy mu błyszczały, był z siebie i ze mnie dumny. Zatarł ręce.

Wychylił kieliszek armaniaku i podał mi zapisaną kartkę.

– No, mój chłopcze, do roboty. – Popchnął w moją stronę ozdobne krzesło.

Wytarłem spocone dłonie w spodnie i pokręciłem głową, spojrzał z niedowierzaniem.

– Nie?

– Nie.

– Nie? Jak to? Ale dlaczego? O co chodzi? Bo co? Jesteś pewien?

Wzruszył ramionami, chyba był urażony. Pokręciłem głową.

Jean Baptiste spojrzał na mnie z pogardą, przez długą chwilę siedzieliśmy w milczeniu.

Następnego dnia leciałem już z powrotem do Londynu, a wieczorem piłem ze stolarzem, który wszystko, co zarobił, wydał na telefony do niewiernej Joli i zapytał, czybym się nie dołożył do czynszu. I tak oto przez moje tchórzostwo nie zostałem gwiazdą...

Kiedy opowiedziałem o tej kolacji, dziewięćdziesiąt pięć procent kolegów w Polsce oświadczyło, że zmyślam, a reszta orzekła, że gdybym to zrobił, byłbym do końca życia ośmieszony. I tylko jeden człowiek nie miał wątpliwości, że powinienem się po lustrach przelecieć. To byłem ja. Bo pewnie, że rację mieli Jean Pierre i Jean Baptiste. A ja, nie tłukąc francuskich kryształów, postąpiłem jak idiota, który nie zauważył, że świat się zmienił, teatr absurdu kwitnie od dawna i w sztuce, i w życiu. Jakby Ionesco, Adamov, Beckett albo Pinter nie stali się już pisarzami w stu procentach realistycznymi. Oczywiście wymienieni artyści nie mieliby czego szukać bez pomocy Hitlera, Stalina i jeszcze paru mniej zdolnych polityków, którzy ośmieszyli wszystkie zasady i normy dziewiętnastowiecznego świata oraz potrząsnęli nimi tak, że lepiej nie można.

I w związku z tym wszystkim siedzę teraz w starej budzie, z łańcuchem na szyi i warczę. A Dżerzi naprawdę urwał się ze smyczy.

Proszę bardzo, już trzy lata po przyjeździe, nawet niecałe trzy, wydał w języku Conrada pod pseudonimem Joseph Novak dwie książki eseistyczno-reportażowe o swoich podróżach, studiach i przemyśleniach ze Związku Radzieckiego. Napisał je oczywiście po polsku, bo angielskiego prawie nie znał, ale zaprzyjaźnioną tłumaczkę przekonał bez trudu, żeby swojego nazwiska nie umieszczała, bo po nitce do kłębka KGB dojdzie do autora i strach pomyśleć, co z nim zrobią. A jego rodzina w Łodzi może wylądować w więzieniu albo i gorzej.

Pierwsza nazywała się *Przyszłość należy do nas, towarzyszu*, a druga *Nie ma trzeciej drogi*, przy czym zwłaszcza pierwsza wywołała zachwyt głębią przemyśleń, kapitalnymi spostrzeżeniami i fantastycznie podsłuchanymi rozmowami. No owszem, paru amerykańskich niedowiarków w autentyczność tych rozmów nieśmiało powątpiewało, ale ich wyśmiano. Najpoważniejszy moskiewski korespondent sieci NBC napisał, że podziwia autora za odwagę, a także autentyzm wstrząsających opowieści. Wybitny sowietolog Richard C. Hottles na łamach samego „New York Times Book Review" też ręczył za powagę i uczciwość książki. Zaraz potem wielki Bertrand Russell przysłał Dżerziemu pełen zachwytu list, a kanclerz Konrad Adenauer oświadczył, że ta lektura była dla niego alarmującym wstrząsem i otworzyła mu oczy.

Do tego książka była drukowana w odcinkach i dzięki niej Dżerzi poznał wdowę po miliarderze, o prawie dwadzieścia lat starszą, ale ciągle piękną Mary Weir. Wziął z nią ślub i przeniósł się z biedniusieńkiego mieszkanka do kilkupiętrowych marmurów na Park Avenue. W pierwszej książce jest taka scena, co to ją Dżerzi często cytował w wywiadach. Kiedy z innymi studentami z moskiewskiego Uniwersytetu Łomonosowa jeździł po Związku Radzieckim pociągiem, wpadli razem na całkiem świeży pomysł konkursu. Opowiadali mianowicie, niby sobie, głośno, wymyślone szokujące historyjki, którym przysłuchiwali się z wytrzeszczonymi oczami podróżujący z nimi rosyjscy chłopi, a w konkursie zwyciężał ten student, którego fantazje wciągnęły i skołowały największą liczbę chłopów do tego stopnia, że przejeżdżali swoje stacje. Oczywiście Dżerzi wygrywał zawsze albo prawie zawsze.

Tyle że z ostatnich badań wynika, że Dżerzi w ZSRR nie był w ogóle. Nie ma żadnych, ale to żadnych śladów, ani w biurach paszportowych po obu stronach granicy, ani na Uniwersytecie Łomonosowa, gdzie niby miał studiować. Nigdzie w ogóle. A jeżeli tak, to wychodzi na to, że w rolach rosyjskich chłopów zostaliśmy obsadzeni my wszyscy, razem z Konradem Adenauerem, Bertrandem Russellem i całą elitą intelektualną Zachodu. A do porażającej głębi wystarczyły łódzko-warszawskie anegdoty z PRL-u, trochę wyobraźni i ewentualnie jakieś podpowiedzi z USIA, czyli Agencji Informacyjnej Stanów Zjednoczonych.

A ja się przestraszyłem, że mój akt patriotyczny zostanie w kraju źle przyjęty i osądzony. No i trudno się dziwić, że pisząc to teraz, pocę się ze wstydu i że nie mogę zasnąć bez co najmniej jednego stilnoksu.

Ale przynajmniej film się rozkręcał.

Karuzela
(plener, dzień)

W Central Parku o dziewiątej rano jest jeszcze zimno. Owinięta w brązowy pled staruszka karmiła szare wiewiórki. Rzucała im orzeszki i coś tam jeszcze. Kiedyś mieszkały tu wiewiórki rude, ale te szare przywędrowały z Kanady, były większe, silniejsze i rude pożarły. Między wiewiórkami przepychało się kilka tłustych szarych szczurów. Nie za bardzo różnią się od wiewiórek, ale są silniejsze i pewnie też któregoś dnia je zjedzą.

– Czyli nie? – spytała Jody.

– Nie.

– Na pewno?

– Na pewno.

Kończył się styczeń. Kilka dni temu posypało świeżym śniegiem i w Central Parku uczepione przemarzniętej trawy leżały brudnobiałe resztki. Szli wolno w stronę karuzeli. Jody ściskała w ręku papierowy kubek z kawą. W nocy złapał mróz, ale teraz powietrze zwilgotniało.

– Jedno pytanie. – Jody pociągnęła łyk kawy, która już dawno ostygła.

– OK.

– Możesz wytłumaczyć, co by ci to szkodziło?

Wzruszył ramionami.

– Mieliśmy umowę. Punkt trzeci.

Z mgły wynurzyła się gromadka chłopców. Pobiegli w stronę lodowiska, na plecach huśtały im się buty z hokejowymi łyżwami. Gdzieś całkiem blisko zastukały końskie kopyta. Potem zobaczyli dorożkę. Para otulona derkami tak, że sterczały im tylko głowy, przytulała się do siebie, a gruby Włoch w długim czarnym płaszczu i cylindrze, wiosłując rękami, coś wyjaśniał. Potem żółtawa mgła zaczęła się podnosić. Jeszcze przez chwilę czepiała się wymęczonych wiatrem i zimnem drzew, ale szybko się zniechęciła. Kontury domów na Central Park West były coraz wyraźniejsze. Pierwszy wydostał się przypominający warowny zamek ponury kwadrat Dakoty.

– Będzie piękny dzień – pokiwał głową Dżerzi. – Za godzinę się ociepli.

– Nie rozumiesz mnie. – Jody skończyła kawę i wrzuciła kubek do metalowego pojemnika na śmieci. – Ty umrzesz.

– Ty też – uśmiechnął się Dżerzi.

– Ty wcześniej.

– Skąd wiesz?

– Wiem.

– Na pewno? – Uśmiechnął się. – Za godzinę będzie ciepło.

– Na pewno. Posłuchaj, ja wolę być sama niż bez ciebie. Ale ciebie już nie będzie. A ja nie chcę być starzejącą się kobietą, którą będą pierdolić młodzi dziennikarze i pisarze. Tylko dlatego, że mam wydawnictwo.

– Niekoniecznie – zauważył Dżerzi. – Może się niepotrzebnie martwisz, może zbankrutujesz. I nikt cię nie będzie pierdolił.

– Nie zbankrutuję. Posłuchaj, ja mam już dwadzieścia dziewięć lat. To może być moja ostatnia szansa.

– Nie to znaczy nie. Żadnych negocjacji. – Spojrzał na zegarek. – Chciałem cię o coś prosić, o pierwszej mam lunch z takim facetem z Akademii Filmowej w Russian Tea Room. Wejdź ze mną. Dobrze?

– Po co?

– Bo nie lubię tam wchodzić sam. On się zawsze spóźnia. I błagam cię, skończmy ten temat. Mnie to męczy, zobacz. – Bierze ją za rękę. – Zobacz, dłonie mi się spociły.

– Rzeczywiście. Rzeczywiście. Biedactwo, dobrze, porozmawiajmy o czymś, co cię może zaciekawi. O interesach.

– Pieprzę interesy.

– O nie – uśmiechnęła się. – Wiemy oboje, że nie pieprzysz. Posłuchaj, zmuszałeś mnie do rzeczy, których nie chciałam robić. Potem żądałeś, żebym ci opowiedziała, co czułam, ze szczegółami. Żebyś to mógł opisać, kazałeś mi opowiadać, jak smakuje twoja sperma.

– No i co? Może zauważyłaś, że jestem pisarzem. Twój ukochany F. Scott Fitzgerald przez całe życie opisywał Zeldę. Wkładał sobie do książek jej listy. Wszystkie jego kobiety to ona, wszystkie dialogi to rozmowy z żoną.

– I ona zwariowała.

– Nie dlatego…

– Skąd wiesz? Zwariowała, chociaż jej nie zmuszał, żeby się przy nim w łóżku masturbowała i opowiadała, co czuje.

– Mówiłaś, że ci to sprawiało przyjemność.

– Kłamałam, kochałam cię. A dla ciebie, mój kochany, miłość oznacza wyrażenie zgody na bycie maltretowanym i fizycznie, i psychicznie. Poza tym Scott nie zmuszał Zeldy, żeby pieprzyła się z innym mężczyzną i mu zdawała sprawozdanie.

– Robiłem to dla ciebie, tylko tak mogłaś się czegoś o sobie dowiedzieć.

– Dowiedziałam się. O sobie, o tobie też. Dziękuję.

– Zresztą cię nie zmuszałem.

– Oczywiście, że zmuszałeś, groziłeś, że jeżeli tego nie zrobię, odejdziesz, a potem to opisywałeś.

– Ale bardzo to, co mówiłaś, wzbogaciłem.

– Owszem, dodałeś to, co zawsze, kajdanki, bicie i transseksualistów.

– Miało być o interesach.

– Nie rozumiemy się. To jest o interesach, gdybyś tego chciał, to by ci pomogło.

– W czym?

– W pisaniu. Przecież wiesz, czego nie ma w twoich książkach.

– Opisów przyrody.

– To też. Ale może byś zaczął coś czuć, pomyśl, to by mogło być ciekawe.

– Coś czuję. Zapewniam cię, Jody, że coś czuję.

– Kochany, nie kłam, ty nic nie czujesz, boisz się bliskości, ty tylko podsłuchujesz, zbierasz z wierzchu tę górną

warstwę, łupinkę, a potem dorabiasz sadystyczne zakończenie, jeżeli coś czujesz, to tylko strach o karierę, no i ciekawość.

– Skąd ci to przyszło do głowy?

– Sam mi opowiadałeś.

– Jakim prawem wierzysz w coś, co ja ci opowiadam.

– Jakim prawem rozbudziłeś we mnie namiętności.
Zmusiłeś, żebym odkryła seks.

– O to też masz żal?

– Oczywiście. Posłuchaj. To ma sens. Ja bym ci wszystko opowiadała. Wiesz, że umiem opowiadać.

– Wiem.

– Wszystko! Jak we mnie rośniesz, co czuję, tego ci nie
powie ani żona, ani żadna z tych twoich kurew. Ty już nie
masz nic do napisania, trzęsiesz się ze strachu i podsłuchujesz, gdzie się da. A teraz akurat nie słuchasz. Idziemy razem, ja ci mówię coś najważniejszego na świecie,
ale ty w ogóle nie myślisz, co to znaczy. Nudzisz się, bo
tobie taka scena do niczego nie jest potrzebna, w twoim
świecie nie ma kobiet w ciąży, bo to ludzkie, więc mało
atrakcyjne. Ty już nic nie napiszesz.

– Przeciwnie. Napiszę jeszcze wiele dobrych książek.

– Nie napiszesz. Ludzie od ciebie uciekają, boją się przy
tobie mówić, bo ty to wkładasz do książek, nie rozumieją,
po co piszesz w kółko to samo. Już się w tym połapali.

– Gadasz bzdury, tego, co piszę, można nie lubić, ale
nie można nie rozumieć. Kto mówi, że tego nie rozumie,
kłamie. No proszę, zobacz, jaka się piękna pogoda zrobiła, jest dobre światło. – Wyciągnął z kieszeni płaszcza
mały aparat. – Stań tutaj.

Doszli do karuzeli. Powietrze zrobiło się przejrzyste. Z niebieskiego nieba uciekały przeganiane wiatrem resztki białych obłoków. Karuzela wolno ruszyła. Na koniach, jednorożcach i w czteroosobowych saniach zakręciły się dzieci. Piszczały z radości i podniecenia.

– Tylko się nie uśmiechaj, obliż wargi i rozchyl. Zmruż oczy. Teraz dobrze. – Pstryknął kilka razy, schował aparat.

– Wiesz co, Dżerzi. To, co piszesz, jest czarno-białe i płaskie, ty nie piszesz, ty fotografujesz.

– A na to jeszcze nikt nie wpadł.

Tymczasem karuzela nabrała rozpędu, twarze dzieci zamazywały się, teraz piszczały ze strachu.

– Ale może zauważyłaś, że na tych moich fotografiach jest piekło i groza tego świata, jest dużo cierpienia.

– Tylko fizycznego, nic nie ma o miłości, która przechodzi w nienawiść albo odwrotnie. Twoja troska o tożsamość seksualną, cha, cha! Te twoje kobiety, uwięzione w ciałach mężczyzn i odwrotnie, nie cierpią, tylko są atrakcją, erotyczną ciekawostką.

– Bredzisz. Każda sytuacja, którą opisuję, to walka.

– Och, Dżerzi, ja nie mówię o pieprzeniu się, gwałcie albo półgwałcie z białą Murzynką, transseksualistką, czy napromieniowaniu kobiety, bo ci jest nieposłuszna. Ja ci powiem coś, co warto napisać. Uwierz mi, to jest dobry interes, krytycy wytrzeszczą oczy, a poza tym co by ci szkodziło, gdybyś raz na tydzień przychodził do mnie, a na spotkanie by ci wybiegało takie malutkie ufne stworzenie czarnookie, które by miało twój geniusz, twoje ręce, twój uśmiech.

– Mój nos.

– Masz piękny nos. Ja wiem, że jest ta niby-żona. Nikt nie musi nic wiedzieć. Ja nie chcę, żebyś chodził z wózkiem do Central Parku. Nie chcę nic. To, że zaszłam w ciążę, to jest cud. Brałam proszki. Ja z nikim przecież przedtem nigdy nie zaszłam, chociaż nic nie brałam.

– Nie zmuszaj mnie.

– Ja cię do niczego nie zmuszam.

– Po to wyjechałem z Polski, żeby mnie nikt nigdy do niczego nie zmuszał.

– Nie podniecaj się, kochanie. Ja cię nie zmuszam i nie mieszaj do tego polityki, komunizmu i totalitaryzmu. Ja ci proponuję deal. Wiesz, parę dni temu przyszła do mnie ta twoja Weronika.

– Jaka Weronika?

– No ta, którą napromieniowałeś w *Cockpicie*. OK, nie ty, tylko twój bohater w *Cockpicie*, powiedziała, jak było naprawdę. No, ta Polka.

– Nic nie było naprawdę, nie było żadnej prawdziwej Weroniki.

– Była, była. Jest zresztą bardzo ładna, powiedziała, że ją rżnąłeś, a potem umówiłeś się z nią tak, że doprowadzisz do jej małżeństwa z amerykańskim milionerem, że miałeś listę milionerów kawalerów w kieszeni.

– W kieszeni miałem listę Lewinkopfów i Weinriechów zamordowanych w czasie Holocaustu. Taką listę miałem w kieszeni.

– Może miałeś dwie listy. Powiedziała, że umówiłeś się z nią tak, że jeżeli doprowadzisz do małżeństwa, ona ci zapłaci. No i doprowadziłeś, a potem nie chciała ci zapłacić. I ty dlatego z wściekłości za karę zrobiłeś z niej kurwę w *Cockpicie*. Powiedziała, że wszyscy znajomi w Polsce ją rozpoznali, że to nie było wcale trudne. Powiedziała, że notowała wszystkie rozmowy z tobą. A kilka nagrała. Wiedziała, że cię znam, chciała podpisać ze mną umowę na książkę o tobie.

– Chciała zaliczkę?

– Nie.

– Trzeba było podpisać.

– Nie chciała zaliczki. Jest bogata, dzięki tobie wyszła za milionera.

– To bzdura.

– Pokazała mi parę stron.

– Dobrych?

– Nie. Ale prawdziwych. Ona cię rzeczywiście nagrywała. Rozpoznałam twoje dialogi. Znam je.

– Podpiszesz z nią?

– Nie, ale ktoś może podpisze.

– A niech podpisuje. Wymyśliłaś to wszystko.

– Tak myślisz?

Karuzela zaczęła zwalniać. Twarze dzieci nabierały ostrości. Dżerzi znów wyjął aparat.

W Russian Tea Room

Czy to nie ciekawe, że w Nowym Jorku mieszka ze dwieście tysięcy Polaków, ale na całym Manhattanie nie ma ani jednej przyzwoitej polskiej restauracji? Owszem, w East Village na Drugiej Alei między Siódmą i Czternastą ulicą są ze dwie knajpki, Tereska i Jolanta, ale w miarę eleganckiej ani jednej. Na Greenpoincie zresztą też z tym słabo. No, tłoczy się tam parenaście polskich coffee shopów z pierogami, plackami ziemniaczanymi i kopytkami, ale tylko jeden Polonez nadaje się, żeby go wynajmować na wesela albo imieniny. A Rosjanie jak najbardziej. Ja już nie mówię o Brighton Beach, czyli Małej Odessie, gdzie Gastronom Moskwa, Tatiana, Rusłan i Ludmiła albo bardzo przyzwoity National włażą jedne na drugie.

A na Manhattanie, proszę bardzo. Na Pięćdziesiątej Drugiej ulicy, niedaleko Broadwayu, luksusowy Russian Samovar należący głównie do Barysznikowa. Ale i Josif Brodski miał w nim dziesięć procent udziałów. Poeta, noblista, a miał udziały w knajpie! W Polsce by za coś takiego Czesława Miłosza rozjechano. Trochę wyżej na Pięćdziesiątej Siódmej, Uncle Vanya, a trochę niżej drogi jak diabli Firebird, do którego, jak szepczą, obrazy wypożyczano w Ermitażu. No i wreszcie Russian Tea Room na Pięćdziesiątej Siódmej, w samym sercu, tuż koło Carnegie Hall. Akurat Russian Tea Room to jest rosyjski o tyle, o ile, głównie z nazwy, ale w latach osiemdziesiątych to było miejsce spotkań najbardziej wpływowych ludzi z show-biznesu, czyli agentów, tych wielkich, takich jak Robert Lantz czy Sam Cohn, producentów, aktorów, scenarzystów i reżyserów. Stoliki na stałe rezerwowane, mało przypadkowych ludzi. Tutaj na tak zwanych power-lunchach się ustalało, kto i za ile zagra albo nie zagra na Broadwayu, albo w filmie itd. Podobno kiedyś Milošowi Formanowi się pomyliło, przyszedł na spotkanie z producentami *Dangerous Liaisons* o jeden dzień za późno i już dano ten film komu innemu. A on, ponieważ miał wszystko wymyślone i przygotowane, nakręcił *Valmonta*, tyle że bez gwiazd i sukces był średni.

Zaraz za drzwiami, przy wejściu, stoi ogromny biały niedźwiedź jak żywy, tyle że wypchany – a dalej stoliki i loże w kolorach złoto-purpurowych.

Oczywiście Dżerzi był tu stałym bywalcem, więc rozdawał ukłony i uśmiechy, a Jody też zna parę osób. Wielki człowiek z Akademii naturalnie się spóźnia, więc na razie pili białe wino, a Jody spróbowała jeszcze raz:

– Dżerzi, ty jesteś tchórzem, naprawdę, ja to od dawna podejrzewałam, ale teraz wiem na pewno. Tchórz udający odważnego. Jakie to smutne.

– Kochanie, ja mam prawo być, kim chcę, a ty wiesz dobrze, że gadasz bzdury.

– Nie zachowuj się jak gówniarz, spróbuj być poważny chociaż na chwilkę, wiem, że się trzęsiesz ze strachu przed dzieckiem, czyli przed cieniem odpowiedzialności, ale tej odpowiedzialności nie ma, powtarzam, że ja nigdy nic nikomu…

– To wino jest za zimne, bardzo dobre, ale za zimne.

– A ty nie czujesz, że to twoja też może ostatnia szansa, żeby się uratować? W dziecku jest coś magicznego. Ty sam jesteś dzieckiem z bajki, demony, strzygi, złe siły cię otaczały ze wszystkich stron, ale przetrwałeś.

– Na ostatnim zjeździe mojej rodziny w Łodzi w roku tysiąc dziewięćset czterdziestym było sześćdziesięciu Lewinkopfów i Weinreichów, było hałaśliwie, śpiewy, tańce, moja matka grała na pianinie, chłopców było ponad dwudziestu i było piętnaście dziewczyn, oni wszyscy mieli matki i te matki chciały, żeby oni byli szczęśliwi tak bardzo, jak tylko matki mogą tego chcieć. I nie udało się. Nie ma Lewinkopfów, Weinreichów, ani matek, ani ojców, ani dzieci.

– Ale ty przeżyłeś i jesteś.

– Mam nadzieję, że mi to wybaczą. – Dżerzi zamówił jeszcze dwa kieliszki wina.

– A nie myślisz przypadkiem, że może właśnie teraz oni wszyscy ci się przyglądają i może właśnie teraz czekają, jak się zachowasz, i dają ci szansę.

– Nie – pokręcił głową. – Nie. Nikt mi się nie przygląda. Nie ma nic poza popiołem, którego też już nie ma. Jest ten szum, śmiech, brzęk widelców i huk otwieranych butelek. Jeżeli oni gdzieś są, to są o to zazdrośni. I mają prawo.

Daniel, młody dziennikarz, który właśnie wszedł do Russian Tea Room, rozglądał się, kombinując, czy nie dałoby się do kogoś przysiąść. Sprawa nie wyglądała dobrze, nikt nie odpowiadał na jego uśmiechy. Nagle oczy mu zabłysnęły.

– Oh, shit! – Jody odwróciła się tyłem i ukryła twarz w dłoniach o sekundę za późno.

– Cześć, Jody. – Pochylił się i pocałował ją w policzek. – Przepraszam, ja tylko na sekundę. Mój Boże. – Całkiem dobrze udał zaskoczenie na widok Dżerziego. – Więc pan naprawdę istnieje. Pan jest bohaterem literackim. Bohaterem wielkiej powieści. *Wojny i pokoju* dwudziestego wieku.

Daniel miał długie, czarne, gładko zaczesane do góry włosy, szczupłą, starannie wygoloną twarz i szczery uśmiech kandydata na gubernatora. Mocno potrząsnął ręką Dżerziego, który uśmiechnął się z ulgą i całkiem przyjaźnie, bo temat dziecka był zakończony.

– A to jest właśnie to, o czym mówiłam ci w parku. – Jody popatrzyła ponuro. – Daniel to moja przyszłość, bez ciebie, fuck. – Zacisnęła wargi.

– O co chodzi? – zapytał Daniel, nie patrząc na nią.

– O nic. – Wzruszyła ramionami i wypiła duszkiem swój kieliszek. – O nic, co by cię mogło zainteresować.

A Daniel nie spuszczał zachwyconego wzroku z Dżerziego.

– To, że pan uciekł z komunistycznej Polski, fałszując listy polecające czterech partyjnych profesorów do policji, z cyjankiem w kieszeni, na wypadek, gdyby to się wydało, bo postanowił pan opuścić Polskę komunistyczną, jeżeli nie żywy, to martwy… Pan jest moim bohaterem…

Ale teraz do Russian Tea Room wkroczył J.B. Piękny, lekko szpakowaty, ubrany w drogi garnitur, rozpiętą białą koszulę i kalifornijską opaleniznę, może ma siedemdziesiąt lat, a może czterdzieści, jeśli idzie o bogatych ludzi z Kalifornii, nigdy nie ma zupełnej pewności.

Dżerzi poderwał się.

– Ciao, Jody, zadzwonię. Miło było pana poznać. Jest już moja randka. Proszę podać mi rachunek do tamtego stolika – rzucił kelnerowi i ruszył na spotkanie J.B.

Oczywiście padli sobie w ramiona, pochwalili garnitury, zegarki, i usiedli przy zarezerwowanym stoliku.

Daniel odprowadził ich wzrokiem, w którym nie było już uwielbienia. Kilkanaście kroków, jakie zrobił Dżerzi, wystarczyło, żeby do głosu doszły uczucia.

– „New York Times" bezwstydnie liże mu dupę, „świadek Holocaustu". Pierdolona Anna Frank, a teraz ten skurwysyn z Hollywoodu – syknął.

– Zazdrościsz mu? – uśmiechnęła się Jody.

– Nie o to chodzi. – Patrzył ze złością, jak Dżerzi i J.B. żartują z usłużnym menedżerem. – Rozmawiałem z Nancy. Pokazała mi dwa listy od niego, napisane po angielsku z koszmarnymi błędami, stare listy, błagalne.

– I co z tego? Jest emigrantem.

– To było parę miesięcy przed wydaniem *Malowanego ptaka*. Dawał wtedy anonimowe ogłoszenia, że „pisarz szuka tłumacza". Słuchasz tego, co mówię. „Pisarz szuka tłumacza" – takie ogłoszenie.

– Nancy go nienawidzi. – Jody wzruszyła ramionami. – Zerżnął ją i rzucił.

– Ja nie o tym. – Zamachał rękami. – To jest niemożliwe, żeby on sam napisał po angielsku swoje książki. Coś ci jeszcze powiem, otóż Nancy odpowiedziała na to ogłoszenie, spotkała się z nim i on dał jej próbki po polsku do tłumaczenia. Ona zrobiła trzydzieści stron, wysłała, a on nie odpowiedział nigdy… i ona potem rozpoznała swoje kawałki w jego książce.

– Bzdury, muszę już iść. – Jody znów wypiła duszkiem wino.

– Czekaj, posłuchaj – złapał ją za rękę. – On nawet jej nie zapłacił za to tłumaczenie. Chcesz się założyć, że jest oszustem, że zatrudnia ludzi, którzy za niego piszą?

– Przyjacielu drogi, o co ci chodzi? Po co mi to wszystko gadasz?

– O co mi chodzi… – Nadał twarzy szlachetny wyraz. – O prawdę mi chodzi, to jest to, o co mi chodzi.

Jody roześmiała się całkiem szczerze.

– Co cię tak śmieszy?! To jest Ameryka, owszem, skurwiona przez Reagana, ale jednak prawda się liczy. Ja myślę, że ty dużo o nim wiesz, że ty tę prawdę znasz. Całą, albo może chociaż jej kawałek, duży kawałek…

– Odpierdol się od niego. Dżerzi to wielki pisarz. – Podniosła się. – Miło cię było zobaczyć. – Szła już w stronę wyjścia. Zatrzymała się na chwilę, mijając stolik, przy którym Dżerzi i J.B. składali zamówienie, i wyszła.

– Całkiem niezła. – J.B. popatrzył za nią. – Znasz ją? Prawda, ty tutaj znasz je wszystkie. Posłuchaj, uczciwie mówiąc, myśmy cię na Zachodnim Wybrzeżu potraktowali… – przerwał na chwilę, bo kelnerzy zastawiali stół sałatami i krabami, a już za chwilę wjedzie specjalność zakładu, czyli Chicken Kiev – …szczerze mówiąc, potraktowaliśmy cię jak gówno.

– Dziękuję za szczerość.

– Ten mały, ładny film, do którego napisałeś scenariusz, no… jak on się nazywał? Zresztą mniejsza z tym.

– *Wystarczy być* się nazywał.

– Możliwe, to był kawałek dobrej roboty, kosztował grosze, a był na liście dwudziestu najbardziej kasowych. Należała ci się za to nominacja. Spieprzyliśmy to… Ale my, jak popełniamy błąd, to lubimy go naprawiać.

– A to coś nowego. Tego nie słyszałem.

Teraz włączył się kelner.

– Dla panów białe wino czy czerwone?

– Wszystko jedno, to dla niewidomego – mruknął Dżerzi.

A J.B. tak się ten dowcip spodobał, że śmiał się, zamawiając chablis rocznik 1974.

– Posłuchaj. Chcemy w tym roku na rozdawaniu nagród Akademii zrobić cię jednym z prezenterów, słowem, żebyś wręczał nagrody, i to w dwóch kategoriach. Najlepszy oryginalny scenariusz i najlepsza adaptacja. Ty, prawie nieznany w LA pisarz ze Wschodniego Wybrzeża – doceniasz to, sukinsynie?... Zatkało cię?

– Tylko na chwilę. Muszę popić.

– Cha, cha! Będzie cię, skurwysynie, oglądać sześć milionów ludzi na świecie. Nie zesrasz się ze strachu?

– Teraz czy później? Coś będę musiał sobie napisać?

– Co ty, człowieku, pieprzysz? Piszą lepsi od ciebie, wszystko jest już dawno napisane. Masz przeczytać parę słów z ekranu, czytać chyba umiesz? Ja nie żartuję, połowa tych pieprzonych gwiazd to analfabeci. Dlatego mają problemy z uczeniem się dialogów... Nosisz okulary na stałe czy do czytania?

– Do czytania.

– To nie będzie takie trudne. Musisz przeczytać tylko jedno zdanie, no i do spółki wymienić nominowanych. Powiedz: „Na początku było słowo".

– Na początku było słowo?

– Było podobno. To ty byłeś w Auschwitz?

– Nie.

– To co to jest? – Pokazuje rząd cyfr na przedramieniu Dżerziego.

– A to kod mojej walizki, trochę mi się pieprzy. Tracę pamięć.

– Powiedz „słowo".

– Słowo.

– Słowo. Słuchaj, Dżerzi, ja kocham twój akcent. Ale chodzi o to, żeby cię zrozumiało sześć milionów ludzi. OK, pieprz trzy miliony, to debile. Ale reszta musi zrozumieć, o co chodzi. Powtórz – słowo.

– Słowo.

– Nie – pokręcił głową J.B. – Słowo mother fucker. Słowo! – J.B. jest trochę zdegustowany. – OK, popracuję nad tobą na miejscu. Ale jeżeli upuścisz statuetkę, osobiście utnę ci jaja. Najpierw będzie sygnał. Znasz sygnał? Każdy chuj zna.

Zaczyna nucić. Ale zamiast sygnału słychać odległe bicie dzwonu.

Pejzaż z biciem dzwonów
(Retro 3)

A tu Matka Boska z Dzieciątkiem na rękach. Obok Chrystus rozpięty na krzyżu, jeszcze dalej na pobielonej ścianie bajecznie kolorowy obraz zdjęcia z krzyża. Wszystkie święte osoby, nawet rozpaczająca Maria Magdalena, patrzą z niesmakiem na szerokie łóżko, które jest w wiejskiej chacie meblem najważniejszym. Ważniejszym bez porównania niż pakowna niedomykająca się szafa wypełniona wspaniałościami łódzkimi: sukniami, futrami i garniturami, niż rozłożysty biały stół pełen talerzy i książek, czy wreszcie kilka zbitych z drewna zydli i szeroka sękata ława.

Bo na łóżku, w ogóle nie zwracając uwagi na pianie kogutów, zaglądające przez okno odświętne niedzielne słońce czy niedaleki głos dzwonów, przypominający o religijnych zobowiązaniach, matka i ojciec Dżerziego, byle jak przykryci pierzyną, miotają się i postękują spleceni w erotycznym uścisku.

Zupełnie jakby nie było wojny, okupacji, po ziemi nie chodził Adolf Hitler, a po kuchni za ścianą, poziewając i szykując się na mszę, nie tłoczyli się ukrywający ich gospodarze. Rodzice niby próbują uciszyć się nawzajem, zatykając sobie usta, żeby czasem przypadkiem nie obudzić śpiącego w nogach łóżka synka. I pojękując, szeptem się uspokajają, że on wymęczony, jak to dziecko, wybiegany, śpi na pewno. Ale chłopiec nie śpi nic a nic. Ma oczy otwarte i nadsłuchuje miłosnych odgłosów. Podnosi głowę. Widzi otwarte ciało matki, jej ogromne białe piersi, rozłożone nogi, między które opada z łoskotem coraz szybciej i szybciej zad ojca, żeby na koniec z jękiem znieruchomieć. Coś zabulgotało i potem już cisza, przerywana tylko porykiwaniem bydła i biciem dzwonów.

No i chłopiec ociera płynące po gorących policzkach łzy. Odczekuje chwilę, żeby rodzice wymęczeni zasnęli, cichuteńko wkłada miejskie ubranko, kilka par majteczek, które mają być dodatkową zbroją na wypadek kontroli, i wysuwa się z chaty, obijając się o dyszel drabiniastego wozu, tego samego, który jechał przy Central Parku, i potykając o wypatrujące ziaren kury. Zatrzymuje się dopiero na płocie i wpatruje w drogę. Piaszczystą i kamienistą. Odprowadza wzrokiem żółtego bezdomnego psa, który wlecze się po niej z beznadziejnie zwieszonym łbem. Po obu stronach przez dobre dwa kilometry ciągną się kryte strzechami chaty. Podobne do tej, z której wyszedł, i niepodobne, bo niekiedy częściowo murowane, ale śpiące spokojnie, bo Żydów nie ukrywają. Dalej biedniutkie żyto i ziemniaki, pola uprawne zakończone lasem i rzeką, a gdzieś z bardzo daleka słychać pociąg. Drzemiący na łańcuchu przed budą pies pomachał na jego widok leniwie ogonem, opuścił łeb i chyba zasnął, a chłopiec bardziej z płotu zwisa, niż się na nim opiera. Ten płot to koniec jego terytorium, dalej wychodzić niebezpiecznie. Niby posłuszni rozkazom księdza chłopi niekoniecznie mu coś zrobią, a i donieść Niemcom się boją, bo już przechlapane, dlaczego niby tak późno meldują, jeżeli dawno wiedzieli?

Z chaty po drugiej stronie drogi wychodzi dwunastoletnia dziewczynka, ubrana tylko w rozpiętą na rosnących już piersiach obszarpaną króciutką sukienkę, która odsłania prawie wszystko, a przylepiony do płotu chłopiec wpatruje się w nią ponuro. Ona go oczywiście widzi i nie widzi, niby nie patrzy, ale czuje tak, że lepiej nie można. Podchodzi wolniutko do studni, nachyla się nad nią tak, że sukienczyna podjeżdża jeszcze wyżej, i wolniutko, ale to bardzo wolniutko kręcąc korbą, spuszcza do środka na łańcuchu żelazne wiadro, które z pluskiem uderza o wodę, a ten plusk odbija się echem w mózgu chłopca. Dziewczynka wyciąga wiadro, woda wypluskując, moczy sukienczynę, która to dziewczęco-dziecinne ciało starannie oblepia.

A zza obory wynurza się ogromny czarny kozioł. Przekrwionymi oczami patrzy raz na dziewczynkę, raz na chłopca, coś kalkuluje, pochyla łeb i szarżuje. Jest za późno, żeby uciekać, czyli chłopiec łapie go z całych sił za potężne rogi i ze straszliwym wysiłkiem osadza na miejscu. To kozioł ma przewagę, to chłopiec, więc robią parę kroków do przodu, a za chwilę do tyłu. Trochę to wygląda na taniec. Kozioł jest silniejszy, przypiera chłopca do płotu. Dziewczynka z uśmiechem obserwuje zajadłą walkę oświetlaną jęzorem wychodzącego zza lasu słońca. Bo dzień już się wygodnie nad wsią rozsiada. Po czym, kołysząc się w biodrach, odchodzi, rozpryskując wodę na wyschniętą od upału trawę.

A z daleka, wzbijając kurz, biegnie z krzykiem Tadziu jasnowłosy, twarz ma skrofulastą, ale odświętną, i łapiąc oddech, wykrzykuje:

– Jurek, rusz dupę, jazda do księdza, ale już, Jasiek zachorował, masz służyć za niego, ksiądz kazał.

Kozioł wysłuchał, błysnął czerwonymi oczami i jakby nagle zniechęcony, robi krok do tyłu, a za chwilę odwraca się lekceważąco i znika wolniutko za oborą, a Jurek się waha, ale ksiądz to ksiądz, opuszcza bezpieczne obejście i już za moment chłopcy biegną razem, wymijając odświętnie na niedzielną mszę przebranych gospodarzy, a bicie dzwonów coraz bliższe i już zakrystia, a w niej dobroduszny rumiany ksiądz pomaga chłopcu włożyć komżę i uspokaja, przygładzając na mokro jego czarne wzburzone włosy.

– Nie bój się, chłopcze. To wcale nie będzie trudne. Już

to robiłeś, a Jasiek ma gorączkę czy coś. Orientuj się, co robi Tadziu. A jak zrobię o tak – pokazuje – przeniesiesz mszał na drugą stronę ołtarza.

Za moment w zatłoczonym kościele Jurek i złotowłosy Tadziu ministrantują, ksiądz porusza się dostojnie, a na balkonie opuchnięty od samogonu organista z pasją akompaniuje. Twarze rozmodlonych wieśniaków są trochę jak z Breughla, podejrzliwie obserwują małego Jurka, jedynego czarnowłosego. Na dyskretny znak księdza chłopiec bierze z czcią wspaniale oprawione Pismo i przenosi je na drugą stronę ołtarza. Przyklęka, ale kiedy wstaje, potyka się, może przypadkiem, a może i nie, bo o wyciągniętą nogę Tadzia. Pismo Święte wylatuje w górę. Jurek rozpaczliwie próbuje je złapać, wszystko na nic, bo Księga uderza o posadzkę. W kościele wzbiera jęk grozy i oburzenia. Msza szczęśliwie dobiegła końca. Ksiądz pociesza zrozpaczonego Jurka:

– Nic się nie stało, chłopcze. Bóg ci wybaczy, dobry jest.

Jurek wychodzi z kościoła, ale tam nastroje inne, czeka na niego grupka wyrostków.

– Pierdolony Żydziak, już po tobie, diabelskie nasienie – wykrzykują, a starsi mieszkańcy wsi przyglądają się z aprobatą.

Jurek próbuje uciekać, wyrywa się, ale chłopcy są silniejsi. Zarzucają mu na głowę worek i niosą dumnie jak schwytanego prosiaka. Biorą zamach, a miotający się, wrzeszczący worek wpada do kloacznego dołu, powoli tonie i cichnie, a szambo zamyka się nad nim. Chłopcy stoją jeszcze przez chwilę i rozchodzą się, uznając, że grzech został pomszczony.

Ale z Jurkiem to nie takie proste, walczy o życie. Za chwilę, oblepiony szambem, wynurza się, wyczołguje, zatacza, wstrząsany wymiotami, biegnie do rzeki, skacze do wody. Wyłazi na brzeg, ciężko sapiąc, wyczuł, że ktoś mu się przygląda. To stojący na pagórku czarny kozioł. Patrzą długo na siebie, wydaje mu się, że kozioł się uśmiecha. Nagle podnosi łeb, jakby nasłuchując, i odchodzi.

Backstage
(wnętrze, wieczór)

Pałac oscarowy, dzień ceremonii, kulisy. Gdzieś tam z przodu, niewidoczna, odbywa się największa na świecie msza popkulturowa, a za kulisami chaos i szaleństwo, migoczą światła, gwiazdy, tancerze, agenci, ochroniarze, oświetlacze, make-upiści falują, wpadając na siebie i rozpychając, posuwają się chwiejnymi ruchami ławicy ryb. W tłumie potrącany brutalnie, wciśnięty w kąt stoi Dżerzi ze świętym Oscarem w dłoniach. Podbiega jeden z setki asystentów:

– Jazda! Rusz dupę, za dziesięć minut wchodzisz, właź na schody!

Ale Dżerzi zgina się wpół.

– Ja muszę do sracza – szepcze, a potem krzyczy: – Do sracza!

– Ty pieprzony skurwysynie, leć za mną – warczy asystent.

Roztrącając ludzi, wbiegają do toalety. Dżerzi wpada do jednej z kabin, chce się zamknąć, ale asystent blokuje nogą drzwi i wciska się za nim.

– Dawaj! Szybko! Nie wolno mi spuścić cię z oka.

Dżerzi ściąga spodnie i wypróżnia się głośno, nie wypuszczając Oscara z dłoni.

– Tylko, skurwysynie, spróbuj coś połknąć – syczy z nienawiścią asystent.

Jak doszło do tego, że Masza znalazła się na Manhattanie w samochodzie, który prowadził Dżerzi. Przy czym ona go od razu poznała, a Klaus, który siedział obok – nie
(według pamiętnika Maszy)

Pluję za siebie na znienawidzoną, kochaną Moskwę, i Kostię, i wszystko, przed czym uciekłam, i dalej to kocham, ja jestem z Moskwy, a Klaus jest Europejczyk i to on powinien z miejsca rozpoznać pisarza światowego. W końcu żeśmy ten „New York Times Magazine" oglądali razem i jak to teraz opisuję, to leży sobie dalej na stoliku przy owocach w Pierre Hotel z widokiem na Central Park. Owoce przynosili codziennie nowe, wymieniali nawet nienadgryzione, głównie winogrona wielkie i małe, zielone i czarne, kiwi, pomarańcze, gruszki, banany i takie różne. Co z tego, że na okładce był goły od pasa, a teraz w garniturze, ale są twarze, co człowiek raz spojrzy i nie zapomni, choćby chciał. Przyśnić się mogą, i może on mi się już śnił? Pewności nie mam, ale chyba raczej tak. Zresztą w środku też były jego zdjęcia, już w garniturze, takim jak teraz. No przecież bym nie wsiadła, gdybym nie przeczytała o tych jego przebierankach i udawankach, Klaus się potem tłumaczył, że:

1. Miał czas pokręcony przez samolot. Tak jakbym ja dwa dni temu z nim nie przyleciała.
2. Że ja maluję, czyli mam pamięć do twarzy, a on jako designer raczej do sylwetki.
3. Że wypił o trzy kieliszki za dużo przeze mnie namówiony i się przeze mnie czuł źle.

Piszę Klaus, a nie mąż, bo się nie daje rady nauczyć, że Klaus to mój obecny, któremu na swoje nieszczęście chlapnęłam o alkoholizmie matki, ojca i obu ciotek i on mi teraz wylicza kieliszki, że niby przez nie moje serce jest nie bardzo udane. Prawda prawdą, że gdyby nie Klaus, tobym długo nie pożyła, ciekawe dlaczego? Ale wracając do rzeczy, jak tylko wyszliśmy z tej knajpy Up and Down, Klaus zamachał na taksówkę, ale zanim co, podbiegł ten, którego nazwiska nie pamiętałam, ale wiedziałam, że to pisarz sławny, chociaż przebrany. I w szoferskiej czapce zagadał, że jego niby to szef multimilioner George Anderson – stocznie i stajnie wyścigowe – uznał nas za najpiękniejszą parę w lokalu i prosił, żeby mu wolno było zrobić nam zdjęcie. Zresztą zrobił, nie czekając na odpowiedź, uprzejmie podziękował i oznajmił, że może nas zawieźć, gdzie chcemy, i spełnić każde życzenie, nawet dziwne. Klaus wykręcał się, że bardzo dziękujemy jego szefowi Andersonowi, ale nie, a ja od razu powiedziałam, że tak, i że jesteśmy wdzięczni, no bo go przecież, jak mówiłam, poznałam ze zdjęcia, inaczej bym nie wsiadła. Klaus był wściekły, bo dziesięć razy tłumaczył, że na Zachodzie nigdy, przenigdy nie wsiada się do obcego, tak jakby na Wschodzie to było bezpieczne. Ale też władował się za mną, tylko syknął, że jestem pijaną Rosjanką. Rosjanką jestem od urodzenia, już byłam, kiedy mnie poznał, to po co się żenił i teraz mi wymawia?

On jest dobry człowiek, tylko nic nie rozumie, ile daje człowiekowi alkohol, albo że jak mężczyzna podaje kobiecie ogień, to jest to piękne i erotyczne i wtedy nie wypada głędzić o raku czy nieudanym sercu, tylko poczuć, że taki papieros jest jak latarka w nocy, która oświetla drogę samotnej kobiecie. I że człowiek wcale niekoniecznie postępuje tak, jak mu dyktuje rozum, tylko wprost przeciwnie. I to właśnie daje szczęście.

A ten przebrany pisarz naciskał gaz i jechał wyraźnie na pokaz w całej karuzeli na jezdni, przez którą się na chama przepychał. Klaus złapał mnie za rękę, a swoją miał mokrą, i poczułam, że się boi, a ja się tylko w duchu śmiałam, bo mój ojciec dawniej jeździł po Moskwie na taksówce, a tam się po śniegu i lodzie jeździ przodem też, ale bokiem i tyłem równie dobrze.

Ojciec Klausem bezdyskusyjnie pogardzał:

1. Przez to, że Niemiec, więc jego ojciec na pewno był

w SS i strzelał do mojego dziadka, na dodatek nie-
celnie, czyli frajer.

2. Ma wąskie wargi, jak każdy syn faszysty.

3. Ma szparę między zębami, która na sto procent
oznacza skąpstwo.

I że to taki człowiek, co patrzy na lewo, a mówi na
prawo. I że jak wypije kieliszek, to robi sobie w mózgu
znaczek, a jak tańczy, to z całą pewnością oblicza kroki,
żeby, broń Boże, za dużo nie zrobić. A jak się przyznałam,
że wychodzę za niego i jadę do Monachium, to zapienił
się i zaczął krzyczeć:

1. Że człowiek ma żyć tam, gdzie jego pępek jest za-
kopany.

2. Że pożałuję gorzko, bo za granicą nawet sokoła
traktują jak wronę.

3. Że mogiła takiego, co wyemigrował i go tam pochowali, wyje po nocach.

4. I że po jego trupie.

A jak będzie chciał, to mnie zabije, bo ma prawo, jako
że mnie stworzył, i nikt go nie będzie sądził, bo miał
zapalenie opon mózgowych w dzieciństwie. I by mnie
może zabił, ale się spytałam: – A Bóg? On cię nie osądzi?
Boga się nie boisz? – Zamyślił się i powiedział: – Co do
Boga, to się go boję, a jak się go boję, to znaczy, że jest,
bobym się nie bał. – I po namyśle mnie nie zabił. A mama
tylko na ucho szepnęła: – Uciekaj, bo w tym kraju mieszka diabeł – i zamknęła za mną drzwi.

Samochód jeszcze przyspieszył i ten za kierownicą
zaczął kusić, mrugając do mnie w lusterku, że na pewno słyszeliśmy o takich miejscach dla wybrańców, gdzie

można Bóg wie co zobaczyć albo przeżyć anonimowo, bezpiecznie i z rabatem. Klaus poczerwieniał ze złości, czyli ciągle go nie poznał, więc się przysunęłam, żeby mu szepnąć to na ucho i ratować sytuację, bo się zaczęłam wstydzić za nas oboje, że się zachowujemy jak przyjezdni barbarzyńcy. Ale on się nadął i demonstracyjnie odsunął, więc poczułam, jakbym siedziała na beczce z prochem, co zaraz wybuchnie.

Nagle patrzę w lewo, gdzieś to widziałam. Okręt gigant podpisany Pekin. Tylko gdzie? I już wiem, w przewodniku. Czyli wołam: – Dziękujemy uprzejmie, jeżeli to Sea Port, to tu prosimy nas wysadzić. – On zahamował, a Klaus odetchnął. Otworzyłam drzwiczki, a przebraniec rozłożył ręce: – No tak, to jest Sea Port, tylko po co wam Sea Port? Tu nic nie ma w Sea Port. Nuda jest w Sea Port. – Wtedy Klaus odpowiedział, jak na niego, to trochę po chamsku, że pewnie słyszał, co żona powiedziała – Sea Port.

– Żona? – Tamten się jakby zdziwił.

– Żona.

– Pana żona?

– Moja żona.

– A jak tak, to Sea Port.

A Klaus, wysiadając, pewnie żeby załagodzić, bo przecież jest z natury uprzejmy nawet jak przestraszony, powiedział:

– A pan pewnie emigrant.

– A dlaczego emigrant?

– Bo akcent.

– Pan ma też, niemiecki.

– A pan Europa Wschodnia.

– Bardziej Środkowa, w przeciągu, z jednej strony Niemcy, a z drugiej Ruscy.

– Ale ma pan ucho, panie Kosiński – wtrąciłam się, bo nagle sobie przypomniałam, jak się nazywa. – Rzeczywiście jestem z Moskwy.

I tu Klausa zatkało na dobre. Walnął się w głowę i zaczął przepraszać, że wyszedł na durnia. Ja dostałam ataku śmiechu i spytałam:

– A pan tak często się zabawia?

– Pierwszy raz – on na to.

I dodał po rosyjsku, ale z akcentem, że jestem najpiękniejszą kobietą, jaką widział, mam oczy jak Anna Karenina i piękną, delikatną skórę. To dodał po tym, jak mnie pogładził, podając wizytówkę, którą od razu oddałam Klausowi, i się w niego wtuliłam, żeby sobie nie pomyślał. A Klaus na nasze wspólne nieszczęście podał mu swoją ze słowami, że to był zaszczyt i przyjemność, i się rozkręcił, chciał nawet jeszcze coś zagadać, ale go odciągnęłam. Tym bardziej że mi się robiło raz zimno, raz gorąco, zakłuło pod łopatką i zrozumiałam, że mam dosyć.

Chcę do hotelu. Naprawdę chciałam, chociaż pachniało pięknie i gorzko oceanem, a rybacy rozkładali duże żelazne stoły na rano. A dookoła knajpy i zwiedzanie. Samochód z pisarzem odjechał, ale na niby, co potem zrozumiałam.

Chciałam od razu do hotelu, ale Klaus się uparł, że głodny, a przedtem tylko piliśmy, i to na czczo. Tyle że tu wszystko zatłoczone. Więc zaciągnął trochę dalej, na ulicę Ludlow. I to była nieduża knajpa, kilka stolików.

Myślałam najpierw, że grecka, potem, że francuska, chyba była taka wymieszana, jak mój pies Dziadek. Na ścianach jakieś zdjęcia, aktorów raczej nieznanych, za to z autografami. Prawie pusto, tylko w rogu, przy zestawionych stolikach z osiem kobiet i mężczyzn świętowało chyba urodziny grubasa, czyli toasty i śmiechy.

Klaus zjadł stek, ciągle nie mogąc się nadziwić, że ja go poznałam, a on nie, a ja tylko popiłam wodą proszki i proszę bardzo, patrzymy, on wchodzi. Potem już miałam sto procent pewności, że nas śledził, ale wtedy pomyślałam, że, kto wie, dziwne zbiegi okoliczności zdarzają się przecież. A on jakby nas nie widział, ciągnął swoje kolejne przedstawienie, kiedy podszedł do niego kelner, młody, wysoki, chudy i bardzo smutny. A on długo i z rozmachem zamawiał cebulę: żeby była świeża, pokrojona w plasterki i absolutnie nieposiekana. Kelner wytrzeszczył oczy.

– I co?

– I to wszystko.

– Nic do picia?

– Wodę.

– Wodę?

– Wodę, temperatura pokojowa, żadnej cytryny – i dodał: – Czy ma pan kłopot z moim zamówieniem? – Kelner na to wzruszył ramionami, poszedł do kuchni i zaraz wrócił z cebulą i wodą, ale patrzy – przy stoliku nikogo nie ma. Na nowo wytrzeszczył oczy, pokręcił głową i poszedł do kuchni z powrotem. Już dochodził, kiedy tamten krzyknął: – Coś nie tak?

Kelner się odwrócił i zobaczył, że on sobie siedzi przy stoliku całkiem normalnie.

– To gdzie pan był?

– Jak to gdzie? Siedzę i czekam na swoją cebulę.

Kelner zakołysał głową na cienkiej szyi, postawił przed nim cebulę i odszedł, cały czas odwracając się i wzruszając ramionami. A on jadł cebulę tak wolno i delikatnie, jak się je najdroższe danie, a kiedy skończył, popił wodą i udał, że niby dopiero nas zobaczył.

– Śledzicie mnie?

I przeniósł się do nas. Kelner podszedł z nową cebulą, ale pokręcił głową: – Dziękuję, już nie jestem głodny.

I zamówił butelkę wina, mimo naszych protestów. Kelner zapytał, czy jest pewien, a on na to, że niczego nie jest pewien, ale wierzy w przypadek i tylko w przypadek, na przykład Abraham Joshua Heschel, rabin i filozof, twierdził, że wszystko, w ogóle wszystko jest dziełem przypadku. Ludzkość zaczyna się od indywidualnego człowieka, a historia od jednego zdarzenia. To, że przeżyliśmy, to, co przeżyliśmy, że tu siedzimy, gdzie siedzimy, to czysty przypadek, zresztą bardzo miły.

Zapytałam, czy to też był żart.

– Co?

Że wszedł pod stół.

– A czy coś w tym dziwnego jest?

– Tylko to, że pan się schował przed kelnerem.

– Zauważyła pani? – ucieszył się. – Ja zawsze jak gdzieś wchodzę, to od razu wybieram miejsce, gdzie bym się mógł ukryć. Takie przyzwyczajenie.

– Buty panu spod obrusa wystawały.

– Dziękuję. Będę bardziej uważał. Ma pan ładną marynarkę.

To powiedział do Klausa i już go zupełnie kupił. Bo Klaus się zarumienił jak chłopiec i zapytał:

– Naprawdę się panu podoba?

– Przecież mówię.

– Poważnie?

– Śmiertelnie.

Wyjaśniłam, że Klaus jest designerem i ta marynarka to jego projekt. A on powtórzył, że naprawdę piękna marynarka i że Niemcy zawsze mieli ogromny talent designerski. Klaus z niedowierzaniem, że chyba raczej Włosi albo Francuzi. A on, że skąd, żadnego porównania i chodzi mu o mundury, ta czerń z żelaznymi dodatkami – ma na myśli trupie czaszki, to było genialne! Potem cała Ameryka z Niemców zrzynała. Hells Angels, pokolenie rock and rolla, armia, Calvin Klein, w ogóle wszyscy.

Klaus się roześmiał, ale trochę jakby z przymusem.

A kelner dolewał nam albo wody, albo wina, krążył i ciągle z namysłem się w niego wpatrywał.

– A ja to pana skądś znam – powiedział w końcu. – Pan jest aktorem?

– Tak.

– Co pan grał ostatnio?

– Hamleta w Roundabout Theather.

– Oczywiście. Od razu pana poznałem.

– Dostałem za to nagrodę Tony. Najlepsza rola na Broadwayu.

A kelner się ucieszył.

– Tak. Wiem. Oglądałem to w telewizji. Ja dostałem nagrodę dla najlepszego kelnera roku w tej knajpie.

– Gdzieś o tym czytałem. A ilu was tu pracuje?

– Dwóch.

– A to szczerze gratuluję.

Jak pisałam, parę stolików od nas urodziny obchodził grubas, czyli alkohol, śpiewy, *Happy Birthday*.

– A macie tu tort czekoladowy?

– Pewnie, że mamy.

– A widzi pan tego grubasa?

– Pewnie, że widzę i słyszę.

– A to niech mu pan wyśle ode mnie tort czekoladowy. Największy, jaki macie.

– Pan go zna?

– A skąd mam go znać?

Kelner już się niczemu nie dziwił, tylko odszedł i podał tort.

No, było to zabawne, ale czułam się coraz gorzej, a Klaus odwrotnie, odżył i był zachwycony. Wyjaśnił, nie wiem, po co, że jestem malarką i będę miała wystawę w SoHo. On wtedy popatrzył tak dziwnie, że mi się zimno zrobiło. Mrówki się rozbiegły po plecach, zmarzłam i mówię:

– Musimy iść. Klaus rano leci do Monachium na pokaz.

A Klaus:

– A pan odwiedzał Niemcy?

A on:

– Po co? Niemcy mnie odwiedzali.

Ale mnie już nic nie bawiło, tylko chyba zbladłam jeszcze bardziej. Więc zaczęli się kłócić, kto zapłaci, i Klaus wygrał. A grubas urodzinowy, opychając się tortem, podbiegł truchtem i roześmiany zawołał:

– Od razu pana poznałem. To są moje pięćdziesiąte

urodziny. Bardzo proszę, niech pan pozwoli, że panu przedstawię żonę i przyjaciół. Chciałem podziękować za pyszny tort.

A on na to:

– Niech pan nie dziękuje, miałem nadzieję, że zobaczę, jak pan umiera.

Opowieść matki Zachara, która w Café Karenina skończyła popijanie słodką herbatą śledzia w oliwie, dość długo się nam przyglądała, a potem przysiadła bez pytania

Przypadkiem dziwnym i niespodziewanym podsłuchałam, jak panowie rozmawiali o dziewczynie z domu publicznego i chłopaku, co ją wyciągnął, inaczej mówiąc, o Irinie i moim pierworodnym. A teraz, jeżeli mi wolno, to dodam coś od siebie, jeżeli tylko panowie rozumiecie po rosyjsku. Boże broń, żeby z jakiegoś nachalstwa, tylko po to, żebyście panowie przestali się paru rzeczy domyślać, a wiedzieli na pewno. Z tym że niestety, ale muszę zacząć od czegoś osobistego, czyli snu, co mi się przyśnił pod Moskwą w domku albo, mówiąc bliżej prawdy, chałupie. Większość snu niczym się nie wyróżniała, ale proszę cierpliwie...

Sen matki Zachara

Śniły mi się różne rzeczy ale najbardziej pamiętam że kury żywicielki uciekły i wpadły pod pociąg płot się zawalił mąż powrócił drzewo zwaliło na chałupę zgubiłam zwycięski los na loterię i nie mogłam odebrać ale pod sam koniec kiedy sen jak to sen robi się nieprzejrzysty zobaczyłam Zachara czyli synka ukochanego co go wzięli na pobór do armii i po ekstraprzeszkoleniu w trzy tygodnie odesłali do służby w Czeczenii ten synek wyciągał do mnie ręce jak się robi zwyczajowo po pomoc i wołał to czego nie było słychać a następnie na moich oczach matki zaczął się rozpływać rozrzedzać, zamieniać w kurz dym aż do końca się rozmył i się obudziłam.

W snach nie ma nic przypadkiem, jak to na pewno obaj panowie jako ludzie wykształceni, co widać na pierwszy rzut oka, najlepiej wiecie. Dlatego od razu wyszorowałam podłogę, wyprałam firanki i czekałam, nawet niedługo. Niecałe trzy dni później dostaję oficjalne zawiadomienie z komendantury, a w nim, że mój Zacharka rodzony zdezerterował, narażając całą armię na niewyobrażalne niebezpieczeństwo, straty materialne, wstyd przed Czeczenami, i od tej pory armia niestety, ale nic o nim nie wie, a jak się dowie, to tym gorzej dla niego.

Do oficjalnych dokumentów miałam stosunek, bo już raz dostałam zawiadomienie, że mój mąż zginął w Afganistanie. A potem przesyłkę z ciałem w zalutowanej cynkowej trumnie, z tym że równo tydzień po pogrzebie on sam się pojawił zdrów i cały, a zniknął dopiero, kiedy mnie porzucił na dobre, i podobno gdzieś go widziano w Pitrze z inną kobietą, za to chudą i bogatą. Ale on to on, wiadomo, zdrajca i nieprawdomówca, za to mój Zachar był dzieckiem grzecznym, posłusznym i nie było ludzkiej siły, żeby uciekał, bo niby gdzie i po co? Czyli czekam dalej. Tydzień mija, później jeszcze jeden, i przychodzi list od jego kolegi serdecznego, zwolnionego z powodu rany półśmiertelnej. I on pod słowem i w tajemnicy pisze, że Zacharek żadne zdezerterował, tylko jest u Czeczeńców w niewoli. I jak go chcę zobaczyć żywego, mam obowiązkowo wziąć sprawę w swoje ręce. Dalej był podany adres pośrednika w miejscowości Argus, gdzie się mam zgłosić po więcej, ale jakby co, to on tego listu ani nie napisał, ani nie widział na oczy. Żeby nie tracić czasu nadaremnie, wyprzedałam się do ostatniej kury i pojechałam. Zabrałam tylko woreczek z pieniędzmi wymienionymi przy placu Czerwonym na dolary, ikonę ze świętym Jerzym zabijającym smoka i zdjęcie Zacharka. Jechało się najpierw jednym, a potem drugim pociągiem do granicy. Potem za łapówkę z konwojem dostawczym, czyli ciężarówkami pod plandeką z innymi matkami, w liczbie dziewiętnastu – matki dzieliły się na takie, co szukały synów żywych, i na takie, co umarłych – oraz z przeklinającymi, smutnymi do łez żołnierzami po urlopie. Było ciasno, że trudno nogi rozprostować, dlatego drogę i czas skracałyśmy, opowiadając jedna drugiej to i tamto o naszych synach.

Co do kierowców ciężarówek i żołnierzy, to dzielili się tak jak reszta ludzi: na uczciwych, złodziejów, pijaków, szpiclów, takich, co mają Boga w sercu, i takich, co nie matki ssali, tylko wilczyce. Niektórzy uszanowali matczyny ból i cierpienie, a inni przeciwnie. I jak poniektóre z nas się ze wszystkich sił z krzykiem opierały, to jeszcze je dodatkowo zawstydzali, że się nie umieją w czasie wojny zachować.

Mnie też taki los nie ominął. Chociaż, jak panowie widzą, nie jestem ani młoda, ani ponętna, ale widać Bóg tak chciał i trzech przez siebie przepuściłam. Po drodze do miejscowości Gudermes, wpadliśmy omyłkowo pod ostrzał naszej artylerii, ale nie trafili i skończyło się na śmiechu. W mieście Gudermes jak po pożarze: ciemne ruiny, hula wiatr, leje deszcz, trupy kotów, szczurów płyną sobie razem ulicami.

W komendanturze ciemno, do tego jeden pijany major strzelał nam nad głową, marnując amunicję, ze zdziwienia, skąd się wzięłyśmy. I rozkazał nas z miejsca odesłać do Khankali, skąd nam od razu kazali ruszać do Rostowa, jedynego miejsca w całej wojnie, gdzie w dawnej fabryce traktorów i czołgów szło centralne odliczanie trupów. Osobno Czeczeńcy, osobno Rosjanie, osobno kobiety, osobno dzieci, potem dodawano i znów dzielono. Komputer był jeden i były omyłki, zwłaszcza że trochę oszukiwali. Tam w Rostowie napisałam na liniowym papierze list do generała Baranowa, głównego dowódcy naszych sił, ja i jeszcze poniektóre matki, żeby nas po ludzku traktowano i że szukamy żywych.

W mieście Argun pod podanym adresem nikogo nie było, a wymieniony dom wyrabowany. Więc od razu za łapówkę do Groznego, gdzie wiatr huśtał kablami, co wisiały na skrzyżowaniach, dalej znów deszcz i deszcz, z wodą płyną niewinnie zabite bydlątka, jałówki i cielaki, czyli matki i dzieci, żal ich. Znów czarny dym, ruiny, czasem ogień, kawałki z ubrań albo z mebli, ludzkie ciała i pociski nieodpalone. Potem nocka w spalonej ciężarówce, zanim zasnęłyśmy, zakopałyśmy resztę dolarów, żeby nie obudzić się z niczym. Spałam jednym okiem, bo wiatr hulał po kościach, a stara mina tykała, że mogło obrzydnąć. Raniutko przed komendanturą oblężenie Czeczenek, Rosjanek lamentujących o litość albo sprawiedliwość, a wszystkie też ze zdjęciami własnych dzieci. Matko Święta Maryjo, pomyślałam, w takim tłoku przepadnie na zawsze mój Zacharek. Z rozpaczy poszłam na gruzy, tak jak inne, wszędzie opowiadając o swoim nieszczęściu, rozlepiając kartki z nazwiskiem, i znów przez oficerów oskarżana za egoizm, bo poprzedniego dnia dwudziestu siedmiu żołnierzy rosyjskich wpadło z ciężarówką na minę i wszystkich poszarpało na kawałki, a tu taki hałas z pojedynczym, nawet jak jedynak.

Żeby obu panów nie zanudzać, bo po co, i tak panowie zalatani jak to w Nowym Jorku, po paru dniach beznadziei podszedł do mnie, akurat jak się pogoda poprawiła, małoletni chłopiec miejscowy, że to niby po papierosa. A po cichu zahaczył, czy przez przypadek nie jestem taką to a taką matką, szukającą syna szeregowca, takiego a takiego. Serce mi podskoczyło jak karp na patelni, a on zaprowadził mnie do domku obdartego na odludziu, daleko za miastem, gdzie przez zawieszone pośrodku kuchni prześcieradło na połamanym krześle rozmawiałam z porywaczami. Najpierw ogólnie zapytali: czy mam intencję syna odzyskać i jak duża jest ta intencja.

Powiedziałam, ile mam i że więcej, niech mnie zabiją, ale nie mam.

To jest po prostu śmieszne – oni na to, bo zakupili mojego syna od oficera z jego oddziału za bite cztery tysiące dolarów dwa miesiące temu.

– Jak to żeście zakupili?

– Normalnie i legalnie. Było wszystko dogadane z lejtnantem, a Zachara i tak w oddziale nikt nie lubił, czyli wasi posłali go niby po wódkę do wioski, myśmy czekali i tyle. Teraz dochodzą koszty za transport, wyżywienie, mieszkanie i papierosy.

Jak się potem okazało, żadnych papierosów nie dawali, a trzymali w dziurze w ziemi. Na dodatek z jednym kolegą, co nie przetrzymał, tylko umarł, to nawet go pośmiertnie nie wyciągnęli, chociaż Zacharek wył, żeby wzięli, bo tamten gnił obok, a po nocach, jak nie było kanonady, słyszał wycie z innych dziur po obu stronach frontu.

Następnie poinformowali, że zrobili obliczenie i wyszło im osiem tysięcy dolarów. Albo, co by woleli i o co poszedł ten cały bałagan, żeby go wymienić na ważnego czeczeńskiego oficera bez oka, co go nasza armia złapała. A decyzja co do wymiany leży w rękach prokuratora Krawczenki. Natomiast jak ich wsypię, to i syna, i mnie zabiją. A za to jak załatwię, to kontakt z nimi za tydzień w tym samym miejscu, i będę się mogła napatrzeć na Zacharka w zdrowiu i dobrym humorze. Jak mam to załatwić, to nie ich kłopot, tylko mój, byle szybko, bo oni są ludzie niecierpliwi, a ludzie niecierpliwi robią głupstwa.

No dobrze. Upewniłam się jeszcze raz, czy na pewno tylko i wyłącznie wszystko zależy od prokuratora Krawczenki. Potwierdzili. Przepraszam obu panów, widzę, że robi się późno, czyli nie będę opisywać, jak dostałam się do prokuratora, znów smarując na prawo i lewo, powiem tylko, że patrząc prosto w oczy, powiedział:

– Wasz syn nie jest dla nas nic wart.

Mnie to powiedział. Rodzonej matce. Bestie po obu stronach, co z tego, że w mundurach i pod sztandarami. Poszłam tak czy tak na tamto spotkanie i zobaczyłam, że po domku ani śladu, spalony i dookoła trzy trupy męskie, w tym tego małolata.

Potem znów Gudermes, Khankala, Inguszetia, Gudermes, Grozny, Rostow, Khankala, Gudermes. W czarnej rozpaczy słałam dalej listy do generała Baranowa i raz nagle i nieoczekiwanie dostałam odpowiedź, że zrobi, co w ludzkiej mocy, a zdjęcie mojego syna nosi przy sobie na sercu. Do Krawczenki się więcej nie dostałam, zresztą po co, jak pośrednik zabity, a żaden inny się nie zgłosił, pieniądze wydane na łapówki, czyli żadnej nadziei.

Pożegnałam się z nim w myślach, wróciłam takim samym sposobem do Moskwy, przy czym powiem panom, że ulice bez trupów wydawały mi się dziwne. I tu grom z jasnego nieba, dostaję wiadomość, że syn cały i żywy, tylko przez naszych zaaresztowany i trzymany w Wołgogradzie. Tańczyłam jak młoda, połykając łzy ze szczęścia. Widzę, że panowie się zdziwili, jak do tego doszło, a co ja mam powiedzieć? Okazało się, że w ramach bitwy czy może potyczki te kanalie ludzkie, co go pilnowały, dostały od Boga karę i rozerwało ich na kawałki, a Zachar się wygrzebał po trupach z jamy i do swoich. Nasi trzymali go przez miesiąc i przesłuchiwali jako szpiega albo dezertera i wypuścili warunkowo, że zwróci pieniądze za kałasznikowa, torbę z granatami, maskę gazową i uniform, nowe buty, koc, łopatkę, plecak, naboje i coś jeszcze, a wysłali go z gołymi rękami.

I teraz dopiero się zaczyna to, nad czym się panowie głowili. Zacharuszka był bez grosza, ja też wyczyszczona do czysta. Aż tu jego ukochana narzeczona Irina, dziewczyna jak szczere złoto, która wiernie czekała, chodząc na studia aktorskie w Moskwie, po długich staraniach dostała pracę w Ameryce na miesiąc, za porządne pieniądze, jako kelnerka. Po rodzinnej naradzie, na której płynęły łzy, dzieci zdecydowały, że to sam Bóg wyciągnął do nas rękę i musowo trzeba jechać. Nie ma innej drogi, żeby się wypłacić armii i zacząć żyć jak ludzie. Reszty się panowie łatwo domyślacie, gadziny przytrzasnęły to złote dziecko i matkę moich przyszłych wnucząt w publicznym burdelu i tylko przez jednego miłosiernego klienta staruszka, Zacharek się o wszystkim dowiedział.

A jak dostał wizę, za co kupił bilet i co przyobiecał, tego nie powiem, bo nie wiem, ale mam najgorsze podejrzenia. A ja zapożyczyłam się na amen i przyjechałam od nowa go szukać, bo taki jest psi obowiązek matki.

Budzę się i nie wiem, gdzie jestem
(według Maszy)

Budzę się i nie wiem, gdzie jestem, nikt nie chrapie, nie jęczy, nie płacze, nie pluje na ścianę, czyli nie u rodziców; nie śmierdzi papierosami i farbą, a sprężyny się nie wbijają, czyli nie u Kostii. Berlin też to nie jest ani Monachium, bo leżę sama i nie szeleszczą karty, którymi Klaus stawia kolejnego pasjansa… Co jest na pewno, to strach. Skąd się bierze, nie wiem, ale jest od razu z samego rana, jeżeli to rano. Sucho w gardle i ból pod łopatką, z początku nie ból, ale mżenie ciche, jak kołysanka. Czyli, wracając, budzę się i baldachim biały, wysoki, jakby szpital, ale nie, koszula przepocona, ze strachu czy co? Serce już nie mży, tylko chlapie jak mokrą ścierką o puste wiadro. Tak je było słychać w aparaturze, którą mnie przebadano.

A do okien ze trzydzieści metrów, a za nimi ciemno od góry, jasno od dołu i już wiem, że, po pierwsze, nie rano, po drugie, to ten strych, co Klaus wynajął. Ładny mi strych, luksus na dziesięć rodzin z dziećmi, kiszka szeroka na czterdzieści, a długa na dobre dwieście. On w Monachium robi interesy i serce chlap, chlap. A to, co świeci z dołu, to Broadway. Profesor, który mnie badał, robił miny i mówił, że jak mnie nie zreperuje szybko, to umrę przy takim ciśnieniu. Siwy, stary, więc może się i zna? Ale raczej kasę chce wyciągnąć z Klausa, bo wyczuł frajera i dobrego człowieka. Zresztą jak umrę, to umrę, nic nowego. Matka mówiła, że im szybciej, tym lepiej, bo się mniej nagrzeszy. A tu proszę, serduszko przycichło.

Matka sto razy prosiła ojca, żeby chociaż nie pluł na ścianę, a on, że to jego ściana, jego życie i pluje na cały świat.

Baldachim biały na czterech kolumienkach, z miedzi chyba, udających żelazne kwiaty. Dziesiąta wieczór, czyli dzień przespałam. Łazienka jak całe mieszkanie rodziców. Popiłam sok pomarańczowy z lodówki pełnej wszystkiego, od szynki i polędwicy przez takie i takie sery kozie albo owcze i, jakbym chciała, to jogurty. Prysznic rozgryzłam raz-dwa, co się przyciska i po co. Okna dwa wysokie na trzy metry, na prawo szeroka Houston Street, o której już wiem, że przecina dolny Manhattan ze wschodu na zachód, czyli od East River do rzeki Hudson. Na lewo parę ulic byle jakich i dopiero ogromna Canal Street.

Stoję sobie w oknie i wierzę, i nie wierzę, bo tak jak w telewizorze, żadne bloki czy trzepak, tylko Broadway w tym miejscu handlowy zgrzyta i huczy, świeci i prawie się wygina od samochodów dużych, wielkich, małych. Ludzi obdartych albo w futrach, czarnych, białych i żółtych, co po chodnikach biegną albo wloką ciała do przepoconego China Town, które jest obok. Albo może do sławnego Wall Street, co jest trochę dalej. I ja mam się w to wszystko wpychać, jak do metra w Moskwie. Ale Klaus pomoże, jak tylko wróci.

W oknie naprzeciwko onanizuje się jakiś elegancki Amerykanin, chyba leworęczny, bo uprzejmie do mnie macha prawą. Postałam, popatrzyłam i dopiero mnie tknęło, że to ma związek ze mną, bo stoję goła w oknie, czyli uciekam. Biorę szlafrok długi do ziemi i jest lepiej, zwłaszcza że na stole leży mój własny portfel ze skóry mięciutkiej, błyszczący, a w nim karta American Express i setki,

które przeliczam, i jest tyle, ile miało być. Szesnaście, po-
układane, nowiutkie, jak wyprasowane przez ojca, który
wszystkie ruble prasował i rozmawiał z nimi. „Chodźcie
dzieci do tatusia, chodźcie".

Czyli jestem zaopiekowana pierwszy raz w życiu
i płaczę, ale nie ze szczęścia, tylko ze strachu, co zrobiłam, oraz z żalu za Kostią mięsożernym, zawsze pach-
nącym papierosami i wódką, kłamliwym Kostią, który
zmarnował moją pierwszą miłość i wspólne dziecko.
Z żalu za naszą ulubioną malutką wanną ze zdartą emalią, w której próbowaliśmy się ze śmiechem razem pomie-
ścić i się nie dało, za wielkim gwoździem nad pożółkłym
klozetem, na który wbijałam pocięte równiutko gazety.
Za zdradliwym Kostią, który namawiał, żebym przestała
malować, tylko została krytykiem i pisała o jego czarno-
-białych trójkątnych przepaściach, na dnie których, jak
się upierał, umierał zagraniczny konsul alkoholik.

I teraz piszę prawdę. Tak! Kocham Kostieńkę, którego
już pewnie w życiu nie zobaczę, a który mnie sprzedał, i to
w pięć minut, grubonóżce i diabli wiedzą komu. A teraz by
je wszystkie hurtem sprzedał, żeby tutaj być i pokazać te
swoje obrazy. I nie przeszkadza mi w ogóle, że był z niego
prawie całkowity półimpotent, bo nie o to w miłości chodzi.

Patrzę teraz na moje obrazy, drzewo jak u Puszkina, z łańcuchem i kotem uczonym, i drugie, które wyrasta z pękniętej betonowej ściany, wujkowie na podwórku
przy szachach oraz ten mój piesek na szynach, który mi
życie wymienił na inne, bo wzruszył lodowatego Klausa,
a on mi tego pieska oddał pięknie oprawionego. Ale właśnie zadzwonił telefon noszony, więc się pytam, czy to ty

kochanie. Bo kto miał być, jak nie Klaus? I się musiałam do tego – kochanie – przyzwyczaić, chociaż go nie kochałam, ale mnie wzruszał, bo był najlepszym, co mi się przytrafiło w życiu, czyli spytałam właśnie: – Czy to ty, kochanie?

A ktoś: – Tak, to ja, kochanie – z tym że to nie był on, tylko ktoś obcy, kto też mówi po rosyjsku. Zatkało mnie, odpowiadam: – Oszybka – i odkładam. Tyle że zaraz znów dzwonek dzwoni. Niby nikt się nie odezwał, ale ktoś był, bo dyszał, spojrzałam na drzwi, mocne, ciężkie, bezpieczne, na cztery zasuwy i wzmocnione żelazną sztabą. Wzięłam oddech i – kto mówi?

A ten się pyta, czy mam psa – sobaka, znaczit, u was jest?

– Kto mówi, bo odkładam – grożę.

– Dżerzi mówi, ten kierowca, co was wiózł – mówi. – Miło się po rosyjsku rozmawia. Masz psa czy nie masz psa i czy to jest takie trudne pytanie?

Zatkało mnie, ale tylko na chwilę. Pijany, jasna sprawa, do pijanych jestem przyzwyczajona. A ci sławni tutaj od moskiewskich się nie różnią, mały świat. Tyle że po jedenastej wieczór, pewnie wylazł z baru, ale skąd ma telefon i o co chodzi z psem?

– A skąd masz mój telefon?

– A od męża.

Tutaj coś zakłuło w gardle.

– Czyli coś mu się stało czy nie stało?

– Co się miało stać? Dzwoniłem do Monachium, to mam telefon, i jakbym nie dzwonił, tobym nie miał.

– Dzwoniłeś do Monachium?

– Nie powtarzaj, szkoda czasu, niby dlaczego miałem nie dzwonić do Monachium? Jest taki wynalazek: telefon, i się dzwoni, gdzie się chce, i się rozmawia, i pyta o coś, jak się chce czegoś dowiedzieć.

– No to nie mogłeś się dowiedzieć od Klausa?

– Czego?

– Że nie mamy psa, kota też nie mamy.

– Pieprzę koty, pytałem o psa. A jak myślisz?

– O czym jak myślę?

– Dlaczego ja dzwonię po nocy?

Bym odłożyła słuchawkę, ale jak Klaus dał mu ten numer, to może o coś chodzi. Ale on się też nie odzywał. No to mówię:

– Jakbym ja dzwoniła, tobym wiedziała.

I cisza, jakby coś kombinował, ale jeszcze nie odkładam. Co to za głupia rozmowa, na co się przyczepił...

– Czyli po co dzwonisz?

– Zaraz – rozzłościł się. – Przecież myślę... jest ciemno, stoję na ulicy, źle się myśli. A może chodziło mi o obrazy, jak myślisz, bo chyba nie o seks, co?

– Że o co? – Bo myślę, że się przesłyszałam.

– O seks. Przecież mówię wyraźnie, lubisz seks? Przepraszam, głupie pytanie, oczywiście, każdy lubi...

Odłożyłam słuchawkę, ale zaraz znów zadzwonił, teraz już wściekły, i krzyczy.

– Proszę nigdy, ale to nigdy nie odkładać słuchawki, jak ja dzwonię. Jestem bardzo zajęty. Tak, to mogło chodzić o obrazy.

– Jakie obrazy?

– Twoje obrazy.

– No i co z nimi?

– Chcę je zobaczyć.

– Kiedy?

– Teraz. Jak nie masz psa, to wpadnę na chwilę, jestem pod domem.

– Gdzie?

– Na Broadway przy Bleecker. To jest dobry adres, wszędzie można pieszo, ja mieszkam wyżej, ale niedaleko stąd mam pracownię, tam robię zdjęcia.

– O co chodzi z tym psem?

– Co się uczepiłaś tego psa?

– Bo jest późno.

I taka szła głupia rozmowa mniej więcej. No i proszę, co ja mam za parszywe szczęście, dopiero co się czułam bezpieczna.

– Nie ma jeszcze północy. Najlepsza pora. Boisz się mnie? Nie jestem wampirem.

– Jestem zmęczona, rozebrana i zamężna, i w ogóle raz w życiu cię widziałam.

– Nie każdy ma takie szczęście, żeby chociaż raz, a jak długo się ubierasz? Pięć minut będzie OK?

– Nie jestem w wojsku.

– Zaraz będę.

– Nie.

I co z tego, że powiedziałam nie! Co on się bawi ze mną w kotka i myszkę? Myszkę to ja już parę razy przerobiłam. Niby zawsze mogę nie otworzyć. Odłożył słuchawkę, więc pobiegłam do kuchni, a to był spory kawałek. Ze sto kroków, popiłam proszki, wrzuciłam pod łóżko aparaturę do ciśnienia, popatrzyłam w lustro. To chamstwo i nachalstwo! A Klaus jest głupi, czy on wie, co robi? Nie rozumie, z kim ma do czynienia? Przecież czytał jeszcze raz gazetę, i to uważnie. Na pewno przez ten jego par-szywy snobizm. Bo przed wyjazdem gadał i gadał, jak się trudno w Nowym Jorku do sławnych ludzi dopchać i jakie my mieliśmy nieludzkie szczęście. I to, że Dżerzi ma wspaniały gust, bo mu się spodobała jego marynarka, i że może pomóc bardzo w mojej wystawie. Zaraz, a co, jak z Klausa coś wylazło i może chce mnie przehandlo-wać? Aż mnie zakłuło i straciłam oddech.

Tak rozmyślam, ale w biegu, bo wkładałam dżinsy, sweterek i coś tam, a domofon, na który tu mówią buz-zer, już dzwonił i buzował. Przycisnęłam, spytałam, żeby mieć pewność, chociaż miałam, no i to on tam był. Pod-leciałam do drzwi, odsunęłam sztabę, otworzyłam zam-ki. A ta dwudziestoosobowa winda towarowa, z zakra-towanymi, podnoszonymi do góry drzwiami, z hukiem jedzie do góry. Przeżegnałam się, trzy razy poplułam na lewo, na prawo, za siebie i otworzyłam. Wyglądał jak wtedy, czyli koszula, ale świeża, marynarka, pod krawa-tem, błyszczące buty, fałszywy uśmiech i stary, chociaż nie siwy. Może farbuje? Teraz jeszcze bardziej niż wtedy mi się nie spodobał. Od wejścia to wyczuł, bo pocałował w rękę po europejsku i zrobił się nagle od razu miły.

– Przepraszam bardzo, ale często robię coś, a nieko-niecznie wiem po co, tylko wiem, że muszę to zrobić, bo mam pewność, że muszę.

– Musisz?

– Jeżeli robię, to znaczy, że muszę. Gdzie one są?

Odwrócił się tyłem, zapalił górne światło i zaczął cho-dzić koło obrazów. Fachowo je ustawiał na sztalugach, tych leciuteńkich, składanych, które Klaus przed wyjazdem kupił. Szedł do przodu, potem się cofał i znowu do przodu. W ogóle nie wiedziałam, co robić, więc wzruszyłam ramionami i zaczęłam słać łóżko. Ale zaraz od niego odskoczyłam, bo on mógł sobie pomyśleć wiadomo co, i zasunęłam kotary baldachimowe. Tyle że on nie zwracał uwagi, albo udawał, i niby patrzył, ale tak, jakby nie patrzył. Na wszelki wypadek dodałam, że obrazy bez dobrego światła więdną. Nawet nie odpowiedział. Czyli usiadłam w fotelu i zapaliłam papierosa, jeszcze zapas z Rosji biełomorów na czarną godzinę, chociaż lekarz zabronił, następnie pogubiłam się. Tak że mało co się nie rozpłakałam. Aż tu na szczęście zadzwonił telefon i to już był Klaus. Ucieszyłam się, że mam świadka. Jakby mi coś zrobił, toby się nie wyplątał. Od razu się lepiej poczułam. A Klaus zaczął od tego, co zawsze, że mnie kocha i się stęsknił. A ja mu od razu odpowiedziałam, że jest tu Dżerzi. Najpierw długa cisza, a potem – jak to jest? Jest, bo przyszedł, bo mu dałeś adres, tak? – I co? – I ogląda obrazy. – To ładnie z jego strony, bardzo nawet, ale jest po jedenastej. – Też uważam, że jest za późno. Dam ci go do telefonu. – Daj spokój, jestem na konferencji, kocham cię i tęsknię.

A Dżerzi jakby nie słyszał. Odłożyłam telefon, usiadłam w czarnym fotelu, który się rozkładał, zapaliłam drugiego biełomora, popatrzyłam na zegarek, otworzyłam książkę do nauki angielskiego, ale litery skaczą. A on nagle się odwraca. I najspokojniej:

– Chodź ze mną.

I teraz pytanie. Dlaczego się ubrałam i polazłam za nim grzecznie, jak pies czy coś, dobrowolnie, to tego już nie umiem rozgryźć. Zagadka. No, powód jeden był na pewno taki, że bardzo chciałam, żeby wyszedł, bo w mieszkaniu się go bałam bardziej niż na ulicy. No i poza tym na pewno nie chciałam, żeby pomyślał, że jestem tchórzem z Moskwy, co w Nowym Jorku nie wyjdzie na ulicę w nocy. I jeszcze jedno – to był człowiek, któremu się nie było łatwo sprzeciwić. Chyba żeby się nadział na taką skałę jak mój ojciec. On by mu pokazał i by mu się odechciało.

Ale ojca akurat nie ma, na razie wsiadłam z nim do taksówki żółtej, jak ten żółty piasek, który zasypywał małego biednego pieska na obrazie Goi, a którego reprodukcja wisiała u Kostii w pracowni i mi się po nocach śniła. Nie wiedziałam, dlaczego wpuścili nas z uśmiechem o tej porze do szpitala Saint Luke's. Chyba był rzeczywiście sławny i go rozpoznawali.

Szpital był sto razy lepszy od moskiewskiego, na korytarzach nie świszczeli astmatycy, nie trzeba się było przepychać między skrzypiącymi wózkami paralityków ani patrzeć w wytrzeszczone oczy cukrzyków, ruch nieduży, wszyscy albo uprzejmi, albo nieuważni. W salce na drugim piętrze tylko trzy łóżka. Na dwóch kobiety, tak pochowane w pościeli, że ich nie widać. Coś jak mój pies Dziadek w Moskwie, który na starość potrafił zagrzebać się na cały dzień w skrzyni z kocami.

Za to na trzecim łóżku dziewczynka, góra dwunastoletnia, z oczami czarnymi i w bransoletce kolorowej na oliwkowych cieniutkich rączkach, złożonych na kołdrze jak do modlitwy. Od razu radośnie uśmiechnęła się do Dżerziego, a potem podała mi tę rączkę cieniutką jak witka.

– Ja jestem Anita, a ty jesteś ładna. Czy jesteś kurwa?

Te obce na tamtych łóżkach, dużo starsze, jak na komendę się wygrzebały, popatrzyły i zagrzebały z powrotem. Wyczułam, że w tym pytaniu nie było złej intencji, tylko szczera ciekawość. Więc odpowiedziałam, że nie kurwa, tylko Masza, i że przyjechałam z Moskwy oraz maluję. Anita powiedziała, że ona pisze i niedawno napisała narzeczonemu na złotym zębie *I love You*.

Przykucnęłam na krzesełku, przysięgając sobie, że nigdy, przenigdy nie dam się położyć do szpitala. A Dżerzi przeciwnie, zadomowiony, usiadł na łóżku, wyjął z kieszeni książkę i zaczął czytać historię, jak się okazało – swoją i przerażającą, o dobrym chłopczyku i o wiele gorszym chłopie. Ta dziewczynka Anita słuchała z uśmiechem, oczka jej się kleiły, a kiedy zasnęła, Dżerzi dał znak i wyszliśmy, a na ulicy zapytał:

– Coś zrozumiałaś?

– Z czego?

– Z tego, że Anita jest z Puerto Rico. Ojciec zaraził jej matkę, dziesięcioletniego braciszka i ją tajemniczą weneryczną chorobą. Rodzice i braciszek już umarli, a jej zostały dwa tygodnie.

– To jest straszne.

– A owszem.

– To po co do niej przychodzisz i czytasz tę czarną bajkę?

– Po pierwsze, jaką bajkę, po drugie, ona tego chce.

– Nie wierzę nic a nic. Co do mnie, to jak będę umierała, nie życzę sobie, żeby ktoś usiadł na moim łóżku i czytał okropieństwa.

Roześmiał się, ale mnie nie było do śmiechu.

– Bo ty jesteś zdrowa. A Anita chce wiedzieć, że był Holocaust, że miliony dzieci cierpiały, były torturowane, że nie ona jedna odchodzi, rozumiesz? A on cię kocha?

– Kto?

– Klaus Werner, designer niemiecki.

– Ożenił się przecież.

– A ty go kochasz, pożądasz, boisz się, uczepiłaś się czy wszystko razem?

– A jakim prawem ty się mnie o to pytasz? Bo co?

– A prawem silniejszego.

Pociągnął mnie do coffee shopu przy szpitalu. Na oknie był wielki napis „Najlepsza kawa w Nowym Jorku", w środku trochę białych, trochę czarnych i dwie kelnerki, obie kolorowe. Popatrzyły na niego bez sympatii i kawę raczej chlusnęły, niż podały.

– Idiotki – machnął ręką. – Nie były gotowe zrobić wszystkiego dla sukcesu, teraz żałują, ale za późno, ja daję tylko jedną szansę w życiu. A masz z nim orgazmy?

– Cześć, Dżerzi. – Zza kontuaru wychylił się tłuścioch biały w czarnym fartuchu. – Jak kawa?

– Ohydna.

– Ale najlepsza w Nowym Jorku – ucieszył się i zniknął.

– Idę do domu. – Wstałam, wyszłam i zamachałam.

– To cię odwiozę.

– Nie. – Pomyślałam, że wlezie znów na górę czy coś, a taksówka stoi, i kierowca w turbanie, wyraźnie Hindus.

– Te twoje obrazy.

– Co moje obrazy?

– Te twoje obrazy… Czekaj, stój, nie ruszaj się, popatrz

na mnie. – Wyciągnął z kieszeni mały aparat i zrobił zdjęcie. – Dobrze.

A Hindus odjechał.

– Ten Klaus... Jak ty go wytrzymujesz, masz kogoś na boku? Mężczyzna, kobieta, kot, pies, osioł, koń. Katarzyna Wielka miała konia, ogiera. Zbudowano specjalny podest z dębu, ona się tam kładła, a stajenni powolutku ją nadziewali.

– Katarzyna była Niemką.

– Tak jak Klaus.

– Ty nie masz innych tematów?

– A ty masz coś ciekawego do powiedzenia? Bo ja nie słyszę.

– To chamstwo.

– A co? Bierze cię?

– Za słabo.

– Powiedz coś o ojcu.

– Hydraulik.

– Hydraulika to możesz sobie w dupę wsadzić. Dla gazet zrobimy go pułkownikiem KGB. Nie, pułkownik tylko pije i macha z trybuny, major jest akurat. Zgwałcił cię, jak miałaś dziesięć lat, porzucił, kiedy ci zaczęły rosnąć cycki, uciekłaś z domu, byłaś prostytutką w metrze, a matka...

– Odwal się od matki...

– Cicho bądź, mam natchnienie. Jako prostytutka raz miałaś szczęście i zaczepiłaś Niemca, a potem...

– U nas za prostytucję wsadzano „wrogów narodu". Prostytutki, te prawdziwe, były nie w metrze, tylko w hotelach, do szpiegowania cudzoziemców. I musiały być pełnoletnie. Może masz natchnienie, ale faktów nie znasz.

– To ty wiesz gówno o Rosji. Na tych twoich obrazach jest tylko spokój, a spokój to kłamstwo i nuda, nieludzka nuda, twój ojciec zginął pod Stalingradem, nie, za młody jest, w Afganistanie. Klausa eliminujemy. To już coś. Potem poprawimy tu i tam.

– Czyli że chcesz mnie pospolicie zerżnąć, żebym lepiej malowała, i zadbasz o reklamę? – Bo już straciłam cierpliwość. Zatrzymałam taksówkę, chcę wsiadać, ale to on się pakuje.

– Kochanie, ja ci nie powiedziałem, że cię chcę zerżnąć, na to trzeba zasłużyć, i mam dosyć twojego szemranego rosyjskiego. Nie jesteś w Rosji, tylko w Nowym Jorku, mów po angielsku, ucz się, Azjatko. A teraz nie mam czasu, znudziłaś mnie, rano mam wykład, złap sobie taksówkę, może jakiś Murzyn ci wyjaśni, o co chodzi. Zadzwoń, tu masz telefon, tylko nie zgub – i podał mi kartkę, którą na jego oczach podarłam i wyrzuciłam, a on się roześmiał i odjechał.

Byłeś grzeczny,
więc kupię ci lody
(Dzień. Wnętrze. Wykład trwa)

Sala wykładowa na Uniwersytecie Columbia. Tłok. Tak jest na wszystkich wykładach Dżerziego, zabrakło krzeseł, ktoś siedzi na schodach. A Dżerzi za stołem.

– A teraz, młodzi Amerykanie, przygotujcie się na najgorsze. Jesteście gotowi?

– Taaak! – woła sala.

– OK. Pokażę wam najokrutniejsze stworzenie, jakie żyje na ziemi. Proszę bardzo.

Spod stołu wyłazi sześcioletni chłopczyk. Śliczny jak cherubinek. W rękach ma zabawkę – maszynowy karabinek z plastiku.

Studenci wybuchają śmiechem, ale Dżerzi jest poważny.

– Hm… śmiejecie się, młodzi intelektualiści… Ale nie jestem pewien, czy macie rację. On ma na imię Doug. Siadaj sobie, kochanie, pobaw się trochę sam.

A chłopiec uśmiecha się i siada na podłodze.

– Przypatrzcie mu się uważnie. Chyba to człowiek, jak myślicie? Tak. To jest człowiek i nie jest, to znaczy jest, ale jakby nie do końca. Bo jeszcze nie ma pojęcia, co to strach ani śmierć, ani orgazm. A w co się najbardziej lubi bawić? Co Doug… Ciągle mu czegoś zakazują. A to ciastek, a to kąpieli w oceanie, a to jazdy na wrotkach, a to dłubania w nosie, a to trzymania rąk pod kołdrą. Więc się broni. Bawiąc się w zabijanie oczywiście…

Dżerzi udaje, że strzela do chłopca, który z radością strzela do niego ze swojej zabawki i zanosi się śmiechem.

– Pewnie słyszeliście, że przez warszawskie getto przejeżdżał tramwaj. Wjeżdżał z aryjskiej strony i jechał do aryjskiej. Oczywiście w getcie się nie zatrzymywał. Nie wolno było wsiadać ani wysiadać. Był zawsze zapchany małymi dziećmi, które chciały sobie popatrzeć. Potem bawiły się w głód, nędzę, egzekucje i obozy koncentracyjne. To niekoniecznie miało coś wspólnego z antysemityzmem. Po prostu były ciekawe. Niektóre były Niemcami, inne Żydami. Czasem się wymieniały. To znaczy, jednak na ogół silniejsze były Niemcami. Kiedy miałem siedem lat, w czasie niemieckiej okupacji, przeżyłem pierwszą miłość. To był oficer SS w czarnym mundurze z trupimi czaszkami. Ja, mały, brudny, ścigany żydowski chłopiec, patrzyłem na niego z uwielbieniem. Był bogiem, panem mojego nędznego życia i nędznej śmierci. Chciałem całować jego pięknie wypastowane, pachnące skórą i potem buty z cholewami. Podarował mi wtedy życie. A dlaczego? Nie wiem. Tak, kochani, dziecko człowiekiem jest i nie jest. Ale kiedy się nim staje? Kiedy przekracza tę dziwną granicę? Czy tworzą ją palce kobiety, innej niż matka, zaciśnięte na jego członku? Zastanówcie się, młodzi Amerykanie, a co, jeżeli faszyzm to jest dziecko u władzy? Tyle na dzisiaj. Chodź, Doug, idziemy do mamusi, byłeś grzeczny, więc kupię ci lody.

Dżerzi bierze chłopca za rękę i wychodzi.

W ostatnim rzędzie z boku, niewidoczna z katedry, uważnie przygląda mu się Jody.

Jesteś w piątce

Już wieczór. Więc Dżerzi z Harrisem snują się wypożyczonym buickiem najpierw Szóstą Aleją, wiecznie zatłoczoną i zawsze hałaśliwą. Potem skręcają w Christopher Street, gdzie tłum taki, jaki w Polsce tylko w czasie demonstracji. Z tym że kobiet jak na lekarstwo. Za to pełno na chodnikach dużych i małych, napakowanych, chudych, czarnych, białych i żółtych, wytatuowanych albo nie. A muzyka wali z knajp i z zatłoczonych żelaznych schodów przeciwpożarowych. Między nimi a chodnikiem jest kontakt stały, bo raz po raz ktoś schodzi, a ktoś wspina się do nieba, a samochód raczej idzie, niż jedzie, bo taki tłok na jezdni, że ci na chodnikach są szybsi.

– Coś ci powiem – zaczyna Harris. – Ale skup się.

– Mów, przyjacielu, mów, ty masz zawsze kilka głupich słów w pogotowiu.

– Jeżeli się przestaniesz wygłupiać, to ci powiem.

– Z pisaniem?

– Z jeżdżeniem, oddaj ten samochód.

– To nie jest ten samochód. To jest buick, osiem cylindrów. Tym samochodem woziłem po Manhattanie papieża, polskiego papieża, to znaczy wtedy był tylko kardynałem.

– Pieprzysz, bracie.

– Nie jestem twoim bratem. Kiedy byłem dzieckiem, chciałem być papieżem, powiedziałem to Karolkowi, a on odpowiedział, że jest mi wdzięczny, że zrezygnowałem i dałem mu szansę...

– Słyszałem to już w pięciu wersjach... Słuchaj, ja tego nie mogę wiedzieć, ale wiem...

– Zatrzymaliśmy się przy kiosku z gazetami, Wojtyła popatrzył na te wszystkie wywalone, rozwarte, zresztą bardzo apetycznie, cipki i zapytał: „Mój Boże, kim są ludzie, którzy to sprzedają?".

– No cóż – odpowiedziałem, rozkładając ręce. – Żydzi, ekscelencjo, Żydzi.

– Jesteś w piątce.

– A wiesz, jak się heroina nazywa w slangu? Wymawia się prawie tak samo jak herbata… Ty lubisz herbatę, więc ci radzę, żebyś ją ostrożnie zamawiał.

– Nic dzisiaj nie brałem… Jesteś w piątce.

– Wiesz, że heroina wraca na całego. „Księżniczka", ten mój śliczny, cudownie przemieniony z mężczyzny w kobietę kochanek, strzela ją sobie między palce od nóg, żeby nie było śladów. Czego w piątce jestem?

– Jeżeli przestaniesz pieprzyć głupoty i oddasz samochód, to ci powiem. I odpieprz się od tej chłopo-baby. Bój się Boga.

– Dlaczego mam się go bać? On mnie popiera, trzyma ze mną, czuję to.

– Do Nobla, skurwysynie. Jesteś w piątce do Nobla.

W tym momencie Dżerzi zahamował na środku jezdni, nie przejmując się furią kierowców.

– Co do Nobla?

– To do Nobla. Najpierw jest stu pięćdziesięciu kandydatów, potem piętnastu, a na końcu pięciu, i ty w tej piątce najwyższej jesteś do Nobla w dziedzinie, tu się zdziwisz, literatury.

– Za co?

– Za *Ptaka*, *Kroki* i *Wystarczy być*.

– A niby skąd wiesz?

– A wiem.

– Pieprzysz?

– Nie pieprzę.

– Mów, skurwysynie, i to szybko, bo ci za nami nas zabiją.

– Nie pieprzę.

– Bóg cię skarze, jeżeli pieprzysz, z Nobla nie ma przecieków. Żydowski Bóg, nie ten ślamazarny katolicki, z tym moim nie ma żartów, to mój jedyny żyjący sojusznik. Nie wierzę ci ani nawet na tyle – pokazuje, na ile nie wierzy, i to nie jest dużo. – Łżesz.

– Nie chcesz, nie wierz.

Więc Dżerzi wtedy bardzo obojętnie:

– Mówisz, że w piątce?

– Tak, mówię, że w piątce. Od wczoraj...

Wtedy Dżerzi już wie, co robić. Wyskakuje z korkującego ulicę samochodu i biegnie najpierw jezdnią, potem przepycha się między przytulonymi i nieprzytulonymi, objętymi albo nie, na chodniku tańczy, podrygując niezgrabnie jak długonogi chudy ptak z połamanym skrzydłem. A za nimi ryk klaksonów, jakby alarm ostrzegający o nalocie w czasie wojny, i kilku kierowców biegnie za nim, ale gruby, spocony i zawsze zadyszany Harris dogania go pierwszy.

– Wracaj, idioto!

A Dżerzi obejmuje go i całuje w usta. I to wygląda jak scena miłosna, więc ścigający przystają, a nawet się życzliwie uśmiechają. Bo już rozumieją, że to scena małżeńska albo narzeczeńska. A Dżerzi, ciągle tańcząc:

– Zostawiłem to gówno, chciałeś, masz. Ale jakie mam szanse? Dziesięć procent? Pięćdziesiąt? Dziewięćdziesiąt?

– Masz, nie wiem, wracaj, masz.

– Ten chujowy Sienkiewicz dostał, a Lew Tołstoj, wielki Lew Tołstoj nigdy nie dostał, czyli mam. A wiesz, kto był Sienkiewicza kontrkandydatem? Orzeszkowa.

– Kto?

– Eliza. Nieważne. Kto jest w piątce jeszcze?

– Ty jesteś.

– Kto jeszcze jest?

– Nie wiem, kto jeszcze jest. Wracaj do samochodu. I nie całuj mnie, brzydzę się, ślinisz.

– Fuck, shit! Boże! Jezu, skąd masz przeciek?

– Nie powiem. Wracaj pojebańcu. Samochód! Zamkną cię.

– Pierdolę. Kiedy będzie wiadomo?

– Niedługo, co robisz?! – krzyczy, bo Dżerzi rozpina rozporek.

– Muszę się wyszczać, od razu.

– Gdzie?

– Bo się zleję w spodnie.

Rozpychając ludzi, przebija się do ściany i zaczyna lać. Ale to nie jest takie znów niezwykłe zjawisko na Christopher Street. Więc i kierowcy, i piechurzy, i ci zakochani, i męskie prostytutki śmieją się przyjaźnie, a jeden nieludzko rozrośnięty w barach gwiżdże, klepie po ramieniu z uśmiechem i pyta:

– Potrzymać ci go, bracie?

– Następnym razem, bracie… Boże, co za rozkosz dla pęcherza. Wyciągnąłem rękę do Boga, a on mi podał swoją. – I już biegną obaj do samochodu.

– Jeżeli ktoś ci zrobił zdjęcie…

– Pieprzę to.

– Spróbuję, żeby Steven zaprosił cię do show.

– Pieprzę Stevena. Jeżeli to prawda, to było warto.

– Co było warto?

– Nieważne. Chuj cię to obchodzi.

– Steven mógłby pomóc. Po Oscarach sprzedaż skoczyła, ale zawiść też. Gdzie idziemy?

– Do synagogi. Jak to gdzie?

– Już zamknięta.

No i znów jadą samochodem.

Zabijam ciebie w sobie

Już późny wieczór, więc Dżerzi w nowojorskiej wannie, od której odeszliśmy chyba za daleko, zbiera siły na swoją noc. Wanna pełna jest ziół pachnących gorzko. Na podłodze szklanka whisky z lodem, a Dżerzi czyta *Annę Kareninę* Tołstoja, tego, co to przegrał z Sienkiewiczem. Kiedy dzwoni telefon, przez chwilę waha się, ale przyjmuje. I to jest Jody. Odkłada ostrożnie książkę na podłogę.

– Jesteś w wannie? – pyta Jody.

– Tak, czytam.

– Co?

– Książkę.

– Swoją?

– Nie, cudzą. Przed chwilą widziałem podwórko w Sandomierzu. Byłem chłopcem i biegłem razem z całą grupą małych żydowskich chłopców. Potem oni się zatrzymali i tylko ja biegłem dalej. A oni stali i patrzyli, a potem zaczęli się cofać. Wtedy wziąłem książkę, Tołstoja.

– Już mi opowiadałeś.

– O Tołstoju?

– O tych chłopcach.

– Widzę ich często, dobrze, że dzwonisz.

– Kłamiesz.

– Nie wierzysz?

– Nie wierzę.

Przez chwilę oboje milczą, potem Jody:

– Chcesz mi coś powiedzieć?

– Tak. Jesteś dla mnie bardzo ważna, najważniejsza może. Kiedy całuję twoją cipkę i połykam twoje magiczne płyny, które tak wolno i tak pięknie zmieniają smak... one na początku smakują za ostro, potem łagodnieją, brzoskwinieją. Nie, to jest co innego. Coś, czego nie umiem jeszcze opisać, a potem, kiedy ty mnie bierzesz w usta, głęboko...

– Może chcesz mi coś powiedzieć?

– Mówię przecież.

– OK. Dzwonię do ciebie ostatni raz w życiu.

– Samobójstwo? – pyta Dżerzi z uśmiechem. – Nie pasujesz mi do portretu samobójcy. Za dużo włoskiej energii.

– Zabójstwo... Dzwonię z kliniki... Zabijam ciebie w sobie.

Teraz Dżerzi milknie i to trwa dość długo, zanim z siebie wydusi:

– Jody. Ja cię do niczego nie zmuszam.

– Wiesz co, Dżerzi... Ty nie jesteś wart, żeby zostać ojcem.

– Posłuchaj...

Dżerzi pociąga whisky ze szklanki, która stała obok wanny.

– Jody… – ale ona już odłożyła słuchawkę. Podnosi książkę z podłogi, ale zamoczył ręce i kartki się kleją. – Shit!

Znów dzwoni telefon, Dżerzi jest pewien, że to Jody.

– Posłuchaj… – mówi.

Ale to Harris bardzo podekscytowany.

– Nie, ty posłuchaj. Zgodził się.

– Kto?

– Zgodził się Steven. Będziesz specjalnym gościem. To jest to, czego potrzebujemy. Słyszysz, kretynie? Nie dziękujesz?

– Dziękuję – mówi powoli Dżerzi. – Dziękuję.

– Fuck you. Praca dla ciebie to prawdziwa przyjemność. – Wygląda na to, że Harris jest naprawdę wściekły. Odkłada słuchawkę.

Znów dzwoni telefon.

Nikt się nie odzywa, ale Dżerzi czeka, nadsłuchuje.

Może naprawdę widzi tę radosną grupę żydowskich chłopców, która biegnie upojona młodością i biegiem.

Po twarzy cieknę mu łzy i chowa się pod wodą, ciągle przy uchu trzymając słuchawkę.

Saint Luke's Hospital

Tak by się mógł zacząć film pornograficzny. Piękna naga kobieta na białym stole. Masza boi się, jest zimno i jest sama. Ale tylko przez chwilę. Z sykiem nadjeżdża i oplata ją aparatura. Myśli, że ta cała technika to może jest ciekawa, ale jak się jest zdrowym. Teraz się boi. Zawsze wie, kiedy się boi. Czuje wtedy wyraźnie swój mózg i wie, że się kurczy w opakowaniu z kości, tak jak kurczyły się jaja Kostii, kiedy wchodził do zimnej wody. Patrzy w górę na lśniący sufit, odbija się w nim niewyraźnie, jak w podniszczonym lustrze. Ale już jej ciało drgnęło i się rusza, bo wjeżdża do tuby-trumny, która się nad nią zatrzaskuje. I czuje, jak się zamienia w maszynę do trawienia, sikania, wypróżniania, i myśli, że jest pusta, że Bóg z niej wyparował, bo On nie chce mieć z maszynami do czynienia. Słyszy zgrzyty, trzaski, zagryza wargi, trochę myśli o śmierci, trochę o Dżerzim, potem, że Gogola pogrzebano żywcem. Ktoś w nocy słyszał walenie spod ziemi i uciekł, a jak rano trumnę odkopano, Gogol, a raczej jego ciało, leżał twarzą do dołu, miał drzazgi pod paznokciami, a włosy zupełnie siwe. Tak mówiła matka, a aparatura charczy, sapie, ale ją jednak na koniec wypluwa. Potem rozmowa z siwym i doświadczonym profesorem – oszustem i naciągaczem, trochę po angielsku, trochę po rosyjsku.

– A jeżeli się na operację nie zgodzę?

– To umrzesz.

– Kiedy?

– Masz żyć i nie zadawać głupich pytań.

– Ale kiedy, jak się już głupio spytałam.

– Za miesiąc, za rok, pewności nie mam.

– Wolałabym dłużej.

No i jeszcze jedno pytanie, na które odpowiedział, zanim je zadała.

– Nie.

160

– Co nie?

– Nie wolno, do operacji nie wolno. Orgazm cię zabije.

No i proszki, proszki, ale inne, termin następnej wizyty, na którą właśnie postanawia, że nie przyjdzie, ale udaje, że tak. Umawia się i wszystko notuje.

Dopiero kiedy wychodzi, dociera do niej, że weszła od innej ulicy, ale to przecież tylko inne skrzydło, ale ten sam szpital, w którym była w nocy z Dżerzim. No to wjeżdża windą na tamto piętro, nie odpowiada na spojrzenia chorych wiezionych na badania, którzy patrzą na nią radośnie, jak pająk na muchę. – Co, i ciebie, taką młodą cwaniarę, dopadło? – O nie, nie da się wciągnąć w szpitalne życie, a potem wchodzi do tej samej salki. Na dwóch łóżkach dwie kobiety ciągle śpią, zaplątane w prześcieradła, ale trzecie łóżko puste, dlaczego puste, myśli, a serce przyspiesza i zimny pot. Dżerzi mówił, że jeszcze dwa tygodnie, ale jest ta pielęgniarka, która była przedwczoraj w nocy, i poznaje ją, do tego Polka i zna rosyjski.

– Ta mała? – odpowiada. – Wyszła rano, wszystko z nią w porządku, to było podejrzenie zapalenia płuc.

– Czyli że ona nie ma…?

– Czego ona nie ma?

– Nic, nic – mówi cichutko Masza.

– Rano rodzice po nią przyjechali, a to jakaś bliska pani osoba? Miłe dziecko…

– Nie – mówi – nic, nic – bo co ma powiedzieć – nic, nic…

Poczuła jakiś szelest, potem buczenie w uszach jak przy zasypianiu i miała do wyboru albo zemdleć, albo wziąć się w garść. Wybrała zemdlenie, żeby dać sobie trochę czasu do namysłu.

Piesek na szynach
(list Klausa W.)

Drogi Januszu!

Tak jak uzgodniliśmy, masz tu parę informacji, które mogą Ci się przydać albo nie przydać. Zapisałem wypadki albo przypadki, których sam nie rozumiem. Dlatego aż za dobrze wiem, skąd te Twoje wątpliwości. Tak czy inaczej, co do Maszy. Najpierw był Salomon Pawłowicz, pamiętasz, ten dentysta. Potem wystawa malarska nielegalna, w jakimś starym domu, akurat wyburzanym. Ale coś czułem, że ta nielegalność była od góry do dołu legalna, i to tak, że bardziej nie można. No, mój drogi, to przecież był rok 1981. Coś tam w Moskwie drgało, ale podejrzewam, że ci wszyscy malarze zbuntowani mieli kontakt z KGB. Może zresztą ich krzywdzę i nie wszyscy, tylko połowa.

Ale nielegalność podziałała. Tłum straszny, półmrok nastrojowy, papierosy dymiły i zasłaniały resztę. Co chyba nie za bardzo szkodziło, bo głównie wino, wódka i tłum, który wszystko podziwiał i pił, ściskał się, całował, gratulował, krzyczał genialne i znów pił. A na ścianach osiem twarzy Stalina w różnych kolorach pod Warhola, jakieś komiksy z Leninem pod Lichtensteina, wielki obraz, a na nim paru chłopców z wypiętymi gołymi tyłkami, podpisany *Przyszli kosmonauci*. Coś z Bułhakowa, czyli twarz diabła i podpis: „Woland, przyjeżdżaj, ratuj, pełno się drani w Moskwie namnożyło". To było akurat zerżnięte z tych graffiti na ścianach domu, w którym mieszkał kiedyś w *Mistrzu i Małgorzacie* Berlioz, a potem Woland. Jak pewnie wiesz, kamienicę ktoś kupił, ściany zamalowano olejną farbą, więc się nie da wykorzystać w naszym filmie. Ogólnie bunt kontrolowany, wtórność aż trzeszczy na wszystkich obrazach, a znaczki, że obraz sprzedany, też lewe, bo jak spytałem o Wolanda, za ile poszedł, to od razu podbiegł artysta, zerwał naklejkę i powiedział, że możemy się dogadać. Paru korespondentów zagranicznych, popychanych i ciągniętych od obrazu do obrazu, mniejsza z tym.

Potem zawieziono mnie na jakiś podobno nadzwyczajny happening. To miało być też w starej kamienicy. Wszedłem na podwórko ciemne i brudne, nieba nie widać, bo siatka żelazna, na którą srały gołębie. Z góry zwisały krzywe balkony, byle jak przyklejone do mieszkań opuszczonych, ale część zamieszkana. Podziękowałem i postanowiłem nie wchodzić. A na parterze rozchyliły się firanki, otworzyło okno i jakaś kobieta zaczęła machać. Podszedłem i zapytałem, o co chodzi.

– Jak to o co chodzi? – Rozpięła jakąś szlafrokową szmatę, pokazała leżące na brzuchu tłuste balony i rozłożyła nogi. – O rozkosz chodzi za pięćdziesiąt dolarów. – A kiedy podziękowałem, splunęła z pogardą, że najwidoczniej jestem jednym z tych zagranicznych maminsynków, co to się boją załapać syberyjskiego trypra. A syberyjski tryper, jak wszystko w życiu, jest sprawą szczęścia. Coś jeszcze mówiła, ale wtedy zobaczyłem Maszę.

Poznałem ją od razu z tej wizyty u dentysty. A ona na razie płakała i kopała ścianę. Kobieta zamknęła okno, chyba obrażona, bo z trzaskiem. A ja podszedłem do

Maszy i wydała mi się jeszcze młodsza, no dziewczynka prawie, i jeszcze piękniejsza. Przypomniałem się jej, podałem chusteczkę, i ciągle płaczącą zaprosiłem do restauracji, gdzie przychodzili zasłużeni artyści, czyli oficjalna bohema. Zamówiłem drogie danie, filet mignon mięciutki, szparagi białe, kartofelki i ulubione przez Stalina wino gruzińskie.

Ale ona i tego nie tknęła, tylko poprosiła, że jeżeli może, to stoliczną. Piła i płakała, płakała i piła i nie umiem powiedzieć, czy już wtedy czułem to, co czułem. Wiem, że to brzmi głupio. Chodzi o uderzenia krwi do głowy, dreszcze, jakieś motyle w brzuchu. A ona tymczasem wypiła pół butelki – rozumiesz? PÓŁ! I zaczęła mi wyjaśniać rzeczy raczej trudne do wyjaśnienia. Żebym wiedział, że ona, owszem, pije, ale absolutnie nie z powodu odziedziczonego po matce alkoholizmu, z którym zresztą matka sobie dała radę, ani z powodu ojca półsadysty czy bezdomnych psów i wytruwanych kotów, ani zmarnowanego nienarodzonego dziecka czy bezlitosnego Kostii. To znaczy z ich powodu też, ale nie tylko, bo pijąc, utożsamia się z mękami i cierpieniem całego narodu rosyjskiego, jego bezsilnością w stosunku do władzy, do samego siebie i do religii, która głosi, że człowiek to tylko robak, a jak ktoś miał odwagę powiedzieć, że to brzmi dumnie, to go otruli.

Drogi Januszu, czybyś wymyślił coś takiego? Wpisz to koniecznie do filmu. A do brzucha przyciskała cały czas jak skarb jakiś plecaczek. Nagle przestała mówić czy płakać i się zaczęła śmiać. To było wtedy, kiedy przyszło do płacenia rachunku i zobaczyła, że płacę więcej niż jej ojciec, wspomniany półsadysta, ale dobry hydraulik, zarabia przez cały rok. A potem odchyliła się do tyłu i straciła przytomność, ale jakoś dziwnie. Podobno ludzie w śpiączce wiedzą, co się do nich mówi, tylko nie mogą się poruszyć ani odpowiedzieć, podobno tak jest, ale nie na pewno. Z tym że ona mogła się poruszać, ale chyba nie wiedziała, gdzie jest, kim jestem i o co chodzi.

Myślę, że to było coś takiego. Bo kiedy się obudziła w hotelu Rossija rano – ubrana, tylko buty jej zdjąłem – to jej oczy wyrażały takie zdziwienie, jakiego się raczej nie da udać. Żeby było jasne, pytałem jej przedtem, gdzie mam ją odwieźć. Nic. Potem, czy może przenocować u mnie w hotelu. Nic. Tylko taki zamglony uśmiech. Przyzwolenie czy nie? Nie wiedziałem, wyjścia nie było. Zabrałem do hotelu, szła jak zombi. Pewnie myślisz, że myślałem o tym, co wiesz? Myślałem. W końcu ona nawet by nie zauważyła i tak by na pewno zrobił mój brat Rupert. Nic nie będzie pamiętać, śliczna, młodziutka, miałem prezerwatywy. Czemu nie? Ale może ta myśl o bracie mnie powstrzymała. Kiedyś Ci to wyjaśnię, albo nie. Zastanowię się… Nawet chciałem zdjąć jej dżinsy i nawet zacząłem, ale miała pod spodem majtki długie, obcisłe i wełniane, upadła na łóżko, dałem spokój, a sam położyłem się na rozkładanej kanapie.

Tak było, słowo honoru. Nie żebym był z tego dumny, ale zasnąłem. Wzruszyłem ramionami i zasnąłem, a obudziłem się, kiedy stała nade mną i patrzyła z osłupieniem i strachem. Też się przestraszyłem, ale na sekundę.

Masza zaraz zniknęła, zatoczyła się do łazienki, coś tam do siebie zamamrotała, przytuliła się do klozetu, objęła go jak najdroższą osobę i rzygała. Przepraszała, wstydziła się i rzygała. Pomagałem jej, trzymałem za głowę, przykładałem mokry ręcznik. Doprowadziłem ją do łóżka, ale tylko na chwilę, bo znowu wróciła i rzygała. Była sina bardziej niż blada, przestraszyłem się tak, że chciałem wezwać pogotowie, ale zaczęła protestować. No i wymyśliłem to tak, że przyniosłem plastikowy pojemnik z lodówki, żeby nie musiała wstawać. Wszystko było dość obrzydliwe, ale też jakoś wzruszające, a na pewno nowe, nie mówię, że w ogóle, ale dla mnie, no bo czegoś takiego jeszcze nie przeżyłem.

Tyle że o 12.00 było spotkanie z branżą odzieżową. Masza powiedziała, że nic nie szkodzi, bo już wychodzi, i zasnęła. Zasnęła tak, że ani rusz, potrząsnąłem nią parę razy. Nic. No to dałem spokój, najwyżej, pomyślałem sobie, coś ukradnie... Wziąłem wszystkie pieniądze, karty kredytowe, a resztę niech bierze. I spotkałem się z przedstawicielami od koszul lnianych, mordy straszne, pieniądze niesamowite. Ale myślami byłem przy pijaczce, co z nią zrobić i jak się wyplątać, a co, jak się obudzi i mnie uczepi?

Krótko mówiąc, zrobiłem zły interes, a ci mordziaści Ruscy byli zdziwieni i w siódmym niebie. No trudno, nie taki znów zupełnie zły, ale sprawę spartoliłem jak nigdy. Byłem niewyspany i wymyślałem, jak się jej pozbyć delikatnie. Wahałem się między zakłopotaniem, litością, poczuciem winy też, w końcu po co jej kupowałem wódkę, i jeszcze czymś niejasnym. Mój braciszek by temu pięciu minut nie poświęcił.

Przed drzwiami pokoju w hotelu zdecydowałem: powiem, że wieczorem wyjeżdżam do Berlina, a gdyby przestała rzygać, zaproszę ją na kolację bez alkoholu. Zostawię ze sto, a może dwieście marek i cześć. Wziąłem głęboki oddech, otworzyłem drzwi, po niej ani śladu, garnitur w szafie, koszule i buty też, ulga straszna, łóżko posłane przez służbę. Nawet nie miałem sił się rozebrać. Może spałem piętnaście minut, może mniej. Potem na stole widzę nieduży obrazek. To był ten, który wczoraj przyciskała w plecaczku do brzucha. Mały szary piesek przywiązany do czarnych kolejowych szyn patrzył ze zdziwieniem na nadjeżdżający pociąg. Była jeszcze kartka po rosyjsku: „To mój autoportret. Niech pan sobie weźmie na pamiątkę albo wyrzuci. Jest pan dobrym człowiekiem. Dziękuję. Masza".

Zdenerwowałem się, nie wiadomo dlaczego. Przeczytałem list jeszcze parę razy.

Obejrzałem obrazek, jeszcze list, jeszcze obrazek. Proporcje nie w porządku, ale psie oczy miały tyle bólu, że ściskało za gardło, no talent po prostu. Ucieszyłem się, że jej to powiem, i przypomniałem sobie, że nie mam pojęcia, gdzie ona jest. Obracałem kartkę w palcach. Nic. Śladu adresu. No to trudno, tacy są Ruscy, nawet się chyba roześmiałem, położyłem się na łóżku, ale zaraz zjechałem do recepcji. Też nic, żadnej wiadomości. Znów wróciłem, znów się położyłem, i tak nagle, w jednej chwili, dotarło do mnie, że ją muszę znaleźć. No muszę. Rozumiesz mnie? Bo ja siebie nie, ale muszę koniecznie. Śmieszne, co? Bo niby jak, po co, dlaczego? Może żeby zapłacić za obrazek?

No, wtedy jeszcze nie wiedziałem, dlaczego to ma być takie ważne, ale było. Roześmiałem się ze swojej głupoty, bo gdyby z hotelu nie uciekła, tobym kombinował ina-

167

czej, prawda? Inteligentna kobieta musi zawsze wiedzieć, kiedy wyjść – teraz zacytowałem brata. Ale ona przecież Ruperta nie znała. Jadę – zdecydowałem. Może przez te psie oczy? No, gdzie byś pojechał na moim miejscu, co? Dwanaście milionów mieszkańców według statystyki.

Szukać zacząłem od wystawy, awangarda piła dalej. Mój Boże, bradziażyła się całkiem otwarcie, na kocach, materacach i nic nie wiedzieli. Nic a nic! W desperacji zapukałem w tamto straszne okno i też nic. Walnąłem mocniej, nic. Potem po placu Czerwonym do knajpy wczorajszej – bez sensu, Muzeum Puszkina – nie wiem, po co, Stanisławskiego? Park Gorkiego? Nic i nic.

Salomon Pawłowicz przyszedł mi do głowy dopiero pod wieczór. Na szczęście paliło się światło. Wpuścił, bo zmartwił się, że to coś z zębem, zacząłem wypytywać, ale nic nie mówił, tylko patrzył. Poczęstował herbatą i ugotował dwa jajka na miękko – rzeczywiście byłem głodny, a on długo opowiadał o zaletach jajek prosto od kury.

Zanim przyszedłem, czytał coś na zszytych kartkach. Nienawidził komunizmu i przysiągł, że nigdy nie weźmie nic oficjalnie wydanego do ręki. *Idiotę* Dostojewskiego kazał przepisać na maszynie i właśnie czytał szósty raz, potem spytał, czy też się snami interesuję.

– Nie – odpowiedziałem. – Szukam Maszy.

– A to ciekawe, bo przed godziną była u mnie z jajkami i nowym snem.

Słabo mi się zrobiło z radości. Zapytałem, czy wie, gdzie jej szukać.

– Pewnie, że wiem – powiedział. – Ale najpierw niech pan posłucha.

Salomon Pawłowicz opowiada sen Maszy

Raniutko tata zapowiedział że mam umrzeć i zostać pochowana a dół dla mnie wykopał własnoręcznie i czeka już gotowy pod trzepakiem pobiegłam po pomoc do matki ale mama obierała ziemniaki i powiedziała że trudno córeczko jak trzeba to trzeba i żebym się kładła do grobu bez nerwów spokojnie bo ojciec i brat pomogą mi wejść pokręciłam głową i zrobiłam krok do tyłu.

– I co? – przerwałem, nie mogąc się doczekać bardziej konkretnych wiadomości.

– I potem jeszcze jeden, i jeszcze jeden. I się obudziła. Co pan o tym sądzi?

Powiedziałem, że nic, i poprosiłem o adres. Przyjrzał mi się, pokiwał głową i powiedział, że adres zna, ale to na nic, bo ona dziś śpi u Tańki, tej, co z rodzicami wyjechała na Krym i zostawiła jej klucze. Znów mi się przyjrzał i dodał, że Masza opowiedziała mu, gdzie spała, a ponieważ ona nie kradnie, więc te poszukiwania mogą mieć tylko i wyłącznie powód sentymentalny, ponieważ, jak napisał Iwan Bunin: „Miłość każe osłom tańczyć". Przeprosił, gdybym się obraził, i podał adres Tańki, dodając, że wierzy całą duszą i sercem w proroczą rolę snów, bo sen to jest najwspanialsza rzecz dana przez Boga człowiekowi. Bo Bóg się w nich na ogół usprawiedliwia, że miał lepsze intencje, niż mu wyszło.

Tańka mieszkała niedaleko, w centrum, w domu eleganckim, przedrewolucyjnym i odrestaurowanym. Przed drzwiami na piętrze zatrzymałem się, bo pomyślałem o tych osłach tańczących i od czego zacząć rozmowę: jak się czuje, na przykład? Czy tylko pochwalić obraz, czy jednak wspomnieć o niedoskonałościach, powiedzieć, że chcę zapłacić i za ile sprzeda? Stałem, myślałem i nie wiedziałem... A czas leciał, robiło się późno, jacyś ludzie minęli mnie na korytarzu, zatrzymali się i popatrzyli podejrzliwie.

Wtedy zadzwoniłem. Otworzyła goła! Od góry do dołu, i bosa. Mnie zatkało, a jej te krzywe oczy się zrobiły kwadratowe, otworzyła usta, krzyknęła, zatrzasnęła drzwi i od razu znów otworzyła. I staliśmy tak bez słowa, wytrzeszczając się na siebie. Pożałowałem, że nie wziąłem najlepszej marynarki i koszuli z czystego jedwabiu, która mi pasowała do cery. Bo ona była piękna do bólu, długie nogi, wysokie duże piersi i ta buzia dziecka. Pierwsza myśl – kurwa. No, chwała Bogu, kurwa, czyli nie ma o czym mówić. Druga, że to niemożliwe. Przełknąłem ślinę i wykrztusiłem nie swoim głosem, czy mogę wejść. Masza najpierw kiwnęła głową, że tak, potem pokręciła, że nie, bo jest u niej mężczyzna.

– Kto? – zapytałem z rozpaczą, bez sensu i bezprawnie, więc zaraz przeprosiłem.

Masza odpowiedziała, że nic nie szkodzi, że to podły Kostia, o którym mi opowiadała, przyszedł przed chwilą załamany, bo krytyczka grubonoga napisała o nim złą recenzję. Powiedziałem, że rozumiem, zła recenzja to jest zła recenzja i boli. Kiwnęła głową i dostała dreszczy, bo na korytarzu zimno, a była goła, więc marzła. Powiedziałem bezmyślnie, że idę, a obraz jest piękny i chcę go kupić. Wyjąłem portfel, ale ona, że nie, że to prezent, że coś na dodatek pomyliła z proporcjami. Ale oczy, powiedziałem, psie oczy cudne są. Uśmiechnęła się i dalej trzęsła, więc przeprosiłem, że tak późno, a ja ją trzymam, odwróciłem się i pobiegłem korytarzem. No, jeden raz się odwróciłem, tylko raz – wyszła goła na korytarz i patrzyła za mną.

Na ulicy gadałem do siebie, że wszystkie Rosjanki to pomylone prostytutki, i chociaż tak nie myślałem, że ona też tak skończy, jak ta na podwórku, a ja na szczęście w porę się zorientowałem i opamiętałem, bo kto wie… mogłem sobie życie zmarnować, ale miałem szczęście. A oni teraz na pewno z tym Kostią, co dostał złą recenzję, się pieprzą i ze mnie śmieją. Biegałem, biegałem, aż znalazłem się z powrotem przed domem Tańki, teraz szybko wbiegłem po schodach, zadzwoniłem, a ona od razu jakby czekała. Otworzyła już nie goła, tylko w długim sweterku, pewnie tej Tańki, bo przyzwoitym, i spytałem, czy za mnie wyjdzie. Uwierzysz? A ona ciągle w drzwiach, poprosiła o czas do namysłu, tym bardziej że gdzieś z głębi mieszkania Kostia zaczął krzyczeć: „Kto to przyszedł?". A ona odpowiedziała, że to niemiecki designer, który jej się oświadczył. Po tym Kostia zamilkł. Poprosiła, żebym zaczekał, zamknęła drzwi, ale tylko na chwilę, bo znów je otworzyła i powiedziała, że po namyśle się zgadza. Zaraz poprosi Kostię, żeby wyszedł, i się ze mną za pół godziny może zobaczyć, choćby w lobby w moim hotelu.

Podziękowałem i pobiegłem do hotelu, a wcale nie byłem pewien, co się stało, czy nie zwariowałem i czy ona przyjdzie. Ale przyszła. A jak przyszła, to nagle się zrobiłem szczęśliwy. Pomyślałem też, jak to rozwścieczy moją matkę i brata Ruperta, i aż się roześmiałem.

A jeśli idzie o życie nasze erotyczne, to ci zostawiam wolne pole. W końcu wymyśl coś sam. Ale ci podpowiem, że wchodząc w nią, płakałem, poważnie mówię, a potem się koło niej oplatałem, żeby nie uciekła, bo cały czas w Moskwie bałem się, że mi ucieknie, i nie zostawiałem jej samej. Nawet jak szła do ubikacji w knajpie, wchodziłem z nią, żeby sprawdzić, czy nie da rady przez okno. I ona też płakała, a przedtem żadna kobieta tego nie robiła, nawet prostytutki, chociaż im chciałem płacić ekstra, bo tłumaczyły, że owszem, zrobią wszystko za dopłatą, tylko nie to, bo to je poniża, a płacz mają zarezerwowany dla mężów, narzeczonych, których kochają. I wszystko by było cudownie, gdyby raz nie sczerniała i nie straciła oddechu.

No i byłem, drogi Januszku, szczęśliwy, chociaż już wtedy podejrzewałem, że to się źle skończy, bo taka rzecz, która nagle i niespodziewanie spadnie z nieba, zwłaszcza w moskiewskim piekle, musi się źle skończyć. I może dlatego chciało mi się płakać i płakałem. A pierwszy poważny znak ostrzegawczy pojawił się, kiedy poszliśmy na przedwyjazdowe badanie lekarskie. Masza ciągle uważała, że to, co ją boli i odbiera oddech, to dusza, ale lekarze mieli ponure miny, ona się śmiała, a oni twierdzili, że to serce i bez operacji całkiem poważnej się nie obejdzie. Dalej się z tego śmiała i namalowała w hotelu pastelami drzewo wielkie i szczęśliwe z rozwartymi ramionami, czekające na ptaki.

Tyle na razie, jeszcze się odezwę, weź to pod uwagę.

Your sincerely
Klaus

PS. Uważam, że w Twoim scenariuszu jest wciąż za mało Maszy. Może nie mam racji, ale wolałbym ją mieć.

3 x Łódź
(Retro 4)

Teraz Łódź, smutne robotnicze miasto. Rok 1954, czyli komunizm w rozkwicie i na całego. Owszem, jest w Łodzi Szkoła Filmowa i kawiarnia Honoratka. Ale poza tym bieda z nędzą i zamęczeniem. Miasto, w którym przed sądem ktoś pytany, dlaczego zabił, wzruszył ramionami, a zapytany, czy ma jakiś majątek, odpowiedział: owszem, mam parę uszu, chuja i zmarnowane życie, które się wlokło, wlokło, aż się dowlokło. Miasto tkaczek, eldorado dla mężczyzn. Kobiety po pracy dorabiają w bramach, a po akcie miłosnym odlewają się na stojąco, bo to najlepszy sposób na uniknięcie ciąży. A uczciwym żonom i matkom, jeśli chodzi o życie erotyczne, starcza tylko sił, żeby rozłożyć nogi i zasnąć, zanim pijany mąż skończy.

Owszem, jest knajpa, jedna w centrum, otwarta po jedenastej, ale wchodząc do niej, trzeba przez małe okienko wykupić konsumpcję, z tym że wszystko było tak urządzone, że tylko jedną lewą rękę się wkładało do środka z pieniędzmi. A ci, co przyjmowali kasę, byli ludźmi doświadczonymi i jak klient był przypruty, to mu dodatkowo zdejmowali zegarek.

A na Piotrkowskiej między tramwajami, szarymi samochodami marki Warszawa oraz czarnymi dygnitarzy migają mercedesy czerwone, cadillaki długie, skrzydlate i błyszczące oszustów, złodziei i cwaniaków dużych i małych, którzy wszędzie i zawsze robili, robią i będą robić fortunę. I nie trzeba za dużej inteligencji, aby nabrać pewności, że ludzie dzielą się z grubsza na takich, co brną przez kałuże i są opryskiwani błotem, i na takich, co ich tym błotem opryskują. I że są trzy możliwości do wyboru. Albo się przyzwyczaić, albo w tym zakochać, albo wypieprzać, i to szybko.

No i poranek łódzki, a z bramy fabryki wychodzi nocna zmiana. Kobiety zakutane w fufajki, niewiele się różnią od mężczyzn. No i trzask aparatu. Stop-klatka i tłum na chwilę zamiera. Zaraz potem drugie ujęcie wyławia młodą robotnicę. Niewiele widać: chustka na głowie i waciak, pończochy bawełniane i ciężkie buciory, na błoto w sam raz. I zaraz potem ujęcie trzecie, teraz ta dziewczyna leży rozebrana na łóżku w mieszkaniu biedniusim, wynajmowanym przez Jerzego, i piękna jest jak najpiękniejsza modelka, o czym nie wie, bo skąd ma wiedzieć, a młodziutki Jerzy robi jej zdjęcie. Też jest nagi, chudszy jeszcze, przyczesany grzecznie na gładko. Odkłada aparat i wchodzi w nią. A ona prosząco, cały czas oddając się:

– O Jezu, tak, tak. Ożeń się ze mną.

– Po co?

– Bo kocham cię, bo ci będzie tak dobrze codziennie, będziemy mieli dzieci, dom, chcesz mieć dzieci?

– Nie, chcę wyjechać.

– Gdzie? Źle ci ze mną? Gdzie? Po co? Jeszcze nie kończ. Nie…

– Tu się duszę. Piasek sypie mi się do oczu i gardła, muszę wyjechać.

– Weź mnie ze sobą.

– Po co?

– Bo ja cię obronię. Teraz chodź do mnie, chodź.

Zamyka oczy i przeżywa rozkosz, a spod powiek płyną łzy. A Jerzy, poruszając się w niej miarowo, czyta słownik polsko-angielski i powtarza słówka.

I jeszcze Łódź wieczorna. Zima. Pokryty śniegiem pusty plac kończy się drewnianym płotem. A połączone sztachety wyglądają jak kreseczki, którymi więźniowie w celach odhakowują dni i lata wyroku. Na tle płotu brnie przez śnieg przygarbiony, stary mężczyzna w czarnym płaszczu. Trzask migawki i stop-klatka, za moment jeszcze raz. To Jerzy robi zdjęcia i chucha w przemarznięte dłonie. Nie zauważył, kiedy za jego plecami stanął milicjant.

– Co tu robicie?

– Zdjęcia.

– Dowodzik.

Milicjant studiuje dowód długo. Wyciąga z raportówki notes, spisuje dane.

– A o co chodzi? – pyta Jerzy i trzęsie się trochę z zimna, trochę ze strachu.

– Co fotografujecie?

– To – pokazuje pusty plac.

– Tam nic nie ma…

– Szedł stary człowiek.

Milicjant się rozgląda.

– Nie widzę.

– Bo poszedł.

– Chcecie mi wmówić, że przyszliście tu specjalnie, żeby zrobić zdjęcie staruszkowi w taką pogodę?

– No, tak.

– Znacie się z nim?

– Z kim?

– Z dziadkiem?

– Nie.

– Macie mnie za głupiego?

– Broń Panie Boże.

– Tutaj nie wolno fotografować. Ten plac może służyć za lądowisko zachodnioniemieckim odwetowcom.

– A co, coś pan wie? Mają ich w Łodzi zrzucać?

– Nie gadajcie głupot, ktoś musi was pilnować, wiecie, kto jest patronem milicji?

– Generał Moczar…

– Nie. Jak powiecie, to was puszczę.

– Może Ewa?

– Jaka Ewa?

– Z raju. Pierwsza złapała za pałkę.

– Podobacie mi się – śmieje się milicjant. – Spierdalajcie do domu. Dla waszej wiedzy Archanioł Michał ten, co strzegł raju z mieczem ognistym, jest patronem.

– A przed kim strzegł?

– Przed takimi cwaniaczkami jak wy. Jak was jeszcze raz zobaczę na mieście, zamknę.

Romanian Pastry Shop

Jody szła Madison Avenue w górę miasta, w stronę Uniwersytetu Columbia i rumuńskiej kafejki. Czuła, jak jej buty spijają całą wodę z chodnika. Już było całkiem widno, ale nocna mgła czepiała się jeszcze rzadkich drzew, na których kuliły się czarne grudki przemarzniętych ptaków. Od kilku dni padał deszcz, ciężki, obrzydliwy, miasto się skurczyło i przypadło do ziemi.

Jakaś czarna kobieta przecierała ścierką szybę w pustym barze. Jody minęła portorykański zakład pogrzebowy, kremacja tysiąc dolarów, z viewing, czyli wystawieniem przed tym odmalowanego ciała w małej salce, dwa tysiące dziewięćdziesiąt dziewięć dolarów. Pomyślała, że to całkiem tanio. Dwadzieścia ulic niżej to by już kosztowało z sześć tysięcy. Przemokła i miała dreszcze, szła na to spotkanie niechętnie, właściwie z obrzydzeniem, ale trudno, trzeba było.

Od paru dni wiedziała, że Michael wrócił, dzwonił, nagrywał się kilka razy, wiedziała, że rozmowa będzie o Dżerzim. Nic a nic nie miała na to ochoty. Czuła się pusta, wypruta, wykołowana, nie chciała myśleć, czy zrobiła źle, czy dobrze. Zrobiła i już. Zawsze działając, potrzebowała jakiegoś uzasadnienia. Kiedy odchodziła z jednego miejsca, szła do drugiego. A teraz czuła wewnętrzną bezdomność, budziła się niechętnie, niecierpliwie czekała na wieczór i proszki nasenne, no i ten Daniel, pełen entuzjazmu, zawsze podniecony mężczyzna w łóżku koło niej. Spała odwrócona plecami, ale on co rano wchodził w nią od tyłu, odpychała się rękami od ściany i myślała, czy tak już ma być zawsze.

Tak czy inaczej, umówiła się z Michaelem w tej rumuńskiej kawiarni przy samym Uniwersytecie Columbia. Tam dawniej zawsze się spotykali, najpierw we dwójkę, potem w trójkę, bo doszedł Dżerzi. Miała swój mały zasłonięty stolik w samym kącie i przyszła trochę za wcześnie. Wiatr i deszcz szarpał parasolką, a drzwi były zamknięte. Zapukała i zza firanki wyjrzała Justa, mała, podobna do trolla, szeroka w ramionach kelnerka z Bukaresztu, dziobnęła palcem w tabliczkę „closed", ale wpuściła Jody do środka, znów przekręciła klucz i położyła palec na ustach, dopiero wtedy Jody usłyszała płacz.

Obie kelnerki i cała rodzina właściciela otoczyły telewizor. Na ekranie dopalały się i dymiły szczątki rozbitego samolotu, krążyli sanitariusze z plastikowymi workami, błyskały światła karetek pogotowia i wozów strażackich. To było gdzieś daleko, chyba w Azji, ale tak samo jak w Nowym Jorku padał deszcz. Mój Boże, pomyślała, jeszcze to…

A z przodu ekranu przystojny czarnowłosy dziennikarz mówił to, co się zawsze mówi, że przyczyna katastrofy boeinga jeszcze nieznana, szuka się czarnych skrzynek, ale atak terrorystyczny raczej wykluczony. Najprawdopodobniej to były złe warunki atmosferyczne albo błąd pilotów, zginęło stu sześćdziesięciu pasażerów i cała załoga. A potem zaczął wypytywać świadków.

Stanęła obok. Zapłakany właściciel Mariano, który miał kłopoty z prostatą, a żona uważała, że ją zdradza, odwrócił się do Jody i powiedział drżącym głosem:

– Posłuchaj, Jody, tylko posłuchaj, czy wyjeżdżając dwadzieścia lat temu z Bukaresztu, bez niczego, bez grosza przy duszy, tylko z wiarą we własne siły i demokrację, mogłem przypuszczać, że Bóg o mnie nie zapomni? Że zobaczę syna mojego Nazara, jak osobiście prowadzi transmisję dla CNN? I że mój chłopak będzie miał to wielkie szczęście, że będzie tego samego dnia właśnie w tym miejscu? Powiedz, czy mogłem? I to jest jego pierwszy samodzielny występ.

Obraz na ekranie zmienił się, zadzwonił telefon i Mariano powiedział:

– Tak, oczywiście widziałem, dziękuję, też uważam, że był wspaniały. Tak, jestem bardzo dumny. – Przytulił zapłakaną ze szczęścia żonę.

Za chwilę zadzwonił kolejny telefon. Potem już dzwonił przez cały czas. Justa przekręciła na drugą stronę tabliczkę „closed". Jody usiadła przy swoim stoliku, jak pies otrząsając się z deszczu, wypiła podwójne espresso, zjadła gorące, czekoladowe croissanty. A Mariano, teraz już rozpromieniony, szepnął jej, że dziś wszystko na koszt firmy.

Za parę minut kawiarnia zaczęła się wypełniać. Studenci, profesorowie, skrypty, książki, zapach kawy, dym papierosów, młodość wymieszana ze starością. Dżerzi twierdził, że w tym miejscu panuje jakiś wyuzdany erotyzm, że brodaci profesorowie z Columbii, omawiając ze studentkami ich prace o Husserlu i Lacanie, ociekają zmysłową śliną, a studentkom niby przypadkiem spódniczki podjeżdżają pod szyję. Przerwano transmisję z katastrofy, żeby poinformować, że w Anglii zanotowano rekordowo niską temperaturę, –27,2 stopnia Celsjusza, w Polsce trwa stan wojenny, a Hiszpania została szesnastym członkiem NATO.

Michael przyszedł punktualnie w jakimś za cienkim na tę pogodę płaszczyku i tenisówkach, pocałował ją trzy razy, bo tak się podobno robi w Polsce, powiedział, że wygląda pięknie i że chyba zeszczuplała, ale jej z tym dobrze. Zapytała, jak było, a on, że tęsknił, że dużo zobaczył, ale wszystko było bez sensu, bo jej przy tym nie było. I pomyślała, że ten młodziutki chłopak nie zasłużył na wszystkie upokorzenia, jakie na niego spadły. Ani na to, co ona mu zrobiła, ani co zrobił mu Dżerzi, ale że nie ma mu nic do powiedzenia, ani o tym, co się stało, ani o tej pustce.

Spytała tylko, czy z nim rozmawiał. Pokręcił głową, że najpierw chciał ją zobaczyć. Potem zaczął opowiadać sporo o Polsce i że wracał przez Paryż.

Nagle przerwał i wziął ją za rękę.

– A teraz posłuchaj, Jody, coś ci powiem, posłuchaj; mały ograniczony człowieczek z prowincji dostaje się przez przypadek w towarzystwo najwyższych sfer rządowych i kapitału, biorą go za kogoś ważnego, mówi parę idiotycznych zdań, które zostają przyjęte jako objawienie, skretyniały establishment uznaje go za geniusza i on robi zawrotną karierę, a na koniec politycy błagają, żeby ratował kraj, zgodził się zostać premierem i stanął na czele rządu.

– To jest najlepsza książka Dżerziego. – Oswobodziła spoconą rękę. – No i co?

– Tylko to, że to nie jest książka Dżerziego. Ja ci streściłem polski bestseller z lat trzydziestych. Nazywa się *Kariera Nikodema Dyzmy*. Myślę, że są pewne podobieństwa. Dżerzi twierdził, że nigdy tego nie czytał, a wiesz, że on ma na drugie imię Nikodem? W Polsce spotkałem kilku jego bliskich przyjaciół, wszyscy mówili, że to była jego ulubiona książka. Dżerzi zmienił tylko nazwiska, kraj, trochę szczegółów i tak powstało *Wystarczy być*, książka, a potem film. Wiedziałaś coś o tym?

– Nie. I dalej nie wierzę. Podobieństwa to tylko podobieństwa. Cały świat to jedna wielka biblioteka.

– Dżerzi ordynarnie ściągnął fabułę, zmienił tylko realia.

– A ty czytałeś tę polską książkę? Ona jest przetłumaczona?

– Na razie ktoś mi ją streścił.

– To najpierw przeczytaj. Wiesz, ilu ludzi Dżerziego nienawidzi? A ilu mu zazdrości? Daj sobie spokój.

– Jody, kochanie. Ty nic nie rozumiesz. Dżerzi jest oszustem. Ten facet z Polski robi dla mnie rough translation. Dżerzi myślał, że jego kłamstwa się nie wydadzą, bo jest żelazna kurtyna.

– Nienawidzisz go?

– On nas oszukał. Nas oboje i jeszcze bardzo wielu ludzi.

– Najpierw to przeczytaj.

– Przeczytam, a jak przeczytam, to dam tobie. Jody, wiesz, że cię kocham, wiesz, że zawsze cię kochałem. – Znów złapał ją za rękę. – Jesteś moim domem, całym światem, nie umiem bez ciebie żyć.

Jody była zdziwiona, że ją to wszystko już nic a nic nie obchodzi. Zresztą nie za bardzo wierzyła, kiedy była z Dżerzim, nasłuchała się o nim bardzo dużo takich rzeczy. Nie wierzyła ani w to, co mówiono, że nie pisze sam swoich książek, ani że w wydaniu pierwszych dwóch o Rosji pomogło CIA. Ani że jego ojciec miał coś wspólnego z KGB. A w to, co sam o sobie opowiadał, też nie wierzyła, zwłaszcza w to, że gdyby mógł, rozstałby się z żoną, ale nie może, bo ona wie o nim za dużo – kiedyś jakaś prostytutka, której robił zdjęcia w pracowni, wzięła za dużo heroiny, i żona zajęła się wszystkim. I tylko dlatego jest z nią, chociaż nigdy w życiu, ani razu, ani jednego razu z nią nie spał. Nie wierzyła, ani w to, ani że przygotowuje samobójstwo i że od kilku lat żona na jego prośbę wozi w torebce buteleczkę z rozpuszczonymi barbituranami.

– Ja wiem, że to dla ciebie szok. – Michael ciągle trzymał ją za rękę. – Co robimy?

– Jak chcesz, to zadzwoń do Daniela, on namierza Dżerziego. Dużo już wyszperał. – Uwolniła rękę.

– A ty?

– Jestem przemoczona, zmęczona i śpiąca. Nienawidzę takiej pogody, idę do pracy.

– Jody?

– Zadzwoń do Daniela, później porozmawiamy, jestem zmęczona.

– Dobrze. Daj mi telefon Daniela.

– To mój numer, on teraz mieszka ze mną.

Michael spuścił głowę. Przez chwilę siedzieli w milczeniu. Potem Jody wstała i podała mu rękę. Na ekranie znów mignął Nazar. Właściciel przepychał się do telewizora, przepraszając gości.

– Co tam się stało? – spytał Michael.

– Rozbił się jakiś samolot.

Zaczęła przebierać w metalowym koszu, szukając swojej parasolki. Chwilę po niej wyszedł Mariano, ruszył do kościoła pomodlić się za dusze tych, co zginęli.

Lep na muchy

Wcześniej próbowałem Klausa ostrożnie wybadać, skąd mu w ogóle do głowy przyszło robienie filmu, i to akurat tego. I zapytałem, czyby nie było lepiej, żeby ten bohater to był Dżerzi i nie był. Rozumiemy się? Na przykład że jako mały chłopiec żydowski z Łodzi był w Auschwitz, czyli był ofiarą, przeżył cudem i potem napisał o tym książkę. Z tym że nie do końca napisał. Bo, powiedzmy, jakiś więzień utalentowany potajemnie robił notatki, ale nie przeżył, a on je jakoś zdobył, na przykład kapo ukraiński, który miał do niego słabość taką albo inną, mu te notatki podarował. A potem chłopiec ocalał, dorósł, przeczytał i zrozumiał, co dostał. Opracował, przepisał i podpisał. Wyjechał do Ameryki, wydał i kiedy ma za tę książkę dostać Pulitzera, albo i Nobla, jak spod ziemi wynurza się staruszek kapo, który daje świadectwo prawdzie. Podobało mi się w tym, że kapo występuje jako ekspert w sprawach literackich. Ale Klaus powiedział, że jego interesuje Dżerzi, a nie jakiś tam pisarz z Europy Wschodniej. I na Dżerziego ludzie pójdą, a na brednie, które wymyśliłem, nie. A jeżeli ja nie chcę, to poszuka kogoś innego w Niemczech, kto mu napisze jeszcze taniej.

No to nie zwierzyłem mu się z wątpliwości Rogera i Raula. Zwłaszcza po tym, jak Klaus dodał, że do Dżerziego ma stosunek osobisty. Jak osobisty i że to są prywatne porachunki, doszło do mnie później. Ale wróciłem do Dżerziego, tym bardziej że też miałem do niego stosunek trochę osobisty, w końcu parę scen ze sztuki było gotowych, poza tym zacząłem czytać te notatki Maszy i się wciągnąłem. Umówmy się, każde ukradzione zapiski wciągają, zwłaszcza ślicznej rosyjskiej dziewczyny.

No i jeszcze jedna sprawa, którą by się od biedy dało podciągnąć pod los albo przypadek. Akurat wtedy na Uniwersytecie Columbia w Nowym Jorku uczyłem dwudziestu ośmiu studentów. Uczyć nie lubię, ale potrzebowałem pieniędzy, a inny film z mojego scenariusza, co się już-już prawie zaczynał, nagle się rozpadł.

Kurs pierwszy był o pisaniu sztuk teatralnych. Większość studentów była z Manhattanu, ale też paru z Bronksu, Brooklynu, Dakoty Północnej, dwie dziewczyny z Tajwanu i jedna Rosjanka – stypendystka oczywiście, bo studia kosztowały bardzo dużo. Amerykanie uważają, że się wszystkiego można nauczyć, zresztą kto wie, może mają rację. Czyli studenci przywozili swoje jednoaktówki, a potem je omawialiśmy.

Problem był taki, że ja ich namawiałem, żeby pisali o swoich obsesjach, najbardziej wstydliwych, ale oni, jak tylko jakaś sztuka miała sukces na Broadwayu, przynosili mi parénaście takich samych, tyle że gorszych. Przekonywałem, że nie warto, że na własnych obsesjach też można dobrze zarobić, ale wychodziło na to, że ich obsesją główną był sukces. Wiąże się to po trochu z całą opowieścią, a jeszcze bardziej z drugim kursem, który był o tragedii greckiej. Studia na Columbii to nie były żarty takie jak w Polsce, bo kosztowały studentów ponad pięćdziesiąt pięć tysięcy dolarów rocznie. Co dla jednych było dużo, dla innych mało, a mnie wtedy w ogóle nie byłoby na nie stać. I tak się złożyło przez przypadek właśnie, że zajmowałem się *Królem Edypem* Sofoklesa za trzy tysiące dolarów miesięcznie.

Zacząłem uczyć od tego, że ta sztuka miała w 429 r. p.n.e. wielki sukces w Atenach. Może nie aż tak duży jak *Antygona*, ale jednak przez parę lat nie schodziła ze sceny. I że Sofokles wygrywał wszystkie konkursy, a Ajschylos, jego konkurent, znalazł się na progu załamania nerwowego. A poważnie mówiąc, *Edyp* ze wszystkich greckich tragedii wydawał mi się sztuką tragicznie absurdalną, więc pasującą do naszych czasów tak, że bardziej nie można. No bo jak wiadomo Edyp już przed narodzeniem został skazany przez bogów na zabicie ojca, małżeństwo

185

z matką i tragiczny koniec. Ale dla żartu bogowie dali mu pozory wolności. Pozwolili zrobić karierę, rozwiązać zagadkę Sfinksa, ocalić Teby, zostać ich królem. I ożenić się – no właśnie z królową, czyli własną matką. Mieć z nią czwórkę dzieci i dopiero wtedy trzask.

I tu mi się troszkę wpasowała sytuacja Dżerziego. No bo on się urodził, kiedy w Niemczech do władzy doszedł Hitler. Tym samym został wyrokiem najwyższym z całym narodem żydowskim skazany na śmierć. Ale ktoś tam na górze zdecydował, że będzie weselej, jeżeli chłopiec się na razie uratuje, zrobi zawrotną karierę, a potem do niego wrócimy. A rolę erynii, czyli bogiń zemsty, przydzielono dziennikarzom, czyli grupie zawodowej, która sobie żyje z męki ludzi utalentowanych, ale poplątanych, często kłamliwych, pokurczonych i przestraszonych. Oczywiście Dżerzi nie był żadnym niewiniątkiem, sam mocno nakłamał i zachowywał się zupełnie inaczej niż Edyp. Niczego nie próbował wyjaśnić, tylko wprost przeciwnie. Ale też już w Łodzi, a potem w NYC miał czas się rozejrzeć i zobaczyć, poza oczywiście zbrodnią, jedno wielkie kłamstwo, małpiarstwo i hipokryzję.

Jak wiadomo, żeby tragedia funkcjonowała, polecenie boskie musi być traktowane serio, jeden do jednego. Abraham na przykład, kiedy mu Bóg polecił złożyć syna w ofierze, w ogóle się nie zawahał i nie zastanawiał. Trzeba to trzeba, i tyle. Filozof Søren Kierkegaard okropnie mu tej wiary zazdrościł. Dziwił się, że Abraham nie poradził się żony ani nie uprzedził syna i tak dalej. A niby po co. Albo, albo.

Wracając do Greków i Sofoklesa, to ojciec Edypa, król

Lajos, zachowywał się dziwnie. Owszem, był wierzący, ale jakby nie do końca, bał się przepowiedni uwierzyć, ale bał się i nie uwierzyć. Słowem, zachował się trochę po polsku, czyli zaczął kombinować.

No bo jak go wyrocznia poinformowała, że zostanie zabity przez syna, który na dodatek ożeni się z jego żoną, a swoją matką, powinien zareagować racjonalnie. Rozłożyć ręce, pomodlić i spędzić wesoło resztę życia, czekając, aż synek podrośnie. O żonę chyba przesadnie zazdrosny nie był, bo kara, która spadła na jego ród, wzięła się stąd, że od kobiet zdecydowanie wolał mężczyzn. A to było jeszcze wtedy w Grecji źle widziane. Czyli Lajos kombinuje tak, żeby wszyscy byli zadowoleni: niech sługa na początek przekłuje nóżki niemowlaka i porzuci go w górach. A tam z pewnością zajmą się nim dzikie zwierzęta. A przynajmniej powinny. On sam zachowa w miarę czyste ręce, a bogowie dostaną, co chcieli. Ale nie ma tak dobrze. Sługa miał miękkie serce, uratował dziecko i się zaczęło.

Ojciec Jurka, czyli Mojżesz Lewinkopf, też wyrokowi nie zamierzał się poddać. Zamiast posłusznie iść z całą rodziną do getta, zmienia nazwisko – a zmiana danych osobowych za zgodą i wiedzą osób zainteresowanych była wtedy na porządku dziennym, zresztą po obu stronach, i katów, i ofiar. Hitler, Lenin, Stalin. A Izaak Babel na przykład zaciągnął się do armii konnej Budionnego jako rdzennie rosyjski szeregowiec – Lutow.

W ten sposób Mojżesz Lewinkopf przebrany za Mieczysława Kosińskiego wymyka się przeznaczeniu i ratuje życie, no nie całemu narodowi oczywiście, ale żonie, sobie i, póki co, synowi.

A teraz co do syna: miał szanse czy nie miał? Został wybrany jako przykład, że się nic nie da zrobić, czy to był przypadek? Jego ojciec powtarzał często, że być wybranym – to już nie ma większego nieszczęścia i żadnych szans, bo to oznacza dla takiego wybrańca pozbawienie wszystkich ludzkich praw.

No, ale zaraz, zaraz, gdyby na przykład Dżerzi posłuchał rady ojca i się skurczył, a nie rósł, przypadł do ziemi, a nie drapał się za wszelką cenę na sam szczyt, podpierając się prawdą i nieprawdą? Udałoby mu się czy nie udało? Gdyby, dajmy na to, nasz Edyp nie uniósł się pychą i gniewem, kiedy orszak Lajosa kazał mu spieprzać z drogi, i nie rzucił się na króla, pojęcia nie mając, że zabija ojca, spełniłaby się wróżba czy nie spełniła? Czyli przypadek czy przeznaczenie? Może zabawa polegała na tym, że bogowie, nie mając złudzeń do ludzkiej natury, wiedzieli, że można spokojnie poczekać. Powiesić lep na muchy, a wybraniec na ochotnika się przyklei. Dżerzi wierzył tylko i wyłącznie w przypadek. Ale tak między nami, czy na przypadek mamy większy wpływ niż na przeznaczenie, czy wychodzi na to samo? O tym sobie rozmawialiśmy rano ze studentami z Manhattanu, Brooklynu, Dakoty Północnej, Tajwanu i Rosji, i zdania były podzielone, a po południu szlifowałem scenariusz, no i zaglądałem na plan.

Ruch koniem
(zgodnie z sugestią Klausa W. – więcej Maszy)

Obraz nie wyszedł Maszy, tak jak zaplanowała. To czekające na ptaki drzewo nic a nic nie było gościnne. Dąb to przecież drzewo życia, korzeniami ma sięgać do jądra ziemi, a gałęziami do słońca. A to drzewo przypominało bardziej ośmiornicę, polującą na ptaki i karmiącą się ich cierpieniem. Dlatego trzy ptaki trochę podobne do kawek krążyły dookoła, ale bały się usiąść, bo gałęzie coś za bardzo przypominały głodne ręce. Nie wiedziała, co z tym zrobić, chyba dała za mało zieleni, a za dużo czerni i brązu. Ale stało się, trudno, za późno. Jak tak, to domalowała jeszcze jednego ptaszka, który leżał pod drzewem już nieżywy. Mała, czarna, wyssana grudka. Blady, opuchnięty właściciel galerii zadzwonił wczoraj i powiedział, że potrzebuje jeszcze dwóch obrazów. No to jeden już jest.

Ubrana w pochlapany farbą fartuch otworzyła okno i ten facet po drugiej stronie nie ukrywał rozczarowania. Odłożył lornetkę i ze złością zamachał rękami. Pomyślała, że wypada zrobić dla niego coś miłego, w końcu czekał od dawna. Uśmiechnęła się i też pomachała do niego, ale obrażony pogroził, zatrzasnął okno i zasunął firankę.

Pomyślała, a jakby tak pokazać to Dżerziemu, ale nie i nie. Oszust, nakłamie byle co. Klaus dzwonił, ale znów musiał odłożyć przyjazd. W Nowym Jorku poza Dżerzim i grubym właścicielem galerii nie znała nikogo, no świat

zawężony. Owszem, Klaus dał jej telefon dwóch producentów butów, którzy podobno rządzili branżą na Manhattanie, ale nie chciała się z nimi spotykać.

Zmierzyła przeklęte ciśnienie – znów 100 na 160,
połknęła proszki, zapach farby powoli wyciekał przez
okno. Kiedy się myła, zadzwonił Dżerzi, wściekły, że ona
się nie odezwała. A niby jakim prawem, dlaczego miała
dzwonić? Nie dzwoniła i już, chociaż wiedziała, że na to
czeka. Powiedziała, że wie wszystko o Anicie.

– Co wiesz wszystko?

– Że jest zdrowa.

– Całe szczęście, bo mogła być chora. Przeczytałaś
moją książkę?

– Ale nie była chora.

– I co za różnica? Gadasz jak idiotka, przeczytałaś
moją książkę?

Odłożyła słuchawkę. Ale zaraz znowu zadzwonił.

– Nie – powiedziała.

– Co nie?

– Nie przeczytałam. Zaczęłam i odłożyłam. Nie mam
ochoty na wyłupywanie oczu ani na dziewczynkę kopulującą z kozłem. Jak masz ochotę, to możesz wyrzygać
się na papier, wypluć całe swoje bagno, ale ja nie mam
obowiązku w tym grzebać, bo mam własne.

– Czyli przeczytałaś – ucieszył się – ale nic nie zrozumiałaś.

Mówił do niej jak do kogoś bliskiego, cieszyło ją to czy
odrzucało? Pewności nie miała. On by oczywiście powiedział, że pewność to nuda i śmierć.

Roześmiał się.

– Wygląda na to, że nic nie zrozumiałaś, ale się paru rzeczy domyślasz. Spotkajmy się, to dowiesz się czegoś więcej.

Chciała wyjść z domu, tylko nie do knajpy, nie była głodna, ale namówił ją na sushi. Wszystko o tym wiedział, zamówił szybko, ale jadł pomału. Californian Rolls, jakieś pierogi z węgorzem, i pili gorącą sake. Łazili po zatykającym bogactwie Piątej Alei, a przy Public Library skręcili w Czterdziestą Drugą. Było już ciemno, ale ciemność nowojorska nie miała dużo wspólnego z moskiewską. Szli w rosnącym tłumie, który już wydawał jej się czymś naturalnym. A on szedł nierówno, cały czas napięty, zwalniał, przyspieszał, stawał, odwracał się i przypominał jej psa Dziadka, którego w Moskwie wyprowadzała na spacer. Powiedziała mu to i on wyjął kartkę i zapisał. Dodała, że jeszcze nigdy nie szła z mężczyzną, który by się odwracał za każdą kobietą, i że niby idą razem, ale osobno i ona jest sama. Zdziwił się i zapytał, czy nic nie czuje.

– Czego niby nie czuję?

– Że jesteśmy w środku.

– W środku czego?

– W środku teatru, w którym idzie sztuka „polowanie", naturalnie, że polowanie, nie widzisz? Ślepa czy co? Samotne samice wabią samotnych samców, a oni się dają złowić. Samce to straszne dziwki.

– Ty też?

– O tak, ja też.

– A ty nie jesteś za stary?

Skrzywił się, że wiek nie gra roli, że to nie jego wina,

tylko natury, która wyposażyła ludzi w żądze. I czy ona jest ślepa, głucha, i czy nie czuje, że w środku dupy ma wrzątek, że siedzi na rozpalonych węglach, czy nie czuje, jak ją do jebania bezwstydnego ciągnie. I to tylko sprawa czasu, kiedy kopnie tego bezsensownie dobrego Klausa i jak każda uczciwa samica będzie go błagać o seks.

Powiedziała po namyśle, że tak naprawdę to nie rozumie, czego on od niej chce. Że jest bogatym, sławnym, starym, złamanym człowiekiem, który szuka powodu, żeby żyć w każdy możliwy sposób. I może dlatego, tak przy okazji, ciągnie go do niej, bo czuje w niej życie. Ale jeżeli on tonie, to żeby pamiętał, że ona nie jest kłodą, której się można złapać, tylko krokodylem.

Ucieszył się, że to dobre z tą kłodą, i zapytał, czy to jest rosyjskie powiedzenie, wyjął notesik, pióro i znowu zanotował.

Z krokodylem było tak, że kiedy miała trzynaście lat, zmieniła szkołę i przeszła do takiej, w której nikogo nie znała. Ale była ładna, szybko biegała i jedna zazdrosna Nastia, chamica, przywódczyni klasy, zaczęła ją nazywać krokodyl. Bo krokodyl z jednej bajki się nazywał właśnie Masza. Ta Nastia narysowała na tablicy kałużę błota, w niej krokodyla i napisała, że Masza jest nic niewartym, byle jakim krokodylem. Było jej przykro, bo kiedy matka nienawidziła ojca, to go też nazywała „krokodylem". Ale potem pomyślała, że pieprzy to. Niech będzie krokodylem, bo krokodyl jest silny. I zamieniła słabość w siłę.

Dżerzi się roześmiał, że jak na krokodyla ma piękne, miękkie usta, i przejechał po nich palcem. To było takie zaskoczenie, że o mało tego palca nie ugryzła.

Parenaście kroków dalej, po lewej stronie ulicy, naprzeciw wieżowców wygiętych do przodu albo do tyłu, brzuchatych albo wklęsłych, które wyłapywały i odbijały światła z ulicy, do gmachu Public Library przylepił się skwerek. Od ulicy oddzielała go kamienna balustrada, a na składanych stolikach rozłożyło tam szachownicę i fachowo rozstawiło zegary kilku czarnych graczy. Przelewający się tłum zerkał na nich obojętnie. Czasem ktoś odskakiwał, siadał na krzesełku, przegrywał szybko dziesięć dolarów i szedł dalej.

Masza na chwilę poczuła się jak na podwórku w Moskwie, gdzie w czasie ważniejszych turniejów nad szachownicami pochylali się mężczyźni. Wszyscy mieli ustawione na stoliku albo murku tranzystorowe radyjka. Wsłuchiwali się w transmisję i odtwarzali albo próbowali przewidzieć ruchy arcymistrzów. W takie dni nawet kobiety przy sznurze do suszenia bielizny porozumiewały się szeptem, a dzieci miały wstęp na podwórko zakazany w ogóle. Żebrzące bezdomne psy przeganiano kamieniami, żeby któryś czasem nie szczeknął. I raz jeden jej ojciec został bohaterem, bo przewidział ruch koniem. Taki sam ruch, jaki wykonał grający z Karpowem Spasski. I ojciec ze szczęścia pił przez tydzień, i upierał się, że to był najszczęśliwszy dzień w całym jego zjebanym życiu.

Tymczasem Dżerzi usiadł na jedynym wolnym krzesełku naprzeciw grubego, siwiejącego Murzyna z gęstą zakręconą czupryną, który uśmiechał się marzycielsko, jak pająk patrzący na muchę. A kiedy Dżerzi położył na stoliku sto dolarów, Murzyn najpierw łagodnie pokręcił głową, że to za dużo. Ale potem zastanowił się, popatrzył na Dżerziego, na Maszę i powiedział, że ze względu na towarzystwo pięknej pani się zgadza. Wyłowił swój studolarowy banknot, wyprasował i ciągle uśmiechał się łagodnie. A kiedy Dżerzi otworzył partię prościutkim hetmańskim gambitem, uśmiechnął się jeszcze szerzej. Ich palce szybko wybijały rytm na zegarach i po kilkunastu ruchach Murzyn już się nie uśmiechał, tylko pochylił nad szachownicą, na ile pozwalał mu wylewający się z dżinsów brzuch. A po jeszcze paru westchnął ciężko i pstryknął palcem, wywracając swojego czarnego króla. Ktoś zaczął bić brawo i Masza zobaczyła, że dookoła zebrała się grupka mężczyzn.

– Rewanż? – spytał Dżerzi.

Ale Murzyn pokręcił głową.

– Jesteś za dobry, bracie. Idź z Bogiem i więcej nie wracaj.

Trochę później Masza spytała, czy ten Murzyn grał dobrze.

– Bardzo dobrze, ale schematycznie. Jeden nielogiczny ruch wyprowadził go z równowagi.

Dodał, że jego ojciec był graczem turniejowym, więc sporo go nauczył. A Masza opowiedziała mu o tym najszczęśliwszym dniu w życiu jej ojca. Roześmiał się, z tym że dalej czuła w nim zdradę, ale także bliskość. Przed Carnegie Hall kręcił się jak zawsze elegancki tłum. A pod plakatem zapowiadającym orkiestrę z Los Angeles pod batutą Mehty starszy mężczyzna, w garniturze szarym i zniszczonym, zachrypniętym głosem okropnie fałszował arię z *Don Kichota*. Dżerzi wrzucił mu do plastikowego kubeczka wygrane sto dolarów, na co tamten w ogóle nie zareagował, a Masza pomyślała, że Klaus nigdy by czegoś takiego nie zrobił, chociaż nie był skąpy. Tyle że może tak jak tamten Murzyn działał schematycznie.

Potem Masza zauważyła, że Dżerziemu twarz najpierw się wykrzywiła, ale potem skamieniała. Syknął raczej, niż powiedział, nie patrząc ani na nią, ani do tyłu, tylko na wystawę sportowego sklepu: buty narciarskie, kije hokejowe, kombinezony z przeceną dwadzieścia procent.

– Nie oglądaj się, nie oglądaj za siebie, bo będzie źle, albo bardzo źle.

– Bo co?

– Bo nas obserwują.

– Kto?

– Dwóch i od dawna. – A potem pchnął ją do taksówki, co się akurat zatrzymała, oraz podał adres, ściskając ją za rękę. Nie wiedziała, czy odruchowo, czy ze strachu, czy żeby nie wyskoczyła, bo taksówka ugrzęzła w trafficu, ale ścisnął jak kleszczami, tak że nosiła te jego palce odciśnięte na sobie przez tydzień. I przez cały czas mówił szeptem, że napisał dwie książki o ZSRR, obie pod pseudonimem, żeby się nie wydało, ale to na nic i KGB ma na niego oko.

– KGB?

– KGB, oczywiście, że KGB, dlaczego nie KGB?

– Bo to Nowy Jork.

Mignęło jej, że zmyśla, na pewno, tak jak z Anitą zmyślał, i roześmiała się. A on ciągle swoje, a kleszcze na jej ręku zwilgotniały.

– Ci radzę – mruknął – nie odwracaj się... Bo dużo dla ciebie lepiej, żeby myśleli, że to randka zwykła, seks codzienny, niż się tobą zajęli, bo po co ci to?

– Nie boję się – powiedziała. – Mam niemiecki paszport.

I serce chlupnęło, bo co, jeżeli nie zmyślał? Czyli albo się przestraszyła sama z siebie, albo mógł się w niej odezwać strach matki, która się bała wszystkiego, odkąd przestała pić, albo jeszcze prędzej ojca, który kłamał publicznie, bo był do połowy Ukraińcem, ale dla lepszego traktowania i ze strachu udawał Rosjanina całego.

I raz usłyszała w nocy, jak opowiadał matce, że Stalin, który zrobił język ukraiński nielegalnym, pokazał na niby dobrą twarz i zorganizował w Charkowie festiwal ukraińskich kobziarzy, którzy prawdę o historii przechowywali w pieśniach. I wydobywali tak, jak się wydobywa zatopione w bursztynie owady. A jak się zeszło albo zjechało kilkudziesięciu ślepców, bo tylko ślepi widzą prawdę, ślepców, prowadzonych przez bezdomne sieroty, otoczono ich, wsadzono do ciężarówek i wywieziono do lasu. A tam czekała już na nich wykopana czarna jama. I tam ich żywcem razem z tymi dziećmi zakopano. A ziemia się w tym miejscu przez trzy dni ruszała.

Masza na początku w to ani przez chwilę nie uwierzyła, ale jej ojciec, olbrzym, i najsilniejszy na świecie straszny ojciec, się najpierw rozpłakał i zaczął w środku nocy modlić się po ukraińsku, a jak ją przyłapał, że podsłuchuje, przyobiecał, że jeżeli komuś piśnie, to, chcąc nie chcąc, zabije i rzeczywiście ani pisnęła.

Nareszcie taksówka się przepchała, rozpędziła, przeleciała na dół miasta i przy Czternastej ulicy wypchnął ją na chodnik. A Masza na własne ryzyko po namyśle jednak się odwróciła i rzeczywiście, za nimi, nie za blisko, ale wyraźnie, też się taksówka zatrzymała i dwaj z dwóch stron zaczęli wychodzić. I tylko dlatego dała się pociągnąć po schodach do starej kamienicy bez windy. Z trudem złapała oddech, on wyjął klucz do mieszkania, ale niepotrzebnie, bo drzwi były uchylone tak, że wystarczyło popchnąć, a dalej jak po burzy wszystko wywrócone, przewrócone, wywalone ubrania na podłodze, duże fotele do góry nogami, talerze potłuczone, zdjęcia rozrzucone. Jezus, Maria szukali jak nie ludzie.

Ale dlaczego nie dzwonił na policję, co by zrobił Klaus i w ogóle każdy człowiek, tylko usiadł na podłodze i zaczął się śmiać tak, jakby krakał, powtarzając do siebie, jakby o niej zapomniał, że nic skurwysyny nie znajdą, absolutnie nic a nic, bo wszystkie, ale to wszystkie rękopisy trzyma w sejfach bezpieczne, w bankach jednym, drugim i trzecim. Akurat zadzwonił telefon i on przyjął, podnosząc jedno po drugim krzesła, bo nie było na czym usiąść, i powtórzył – dobrze, dobrze, dobrze, i do niej, że musi, niestety, wyjść i że ją odprowadzi do taksówki, a z góry zapłaci, tłumacząc, że chodzi o to, żeby szybciutko, żeby wyglądało, jakby kto patrzył, że mieli szybki numerek. Sprowadził ją, wepchnął do nowej taksówki, dał kierowcy dwadzieścia dolarów i taksówka ruszyła.

Ale Masza nagle poczuła, że go tak nie wolno zostawiać. Poprosiła kierowcę, żeby stanął, i przez szybę tylną zobaczyła, że Dżerzi z tymi dwoma rozmawia. Więc poprosiła taksówkarza, żeby jechał dalej, i zupełnie nie rozumiała, o co tu chodzi, w ogóle już o niczym nie myślała, tylko żeby dojechać do domu i się położyć.

Sen mara, ptak ptakiem
(według Maszy)

Masza się obudziła niechętnie, bo chociaż połknęła ambion i jeszcze jakieś specjalne proszki, zapisane przez profesora, spała krótko, ból głowy i szum w uszach nie ustał. A do tego poczuła, że jest w tym samym miejscu, w którym była, kiedy zasypiała. Nic a nic dalej. Postrzępione myśli męczyły głowę. Klaus nie zadzwonił, co może nie jest bardzo dziwne, bo wyłączyła telefon. Lubiła to robić, bo w domu moskiewskim wszystko było zamontowane na stałe. Teraz włączyła, potem zrobiła wszystko, co kazał profesor, a potem to, co zabronił, czyli zapaliła papierosa i wypiła neskę dobrze osłodzoną. Zadzwoniła też do Klausa, nagrała się, że tęskni, wszystko jest w porządku i jeszcze parę zdań, które jeżeli nawet były kłamstwami, to o tyle, o ile. A co by nie mówić, Klaus był najlepszą rzeczą, jaka ją spotkała w życiu. Zresztą on zaraz zadzwonił w przerwie jakiejś ważnej bieliźnianej narady. I prawie się rozpłakała, kiedy powiedział, że umierał ze strachu, ale za trzy dni będą razem. Trzy dni, bardzo mało niby.

Skąd on miał wiedzieć, co się koło niej wyprawia, jeżeli sama nie wiedziała. Bo ten Dżerzi, żeby chciał się do niej dobrać i zaciągnąć do pracowni, to by jeszcze miało tradycję i porządek, a tak? Bo żeby tylko i wyłącznie zaszokować tym KGB, prawdziwym czy udawanym, tyle wysiłku i potem sprzątania? Wzięła prysznic gorący i zimny, po namyśle jeszcze raz gorący i od nowa zimny.

Nie podeszła do okna, chociaż może powinna, bo już była ta godzina, kiedy sąsiad na nią czekał, chyba przed pójściem do pracy. Ale zaczęła szkicować na stole w kuchni, jedząc musli i paląc papierosa. Wyszła jej głowa kobiety, a na niej ptak. Coś jakby kruk walący kobietę w czoło dziobem, czyli wyraźnie chce się do mózgu dostać i wydziobać. No dobrze, a co, jeżeli odwrotnie, chce się dodziobać, żeby coś ważnego otworzyć. Może? Tak czy inaczej, to będzie obraz dziewiąty. Dwa ostatnie w ogóle nie pasują do tych z Monachium, jakby ktoś inny malował. No, może trochę do pieska na szynach. Klaus robił wszystko pod linijkę i miał do tego prawo, coś sprzedawał, coś kupował, była jego ślubną żoną i uważał, że wszystko jest przyklepane. Może i było. Owszem, jego ojciec przegrał razem z SS pod Stalingradem, ale teraz ma Rosjankę na własność, dobrowolnie i bez kajdanek.

Potem nagle i niespodziewanie zasnęła.

Sen Maszy

Najpierw jej się przyśniło że siedzi na szczycie góry przy grubo ciosanym stole a obok siedzą mężczyźni z których część zna chociaż nie wie skąd a części na pewno nie zna wszyscy co do jednego położyli gołe ręce bez broni na stole i czekali na coś i było oczywiste że to jest coś najważniejszego i na całe życie albo przekleństwo albo błogosławieństwo albo jedno i drugie ale nie patrzyli na siebie ani na nią tylko na stół i to trwało długo aż do chwili kiedy odezwał się głos i było jasne że na to czekali głos odezwał się ze wszystkich stron z dołu z góry z boku z prawej z lewej i powiedział – wybrany jest ten komu na ramieniu usiądzie kruk podniosła oczy i nad stołem na gałęzi świerku zobaczyła kruka i to był ten ze szkicu który przed chwilą zrobiła serce zamarło zadygotało i pomyślała tylko nie ja tylko żeby nie ja usłyszała jak kruk oderwał się od gałęzi wielki czarny tak ciężki że całe drzewo się zakołysało potem zamknęła oczy i poczuła jak ostre pazury wbijają się w lewe ramię boli krew trzeba go zrzucić ale jak kiedy skrzydła zaplątały się we włosy pomyślała że wybuchnie że ma oczy jak kanistry pełne łez pomyślała że kurwa mać chce żyć normalnie tak jak wszyscy pić wódkę tańczyć kochać się dużo mieć dzieci że się nie zgadza że wybrano najgorzej jak można podniosła się a nikt poza nią nie drgnął za to głos powiedział coś jakby: Przestań się wreszcie bać.

Obudziła się przerażona. Bo niby o co chodzi, sen mara, ptak ptakiem, namaluje go do końca i tyle. Ale co, jeżeli to nie było kłamstwo, tylko KGB w Nowym Jorku? Dzisiaj już nie te czasy, ale dajmy na to. Czy to dla niej groźne, czy nie? Mogą się doczepić, robić kłopoty? Komu? Ojcu, matce, Griszy, braciszkowi, jego narzeczonej, chudej pannie z okienka na poczcie, półimpotentowi Kostii? Pewnie, że mogą, jak chcą, to wszystko mogą, każdy w ZSRR wie, że mogą i będą mieli rację, bo każdy w Moskwie czuje się tak czy inaczej nie w porządku, bo władza daje mu to na każdym kroku odczuć.

No dobrze, jeżeli to nie KGB, to staremu człowiekowi nie szkoda na takie wygłupy czasu? Tylko po to, żeby

móc sobie pogadać po rosyjsku o lubieżnym Breżnie-
wie, zamordowanym Puszkinie, powieszonym Jesieni-
nie, Chórze Aleksandrowa, którego pieśni oboje znają
na pamięć, *Idiot wojna narodnaja*. Stanęła przed lustrem,
sprawdziła lewe ramię – nic, poprawiła włosy i pojechała do Bloomingdale'a się obkupić. Bo z tego, co jej Klaus
zostawił, wydała tylko na taksówkę. A karta kredytowa
też czeka i się niecierpliwi, więc trzeba popatrzeć, jak to
działa.

Kupiła majtki jedwabne oraz satynowe, czerwone,
czarne, białe i beżowe. Do tego dodała stringi, też czarne,
i bokserki w serduszka, bo są wygodne, następnie biu-
stonosz. I tu ją spotkała miła niespodzianka, bo zawsze
marzyła o dużym biuście i się okazało, że go ma, czyli
czwórkę. A w Moskwie zawsze wpychała się do dwójki,
bo tak jej sprzedawcy radzili. Potem dwie pary dżinsów
Kleina i Dolce Gabbana – chociaż przeładowane. Jeździ-
ła po piętrach w górę i w dół, na każdym bez pytania
spryskiwali perfumami. Na zakończenie, na samym dole,
kupiła piękne kozaczki łososiowego koloru, z cielęcej
skórki, mięciutkie, i zegarek, bo przeczytała, że kobietę
się poznaje i ocenia po butach i zegarku. Zapłaciła kar-
tą, podpisywała w ciemno. Wróciła do domu taksówką,
wszystko rozłożyła i pomyślała – co by nie mówić, jest
bogata. A wiadomości były nagrane trzy. Wysłuchała ich
na zwiotczałych nogach i na szczęście to był tylko Klaus,
złapała oddech, połknęła proszki, wszystko się wyrów-
nało. Następnie chodziła nago tylko w butach, potem
w bokserkach bez butów, stanęła w oknie, ale naprzeci-
ko było ciemno. Zaczęła malować i się wściekła, ciągle

patrząc na telefon, potem położyła się na pół godziny bez ruchu i wtedy zadzwonił. Podeszła do lustra, uśmiechnęła się i zawstydziła, bo ten uśmiech jej się wydał triumfujący.

Opowieść sprzątaczki
(wnętrze, dzień)

Pani Stasia, czyli pięćdziesięcioletnia Polka z Greenpointu, sprzątając pracownię Dżerziego, monologuje po polsku. A on siedzi na fotelu i czyta „New York Timesa".

Pani Stasia: Pan spojrzy, to moja przyrodnia siostra.

Pokazuje zdjęcie, ale on nie patrzy.

Pani Stasia: Podobna, nie? Ma dwie córeczki i, Bogu dzięki, kochającego męża.

Mąż ma pracę i dobrą opinię, w księgowości, czyli wszystko jest jak w kinie, bo nawet pieniądze odkładają, i teraz powiem panu coś, ale żeby tylko między nami. Otóż jak w zegarku, punktualnie raz na miesiąc, ten mąż, Bolesław, po kolacji znika, bez jednego słowa. Dziwne, co? A jak wraca – to nad ranem i się długo myje. To co ona ma sobie biedna myśleć. Do kościoła chodzi, obowiązki małżeńskie spełnia regularnie, gorący posiłek zawsze na stole. Dzieci zadbane – dwa aniołki, o, tu mam ich zdjęcie. Niech pan się spojrzy, panie Jurku.

Pokazuje zdjęcie, on ciągle nie patrzy, ale jej to nie przeszkadza.

Pani Stasia: To co by pan zrobił na jej miejscu? Jezus, Maria, Józefie święty – mówi, odkurzając pejcze, maski i kajdanki – jak tu się u pana, panie Jureczku, kurzy.

Dziewiąty powód reinkarnacji

Klub nie klub, ulica dwudziesta któraś po stronie zachodniej. Tego, że to klub, trzeba się domyślać, nazwy nie ma, nielegalny? No, wiadomo, że policja wie, musi wiedzieć – czyli legalny i na pewno opodatkowany, przy samej rzece Hudson. Obok highway charczy i błyska. Poza tym szaro, ciemno, opuszczone fabryki, dalej obdrapane budynki, szyby brudne tak, że nie przepuszczają światła ani w jedną stronę, ani w drugą. Tylko czerwone, namalowane farbą strzałki na brudnych murach i te migające jakby świętojańskie robaczki. Maszy się spodobało, zanim zobaczyła kobiety, które paliły papierosy – z dziesięć najwyżej, młodych, starych, brzydkich, ładnych, chudych, grubych, porozbieranych, tyle że w majtkach i biustonoszach, ale jakie tam biustonosze, kiedy wszystko wywalone. Jeszcze jest czas, żeby uciekać, ale nie, Ruskije nie zdajutsia.

Otworzyły się żelazne drzwi podwójne i biały, wygolony, tatuaż na twarzy, smoki, czaszki, wrzasnął coś na te kobiety-widma, ani drgnęły. – Tych nikt nie wpuści – wyjaśnił Dżerzi. – Bo co? – Bo coś narozrabiały. – Niby co? – Ukradły, obraziły, zaćpały się ponad normę, są na czarnej liście, mają ich zdjęcia i w Nowym Jorku nie ma dla nich nadziei na zbawienie. – To po co stoją? – Bo liczą na cud. – Jaki? – Faceci, których też nie wpuszczą, i one zabiorą się z nimi. – Roześmiał się, jak zawsze skrzekliwie i sucho, ale oczy miał smutne i przestraszone. Maszę, która się pociła ze strachu, naprawdę już kłuło pod łopatką i serce dygotało – niechby ją tu lekarz siwy zobaczył – nagle tknęło, że może jego oczy są podobne do oczu demona, którego namalował Michaił Wrubel na obrazie zawieszonym w Galerii Tretiakowskiej w Moskwie. To miał być dokładnie ten sam demon, którego Lermontow opisał. Ale w oczach demona u Wrubla jednak bardziej niż strach jest gniew, a może nawet wściekłość, bo został przez Boga skazany na robienie zła, bezwarunkowo i w nieskończoność, a wcale tego nie chciał. Święte obrazy zamówili u Wrubla mnisi, do najsławniejszej cerkwi katedralnej Władymirskiej w Kijowie, ale jak zobaczyli demona, zawahali się, bo był za piękny, półnagi, i orzekli, że zamiast przerazić i zbrzydzić, mógł słabsze duszyczki przywieść na pokuszenie. Do tej pory diabła zawsze w cerkwiach malowano jak się należy, po bożemu, z ogonem, rogiem, kopytem i dopiero Wrubel pod koniec wieku dziewiętnastego zamieszał.

Tymczasem ten ogromny wytatuowany na łysej głowie mało, że ich wpuścił, to z honorami do korytarza, gdzie paliło marihuanę trzech takich samych. Potem przeszli do sali w czerwonym, czarnym i złotym kolorze, gdzie słychać muzykę z góry, z dołu, przez ściany. Zadzwoniło, drzwi się zakręciły i już Masza z Dżerzim byli w środku.

Muzyka leciała jednak głównie z dołu. Najpierw szafki metalowe w wąziutkiej sali z lustrami. I tu się złapała na tym, że powtarza *gospody spasi* i *sochrani mienia griesznuju*, co jej matka kazała zawsze odmawiać, kiedy się boi, i to na ogół pomagało, więc może teraz też, chociaż serce znów waliło. Zrobiona na blond kobieta z martwą twarzą i chyba sztucznym biustem, bo za dużym, podała im ręczniki i się zaczęli rozbierać. Masza była uprzedzona o tym wspólnym rozbieraniu, ale jednak to nie Kostia jedyny ani nawet ślubny Klaus. Krępowała się, jak przy pierwszym razie. Pomagało to, że się nie sami rozbierali, były też trzy kobiety, które wyraźnie przyszły wcześniej, już bez niczego, ładne i białe, chociaż nie za młode. Stały przed lustrami, robiły twarz i oczy, a dwóch mężczyzn na końcu zdejmowało skarpetki.

Masza celowo ani trochę nie patrzyła na Dżerziego, to, że jest chudy i wąski w ramionach, wiedziała bez patrzenia, bała się, że, nie daj Boże, ma plecy porośnięte czarnym włosem, i tego już by nie wytrzymała. Na razie stał goły, z ręcznikiem w ręku, i gadał.

– Tchórzostwo cię zżera, strachliwość, a każdy głupi by wyczuł w tobie przez skórę namiętność, której się wstydzisz, bo sobie nie ufasz i wiesz, że jak ją raz spuścisz ze smyczy, to już nie dogonisz, ale spuścisz, spuścisz, dojdziemy do prawdy, na pewno dojdziemy, a na razie flaga na dół, czyli masz zdjąć wszystko, ale już. Za to, proszę bardzo, możesz się owinąć ręcznikiem, co jest dopuszczalne, i ja dla towarzystwa też to zrobię, chociaż nie wiem, po co.

Masza dalej nie patrzyła na niego, za to zerkała na odbijające się w lustrze trzy kobiety wygolone u dołu i zawstydziła się swojej kępy. Kątem zobaczyła, że Dżerzi się owinął, a tamci nie. No nic. *Szyroka strana moja rodnaja...* Pomyślała o bani – łaźni w Moskwie, co jest dla kobiet w Rosji raz na tydzień uświęconym rytuałem i szczęściem, bo są zwalniane do niej przez mężów, którzy, owszem, też idą, ale innego dnia i osobno. W bani kobiety mogą się nareszcie oderwać od dzieci, kuchni, obowiązków, mężowskich narowów i poplotkować spokojnie, gdzie najlepsza skrobanka, najtańsze mięso albo fryzjer ze sznytem. Wytłuc z siebie rózgami udrękę w stustopniowym upale i potem spłukać ją lodowatą wodą. Masza patrzyła na te trzy wygolone przed lustrem tutejsze szczupłe i pamiętała, jak wtedy zazdrościła kobietom rosyjskim dolnych kędziorów, bo sama okryła się włosami wyjątkowo późno. A moskiewskie kobiety w bani były przeważnie piękne po rosyjsku, czyli funkcjonalne, szerokie w biodrach, żeby łatwiej rodzić, z ogromnymi piersiami, żeby produkować dużo mleka, i patrzyły na nią i inne chudziaczki ze współczuciem. Jezu, jak im wtedy zazdrościła. Odruchowo się skuliła, kiedy obok przedefilował facet niemłody z obwisłymi cyckami i brzuchem, ale sterczącym członkiem, na którym powiesił ręcznik. Na nią nie spojrzał, tylko zatrzymał się przed środkową z kolczykami na sutkach, robiącą sobie oczy przed lustrem. Przerzucił ręcznik przez ramię, rozchylił jej pośladki, poślinił palce, a potem przejechał ją tymi palcami. Ona, ciągle machając kreski na górnej powiece, wypięła się, a on wszedł w nią, przygniatając trochę do lustra, przez co kreski wyszły nierówne, a te dwie obok się roześmiały. On jedną z boku popieścił ręką i zaczął się w środkowej kołysać, ale tylko przez chwilę, bo walnął ją w tyłek i wyszedł ze stojącym członkiem. Znów powiesił na nim ręcznik i nawet się nie obejrzał. Ona wyrównała kreski i tuszując rzęsy, uśmiechnęła się do wytrzeszczonych oczu Maszy.

– To dopiero nocny początek – objaśnił Dżerzi. – Więc ten facet nie skończył, bo się oszczędza na później. – Na co Masza powiedziała, że to jest w Rosji nie do pomyślenia, a jeżeli do pomyślenia, to nie do wykonania. Zawinęła się w ręcznik, zagryzła wargi i włożyła proszek pod język. Spytała, czy ta kobieta to tamtego narzeczona albo żona. Dżerzi, że to bez różnicy i skąd on ma wiedzieć, a ręcznik był biały, miękki, z wyhaftowaną nazwą Royal Cotton. Schodzili po krętych schodkach, z poręczą dla starszych osób, w spadającą na nich coraz bardziej dudniącą muzykę. W dym i zapachy przemieszane, migotanie świateł, a Dżerzi zassał ze wszystkich sił powietrze, wciągnął to wszystko jak leci: – Bo tak pachnie wolność, rozumiesz? Wciągaj, wciągaj! – Więc do bólu wciągnęła, i to był zapach perfum, potu, spermy, strachu, smutku, nienawiści, żalu, a wszystkie wymieszane pachniały octem i wyżerały oczy. Ale może dla niego, jak go chłopi z głową do szamba wrzucili, to jest piękny zapach.

– Nie bój się, trzymaj mnie, będę cię prowadził za rękę jak mamusia.

Ładna mi mamusia, jak się go tamta dziennikarka z gazety spytała, czy umiałby zgwałcić, odpowiedział, że absolutnie, bo był wiele razy gwałcony. I teraz ta mamusia obiecywała, że nikt jej nie dotknie ani członkiem grubym, ani długim, ani chudym, ani krótkim, które tu wchodziły i wychodziły, i w kobiety, i w mężczyzn, i na zmianę, i bez przerwy. W ciała świecące od potu i jeszcze posypane jakimś proszkiem. Masza poczuła ból pod łopatką, większy, suchość w gardle i że chce i musi pić, i to już. Żałowała, że drugi proszek pod język zostawiła w szatni w dżinsach, ale myślała, że jest silniejsza. Zamknęła oczy, nogi jej zwiotczały i skupiła się na tym, żeby myśleć o ręczniku długim, mięciutkim, bo ręcznik w Moskwie był jeden na całą rodzinę, szary i szorstki, a chociaż matka dawała z siebie wszystko, krochmaliła z całej siły, biały i pachnący ani razu się nie robił. Otworzyła oczy i zobaczyła dużo ludzi w starszym wieku.

– A te młode z nimi to co, zapłacone?

– Czasem tak, czasem nie. To ostatnie miejsce w Nowym Jorku, gdzie można liczyć i na dyskrecję, i na miłosierdzie, czyli to, czego człowiek potrzebuje najbardziej.

I nagle włożył jej rękę pod ręcznik, stwierdził, że jest sucha, i się rozzłościł, a ją zatkało.

– Popatrz tutaj. – Pokazał dwóch białych mężczyzn, brzuchatych, którzy się rozkładali jak kobiety. A potem kobietę ogromną, która dawała im do ssania duży członek. – Tylko nie mów – syknął – nie mów, że tego nie rozumiesz, to można lubić albo nie, ale nie rozumieć nie można. A jak ktoś udaje, że nie rozumie, to znaczy, że jest hochsztaplerem. Ja tu się nie czuję ani Polakiem, ani Żydem, ani bogatym, ani biednym, ani pisarzem, ani emigrantem, tylko człowiekiem. Rozumiesz? CZŁOWIEKIEM! Twój ulubiony Jesienin wszystko jedno, samobójca czy zamordowany, napisał: „Bo jest gorzka prawda tej ziemi zobaczyłem ją chłopięcym okiem, liżą wszystkie psy po kolei sukę ociekającą sokiem", napisał tak czy może nie napisał?

– Ale on nad tym płakał i wcale nie wszystko jedno, bo jeżeli się powiesił, to jest przeklęty i jego dusza się po świecie włóczy i męczy, a jak go zamordowało GPU, to jest świętym męczennikiem Rosji i zaznał spokoju.

– A co to jest spokój? Kłamstwo, brednia, iluzja, spokój. – Nagle się roześmiał i po raz pierwszy poczuła, że go naprawdę rozbawiła. – Henry Miller, pisarz, któremu twój Jesienin może czyścić buty, powiedział, że jest dziewięć powodów reinkarnacji, dziewiąty to seks, a pozostałe osiem jest bez znaczenia.

– A ten twój chłopiec?

– Który?

– Z książki.

– To co?

– Gdzie on jest?

– W dupie, mam dosyć patrzenia w oczy śmierci. Chcę i będę patrzył w oczy życiu, póki mi się nie znudzi.

A Masza:

– Pić, pić, pić!

Bar był regularny, z klimatyzacją. Barman czarnowłosy, ulizany brylantyną, najpierw podał jej szklankę, potem butelkę wody, wypiła, nie wiedząc kiedy. Chciała jeszcze jedną i też wypiła. Dżerzi kupił na kreskę parę jointów, zapałki, dał jej do popicia biały proszek i łyknęła, chociaż to nie był ten, który powinna. Ale jak tu odmówić, kiedy obok szło połykanie, nadziewanie, wypluwanie, wchodzenie, wychodzenie, wolno, szybko, pojedynczo i masowo, w mężczyzn, co się okazywali kobietami, tak że się można było nabrać, i na odwrót. Zapalił jej jointa, sam też się zaciągnął.

Nagle ściany rozjechały się, wszystko zniebieszczało, ciało się rozluźniło, a ból pod łopatką przycichł. Ciekawe tylko, czy serce przetrzyma, ale i to ją rozbawiło nagle.

– Pracuj, serce, ratuj się jak możesz! – zawołała.

Też coś połknął i zacytował świętego Augustyna, że gdyby nie uznano seksu w raju za grzech, toby był naturalny tak jak jedzenie.

– Przyjrzyj się, tu nie ma uczuć nieodwzajemnionych ani mąk i wszystko się wypełnia szczęśliwie.

A dookoła wszystko pulsowało i się w tym rytmie wesoło kołysało, powtarzając – tak jest, tak jest.

Jak żołnierze przemaszerowały trzy kobiety, wymieniając prześcieradła i ręczniki, przemoczone od potu tak, że można było wyżąć. Najwyższa, ubrana jak pielęgniarka, w białym czepku, zaczęła coś szwargotać w niezrozumiałym języku. Pocałowała w usta najpierw ją, potem jego i odeszła. Dżerzi objaśnił, że to było po szwedzku, ona to Szwedka z doktoratem z literatury wschodnio-europejskiej, że pracowała w Bibliotece Noblowskiej w Sztokholmie i parę lat temu, kiedy chciano mu dać Nobla za *Malowanego ptaka*, przysłano ją na Manhattan, żeby po cichu wywęszyła, czy jest coś z prawdy w donosach, które rząd polski komunistyczny pisał na niego i przysyłał do Akademii, że jest kłamcą, łajdakiem, oszczercą i takie tam różne. Na szczęście on ją spotkał, przyprowadził tutaj i już stąd nie wyszła, wybiła sobie z głowy Nobla, Sztokholm, męża i dzieci. Masza wybuchnęła śmiechem, że na pewno kłamie. Poruszył chudymi ramionami, że oczywiście.

Muzyka na chwilę urwała, za to buchnął wrzask, jęk, charkot, ale na krótko, bo już go zahukali Pink Floydzi. Dżerzi zdjął zawieszony na szyi łańcuszek z dwoma kluczami i zaczął pierwszym otwierać drzwi, o które zapierał się obiema rękami śliczny czarny chłopiec, w którego jak młot parowy wchodził równo brzuchaty jak kobieta w ciąży mężczyzna. Miał rzadkie, zlepione potem włosy, ale się uśmiechał. W jednej ręce ściskał szklaneczkę whisky z kostkami lodu, w drugiej cygaro i kiedy zobaczył Maszę, zasalutował szklaneczką. Dżerzi walnął chłopca po rękach, żeby dał im dostęp do drzwi. Otworzył je kluczem i ruszyli schodami na dół, wtedy się obejrzała i przez chwilę zobaczyła twarz chłopca, smutną, nieruchomą i pełną bólu, więc uśmiechnęła się do niego, żeby pocieszyć, a on mrugnął i wysunął cieniutki jak u węża, rozdwojony język. Ale już szli na dół. Tu schody nie miały poręczy, stopnie to wydłużały się, to skracały, wiedziała, że to ten proszek, ale trudno, połknęła, odwrotu nie ma. Po walce nie warto wymachiwać rękami.

Przypomniało jej się, jak raz tylko jeden z Kostieńką nocowała na daczy jego rodziców. I po mozolnej próbie wejścia w nią Kostia zasnął na jej brzuchu, a ona nie, bo do smutku doszło drapanie w drzwi, najpierw ciche, potem nachalne, pisk i stukania, na co suka Bura na fotelu łeb podniosła, ale tylko na chwilę, do drapania i stukania doszło walenie, wycie i skomlenie, nareszcie poszturchany Kostia też podniósł głowę i że to nic – wymamrotał – sąsiedzi do Burej, ma cieczkę – naciągnął kołdrę na głowę. Drzwi zaczęły dygotać, jeszcze chwila, pękną, pomyślała, odchyliła na oknie drewniane okiennice. A na ganku się kotłowały psy wielkie z małymi. Kundle z rasowymi, rzeka psów się dopychała, kłapała zębami i jęczała, aż drżało powietrze. Szybko zamknęła okiennice, podparła drzwi krzesłem, wlazła pod kołdrę i przytuliła się do pleców Kostii. A rano zmywali krew, spermę, kawałki odgryzionych uszu i ogonów.

Muzyka z dołu już nie jazgotała, tylko zapraszała, wciągała, jakby syreny na morzu śpiewały, i nagle ją tknęło: – Zamknij uszy, zatkaj uszy – ale to było niemożliwe, tak ten śpiew wabił. Co z tego, że stopnie falowały tak, że się potknęła, a Dżerzi ją podtrzymał, jak kiedyś Kostia, kiedy zakochani schodzili w dół wykutymi w skale schodami pod kijowską Ławrą Peczerską – najświętszym kijowskim monastyrem, na samą jego kopułę poszło szesnaście ton szczerego złota, a nie takich jak tu imitacji. I schodząc głębiej i głębiej w dół, na którymś poziomie minęli cele, w których kiedyś pokutowali mnisi, leżąc na brzuchach albo klęcząc, co zależało od ilości grzechów.

A jeszcze głębiej trumny świętych, drewniane, ze szklanym wiekiem, tak że można było pocałować w rączkę.

A jeszcze dalej bohater i olbrzym Ilia Muromiec, który się widocznie skurczył z woli Bożej i zrobił całkiem malutki. A z dołu szedł na ich spotkanie śpiew mnichów. Wtedy tuż przed Maszą, wlokąc się w dół stopień po stopniu, ostrożniutko złaziła zgarbiona staruszka, cicho mamrocząc modlitwę. W wielkiej pieczarze na samym dole czekało trzech mnichów, popów brodatych. Dwóch pięknych i młodych, jeszcze z brodami krótkimi, czyli od niedawna.

Masza pomyślała, że ich tutaj szkoda, boby mogli spłodzić piękne dzieci, a tu się zmarnują. Najstarszy maczał palce w oleju, który wyciekał z czaszek świętych męczenników, i robił krzyż na czołach jedną ręką, drugi dawał do pocałowania Biblię, trzeci wkładał świętą koronę. A dookoła tylko kadzidła i śpiew, śpiew i kadzidła. Kiedy trzeci mnich włożył staruszce na głowę koronę męczennika, wyprostowała się pod sufit i zaczęła krzyczeć innym głosem, po niemiecku chyba, i skowyczeć. Tak że jej szybko tę koronę zdjęli i po pieczarze poszedł szept: opętana.

A jak tylko zdjęli, staruszka w jedną chwilę zmalała i nic nie pamiętając, wróciła do modlitwy, i gdyby Masza tego na własne oczy nie widziała, by nie uwierzyła. Bo staruszka przedtem ledwie ledwie mamrotała po rosyjsku, a tu huczała jak Szalapin po niemiecku. Wtedy Masza spociła się ze strachu, chciała się cofnąć, ale za późno, bo pierwszy mnich już ją namaszczał, a kiedy trzeci włożył koronę, nic strasznego się nie stało, tylko jasność najpierw przecięła ciało na pół i zaraz je wypełniła.

Potem szła i szła, bo te pieczary to całe miasto podziemne – labirynt, w którym mnisi się ukrywali przed najazdami tatarskimi, mongolskimi, wszystkimi.

Teraz też byli na dole, znowu bar, znowu coś piła, a Dżerzi uprzedził, że to jest następny poziom, na który, owszem, wpuszcza się kobiety, ale tylko jako niewolnice, więc chcąc nie chcąc, musi jej włożyć obrożę, ale to nie boli, i wziąć ją na łańcuch, ale tylko na chwilę. Maszę to dziwnie rozbawiło, zwłaszcza że szum w głowie przycichł, coraz łatwiej łapała oddech, a ból pod łopatką zniknął, jakby go nigdy nie było. Zaczęła skakać przez łańcuch jak przez skakankę, w czym była na podwórku bardzo dobra, aż Dżerzi kazał ze złością przestać natychmiast, bo go kompromituje.

Po stronie lewej przy schodach stały taksówki.

– Najlepiej weź tę pierwszą, to jest Richard, który nie bryka, ma ksywkę Dywan, bo lubi, jak się po nim depcze. Ma też dużą firmę public relations na Manhattanie. Jak mu przyłożysz szpicrutą, będzie wdzięczny i może się przydać na górze. Bo tutaj oni goli i na czworakach, z uzdami w pyskach, osiodłani, ale w dzień, na górze, w garniturach za dziesięć tysięcy dolarów rządzą Manhattanem.

– I nikt ich nie sfotografuje?

– Nie, bo to ostatnie miejsce, gdzie lojalność obowiązuje absolutna, dobrowolna i pod karą śmierci. I że wielka jest i zasadnicza różnica między dniem i nocą, co dawno temu pisarz Szekspir, o którym w Moskwie też mogli słyszeć, zauważył. Bo noc to noc, ma swoje prawa i w niej się spełnia i mord, i rzeź, i zdrada, i spółkowanie delikatnej królowej elfów z osłem, który ma, jak każdy głupi wie, najdłuższy ze zwierząt członek. I wszyscy się tamtej nocy letniej wymieniają kobietami albo mężczyznami na ślepo i do syta.

Masza wesoło dosiadła taksówkę i nie żałowała szpicruty, a Dżerzi jechał obok, i przestała się uśmiechać dopiero, kiedy minęli Anitę, dziewczynkę ze szpitala, którą jakiś rudy dryblas ciągnął na łańcuchu do korytarza obok, a ona uprzejmie ukłoniła się najpierw Dżerziemu, potem Maszy.

Obok musiał być basen, bo poczuła zapach chloru, taksówki przeciskały się między mokrymi golasami i dymiła sauna, Masza chciała skręcić w korytarz, w który weszły dwie grube starsze kobiety. Ale Dywan przyhamował, a Dżerzi, który jechał obok, przyznał mu rację, bo tam wchodzą tylko kobiety, które lubią być gwałcone przez nieznajomych. Tymczasem w salonie, gdzie zniknęła Anita, słychać było świst bata i wołanie o pomoc. Chciała biec, ale nie mogła złapać równowagi, a Dżerzi ją pociągnął za łańcuch tak, że zabolało i prawie upadła. Naprzeciwko szedł Japończyk w kolczastej obroży, wiedziała, że musi się z nim zderzyć, choćby nie wiem co, i się zderzyła, a on zajęczał błagalnie, żeby Dżerzi pozwolił mu pocałować swoją niewolnicę w stopę. Upadł już na ziemię i wysunął język, a Dżerzi krzyknął:

– Nie! Powiedziałem! Nie!

I przeszli nad Japończykiem. Masza zapytała:

– Dlaczego nie?

– Bo to masochista i ta odmowa sprawiła mu rozkosz.

Teraz znów trochę jakby pieczara, ale głównie szatnia. Koniec z łańcuchami, a na suficie niebo gwiaździste i bestie, a bestie połykają gwiazdy.

Dalej pod ścianą się uginał od strojów, kostiumów i łańcuchów długi wieszak. Dżerzi wybrał dla Maszy skórzane majtki, koszulkę z gumy spłaszczającą biust, wysokie buty z kolcami, za duże i z twardej skóry, oraz przykazał:

– Tylko słowem się, broń Panie Boże, nie odzywaj, bo tutaj pierwszy raz dzisiaj i chodzi o to, żeby nie ostatni w życiu, kłamiemy i oszukujemy, bo ten poziom jest już tylko i wyłącznie męski. I tylko dla VIP-ów. Ten kluczyk – pokazał – ma na Manhattanie tylko trzydziestu dwóch mężczyzn. I to jest najwyższe wtajemniczenie.

– To po co tam idziemy?

– Bo trzeba, ale te chusteczki, które wkładam za pasek, gwarantują spokój, bo one znaczą, że chcemy patrzeć i nic, tylko patrzeć, żeby się napatrzeć. I tak będzie, chyba że cię rozpoznają. Wtedy koniec. Więc się nie odzywaj za skarby.

I od nowa, schody w dół, a za ścianą z boku zadygotało, ale to tylko subway. Czyli byli tak nisko i głęboko. I znów drzwi, też obite skórą, ale już z kolcami, i ten drugi kluczyk ozdobny. Buchnęła na spotkanie marihuana z całą resztą już znaną, ale jakiś nowy zapach doszedł i to mogła być krew, ale najpierw mgła i utopiona w niej muzyka.

– Co tu robi Schubert?

– A skąd ty wiesz, że Schubert?

– Kwintet smyczkowy C-dur.

– Co robi? Rozmawia ze śmiercią, z najgłębszą tajemnicą i się, kurwa, nie odzywaj.

– Ale co to ma wspólnego z tym?

Pokazała przypiętych łańcuchami, ukrzyżowanych twarzami do ściany, zakrwawionych, wypiętych na czworakach albo w łuk, w koronie z drutu kolczastego albo cierni.

– Wszystko ma. On to poprawiał już w agonii, parę godzin przed śmiercią, umierało mu ciało, płonął mózg. Do resztki ręki, zżartej przez syfilis, przywiązano mu ołówek. Do ostatniego oddechu wgryzał się w tajemnicę. Łapał się życia i oddawał śmierci. A ty morda w kubeł, prosiłem.

– Boże, Boże. – Odruchowo podniosła oczy w górę, do nieba, a tam wisiał na kilku hakach wbitych pod skórę wychudzony, żywy szkielet.

A tutaj adagio, piękne, kroczące dźwięki palcami pieściły mózg. Więc dreszcze i łzy w gardle. A skrzypce wspinały się do góry, jakby pokonywały kolejny próg niemożliwego, a za nimi podążała wiolonczela i połączyły się we wspólnym oddechu.

– Oj, niedobrze, bardzo niedobrze, jest źle, namierzyli nas – zasyczał Dżerzi.

Na długiej szyi ogromna, wygolona głowa zajrzała Maszy w oczy i przejechała po całym ciele w dół.

– Spieprzamy! – Dżerzi przyłożył zapalniczkę do plastikowej zasłony, zaskwierczało i buchnął ogień. A dym prawdziwy zaczął się mieszać ze sztucznym. – Pali się, pali! – wrzasnął piskliwie, zagłuszając Schuberta.

W VIP-owskim salonie zawirowało. Odpinano się i rozkuwano w pośpiechu. Zawieszony pod sufitem szkielet wołał o pomoc. Masa wrzeszczących ciał zmiotła ich ku górze po schodach, tunelem i jeszcze jakimś skrótem, byle w górę.

I te widma bardziej niż ludzie zlane krwią, w pieluchach albo bez, brzęcząc łańcuchami, wypełzały na jeszcze ciemny Manhattan, zachłystując się niespodziewanym powietrzem. Akurat zaczęły nadjeżdżać jeden za drugim wozy strażackie. I już nie było słychać żadnego Schuberta, tylko syreny.

Tak więc tłum wygnanych z raju rozglądał się, czy już dzień, czy jeszcze noc, trudno powiedzieć, bo sama noc też nie była pewna, czy się skończyła. I po chwili część większa, wstydliwie chowając twarze, uciekała do garniturów, wieczorowych sukni i limuzyn, a reszta podziemnych, ciągle całkiem nocnych i zaczadzonych, widząc strażaków młodych w długich gumowych płaszczach, czarno-żółtych, które też wyglądały na kostiumy, popełzła w ich stronę z uwodzicielskimi uśmiechami. I jeden młody strażak jęknął na ten widok: – O Boże!

Masza szła albo biegła w stronę rzeki po pustych ulicach i dogonił ją z krzykiem Dżerzi, niosąc ubrania:

– Nie w tę stronę!

A potem:

– Koniec lekcji pierwszej! Coś zrozumiałaś o ludziach wypełnionych po uszy duchem Bożym?

– Czyli że to jest wszystko o człowieku? Rozebrałeś tajemnicę? – Chciała go opluć, ale miała usta wysuszone, bez śliny, więc usiadła pod ścianą i wkładała dżinsy, albo raczej próbowała, odklejając te gumowe świństwa – kostiumy. Wtedy zahamował przy nich z piskiem czarny samochód i wyskoczyło dwóch policjantów w mundurach. Podnieśli go, skuli z tyłu kajdankami, zakneblowali taśmą i wrzucili do bagażnika. A jeden pochylił się nad nią i warknął:

– Wracaj do domu i morda na kłódkę, suko.

Szczęśliwie znalazła w dżinsach od Calvina Kleina właściwy proszek i wsunęła pod język. Pomyślała też: A może mnisi mieli rację, że nie chcieli obrazów Wrubla, który demonowi dał twarz pięknej kobiety, a niedługo potem zwariował. I zaczęła płakać.

W Hoboken

Oczywiście wszystko byłoby inaczej, gdyby Masza mogła przewidzieć, że już pół godziny później Dżerzi, wyprysznicowany, otulony puszystym białym szlafrokiem będzie popijał podwójne espresso w eleganckim saloniku dwupiętrowej willi w Hoboken. Popijał malutkimi łyczkami i z uprzejmym uśmiechem słuchał podziękowań Helen.

Hoboken to część New Jersey, położona tuż nad rzeką Hudson, jest stąd piękny widok na wieżowce środkowego i dolnego Manhattanu. A o Helen nie musimy zbyt wiele wiedzieć, jako że pojawi się w tej opowieści tylko na chwilę. Jest zadbana, szczupła i elegancka. Włosy ma w kolorze bizantyjskiego złota i ani jednej zmarszczki. Piętnaście lat temu skończyła business school na Harvardzie, pochodzi z bogatej rodziny, ma dom w Cape Cod i jest Dżerziemu wdzięczna.

– Naprawdę nie wiem, jak ci dziękować, że zgodziłeś się przetestować nasz rajd. Może jeszcze odrobinę espresso albo kieliszek armaniaku?

– Dla przyjaciół robi się wiele. Tak, espresso chętnie.

Właściwie nie było po nim widać zmęczenia, no może był tylko trochę bledszy i jego wspaniałe włosy jakby spłowiały. Za chwilę pokojówka wniosła jeszcze jedną malutką filiżankę na srebrnej tacy, odprowadził ją wzrokiem i odnotował, że ma rozpustne oczy, a nogi wystające spod króciutkiej sukienki są kształtne, mocne i opięte czarnymi pończochami.

– Przecież wiesz, że każda twoja sugestia jest dla nas bezcenna, staramy się spełniać wszystkie ludzkie marzenia.

– To bardzo pięknie. Zawsze wozicie przez Lincoln Tunnel, czy przez Holland nie byłoby bliżej?

– Próbujemy tego i tego, traffic w nocy i nad ranem nie jest już takim koszmarem, najtrudniej jest w czasie lunchu. Klienci od dawna dawali sygnały, że chcą być porywani, wrzucani do bagażnika, wywożeni za miasto i żeby dopiero tutaj, w obcej scenerii, odbywała się właściwa sesja. Myśmy zaczęli niedawno, ale ja całym sercem wierzę w ten projekt. Jesteśmy pierwsi na Manhattanie, włożyłam w to wszystkie pieniądze i musiałam przekonać kilku inwestorów, ale wykazali wiele zrozumienia.

– A ceny?

– Och, to zależy od zestawu. Zestaw pełny, to znaczy policjanci…

– Ci policjanci to trochę ryzykowne… – zauważył Dżerzi.

– Wiem, wiem, ale kilku ważnych klientów się upierało. No więc policjanci, kneblowanie, skuwanie, bagażnik – dwa tysiące dolarów. Skuwanie i kneblowanie bez policjantów – tysiąc. Kneblowanie i policjanci bez skuwania – tysiąc sześćset plus oczywiście napiwek. Na miejscu ceny są standardowe. Gdybyś zechciał wspomnieć przyjaciołom…

Greenwich w stanie Connecticut, czterdzieści pięć minut od Nowego Jorku samochodem.

Późny wieczór

Długa czarna limuzyna, a w niej trójka pasażerów i kierowca odgrodzony nieprzezroczystą szybką. Ubrany przepisowo: czarny garnitur, krawat, biała koszula, obowiązkowa czapka ze sztywnym daszkiem i ciemne okulary. Jest dobrze zapłacony i w tej historii bez znaczenia. A w środku luksus, dużo miejsca, siedzenia koło siebie i naprzeciw, lodóweczka, barek, telewizor, magazyny, w ogóle wszystko, co konieczne. Tam siedzą ci, co powinni, czyli Masza, Max Burner i Dżerzi.

Max Burner to typowy nowojorski intelektualista, niewysoki, okulary, ubrany według przepisów: sztruksowa marynarka, dżinsy, miękkie buty, koszula ze sklepu Monaco, a może Banana Republic. Ma koło czterdziestki, niedawno spytał Dżerziego, czy nie ma nic przeciwko temu, że w swoim résumé poda, że wykonywał dla niego prace literackie. Dżerzi wpadł w furię. Boi się – Max to odnotował, a Dżerzi kazał mu natychmiast napisać i podpisać te kłamstwa, że cała jego praca dla niego ograniczała się do korekty i redagowania. Fuck him – podpisał. Bardzo potrzebuje pieniędzy, jego tomik wierszy przepadł, a eseje o Nabokovie też się nie sprzedały. Nienawidzi Dżerziego i go podziwia... Jakim cudem wspiął się tak wysoko, pisząc tak, jak pisze. Jeszcze *Malowany ptak*, OK. *Wystarczy być* – książeczka najwyżej sto stron, ale ma jakiś pomysł. A ta cała reszta? To sadystyczne gówno. Każde pisane innym stylem, który zależał od tego, kto w tym czasie robił „korekty i redagował". Cha, cha. Teraz nawet ci idioci krytycy zaszantażowani holocaustową poprawnością zaczynają nieśmiało kręcić nosem. Pierdolony nowy Joseph Conrad. Ale on musi mieć w sobie coś magicznego, no bo przyjechał, jak miał dwadzieścia cztery lata, dwadzieścia cztery. Za chwilę wydaje dwie książki po angielsku, cha, cha. Ożenił się z wdową po bilionerze, jako nędzarz. Była starsza o siedemnaście lat, ale sexy. Popoznawała go z kim trzeba, ale nic mu nie zostawiła. Przed śmiercią spytała swojego adwokata, czy on naprawdę myśli, że Dżerzi sam pisze swoje książki. A potem elegancko umarła

I ten tłum kobiet, który rozkłada przed nim nogi, choćby ta Rosjanka, zjawisko po prostu, i już złowione, korzyści z pracy dla Dżeriego to dostęp do kobiet, do tych wszystkich fanek, studentek z Columbii, Yale czy The New School, które wpadają na erotyczne seanse. Wiadomo, mroczna sława – magnesik działa. A przecież jest od niego przystojniejszy. Kobiety to jedyna rzecz, której mu Dżerzi nie żałuje, wymienia się bez wahania, dziś pewnie też nie będzie źle, ale to jest upokarzające...

Masza jedzie i nie rozumie, dlaczego jedzie, i nie chce o tym myśleć. Cały zysk, że się czegoś o sobie dowiedziała. Ten profesor by dostał szału, a Klaus... Klaus by pewnie wybaczył... Zresztą tak naprawdę nie ma czego wybaczać. Kusi mnie ten zły duch, na pewno wyczuł moją słabość, to kusi. Źle robię, że jadę, a ten tu gada, że chce mnie pozbawić złudzeń. Takie właśnie otrzymał zadanie. Pozbawianie złudzeń to jak pozbawianie dziewictwa, u jednego trwa krótko, u mnie akurat długo. Jak on się z tej policji wyplątał, jakim prawem go puścili? Dał w łapę? A z dobrej rodziny, inteligent z pokolenia na pokolenie. Ojciec profesor – na uniwersytecie w Łodzi, matka koncertowa pianistka, uczyła się w moskiewskim konserwatorium. A może to taki zbędny człowiek Turgieniewa? Już ma wszystko, więc się nudzi i tyle.

Myśli o swojej matce, pogodzonej z tym, że małżeństwo to tak jak życie: ból, nieszczęście i ciężka praca. O ojcu – pijanym hydrauliku, co sobie wytatuował na ręku w poprawczaku „Pamiętaj słowa matki", „Pamiętaj, tuliły cię kraty".

Patrzy na Dżerziego i myśli, że nic a nic jej się w nim nie podoba, nawet zapach. A na zapachy jest wrażliwa. On akurat zapytał, czy nie jest głodna, i obiecał, że w zamku, do którego jadą, już szykują wspaniałą kolację, więc się zaczęła martwić, czy będzie się umiała zachować, żeby się nie ośmieszyć: dobrać widelce, widelczyki, noże, nożyki, kieliszki. Mój biedny papa do dzisiaj je wszystko, i zupę, i drugie swoją ulubioną łyżką. Popiła proszki whisky z lodem. On powiedział, że ma dla niej suknię wieczorową, szpilki i perfumy Chanel. Zobaczymy.

A Dżerzi wygląda przez okno, bo już dojeżdżają do Greenwich, skręcają z autostrady i jadą drogą boczną, najpierw przez miasteczko, a potem dookoła zaczynają się tłoczyć rezydencje bogaczy, i myśli o swojej matce, że tylko ona jedna z wszystkich kobiet go rozumiała.

Kiedy pisała w liście: synku ukochany, zrobiłam dla ciebie, ile mogłam, chciałam, żebyś był szczęśliwy tak bardzo, jak tylko matka może chcieć dla swojego dziecka, ale i tak miałeś przeklęte dzieciństwo, bo wiemy oboje, że historia jest zredukowana do tych, co zabijają, i do zabijanych. I to było nieludzkie, że będąc dzieckiem, przeszedłeś przez piekło samotnie, bez pomocy nas, rodziców.

Kochana mama to samotnie napisała rozstrzelonymi literami. Że rozumie, akceptuje jego wersję i wchodzi do gry. I napisała jeszcze, że teraz, synku, nadganiaj, baw się, fikaj kozły za ich pieniądze. Dosyć się nacierpiałeś, bądź szczęśliwy, masz prawo, pokonałeś złe duchy. Ty jesteś Julianem Sorelem Stendhala, któremu nie obcięto głowy, tylko ożenił się z Matyldą, Wielkim Gatsbym Fitzgeralda, którego nie zastrzelono, tylko odzyskał swoją Daisy, Lucjanem Chardon Balzaca, który nie powiesił się w celi, tylko odzyskał arystokratyczne nazwisko matki i został członkiem Akademii Francuskiej, Pieczorinem z *Bohatera naszych czasów* i Valmontem z *Niebezpiecznych związków*, którzy nie zginęli, ale ciągle żyją i bawią się kobietami. Bo po to my, kobiety, jesteśmy, pamiętaj synku o kobietach, one są najważniejsze, bo mają dużo czasu i się nudzą. Musisz mieć dużo kochanek bogatych, sławnych. Pamiętaj słowa matki: przystąpiłeś do gry bez grosza, ale twoim kapitałem jest, była i będzie inteligencja oraz przeszłość twoja i twojego narodu. Należy ci się, więc korzystaj, bujaj się na trapezie, fruwaj, tylko zawsze w porę łap drążek.

Biedna kochana mateczka, tak mało miała z jego sukcesu, tak bardzo jej się chciał odwdzięczyć, dawać jej wszystko, co mógł i czego się nauczył, rozkosz też.

Otrząsnął się, spojrzał na Maszę. Siedzi smutna i zdenerwowana. Może się martwi, że lojalność nie ma żadnej szansy ze zdradą, a dobro ze złem. Jeżeli jesteś dobry, to udawaj złego, choćby z wyrachowania, tak uczył Balzac, który dużo wiedział o świecie. Wygląda na to, że ta bogobojna Rosjanka też jest łatwą zdobyczą, tylko na co mu ona. No, ale dobrze, dobrze, może jakoś do pisania się przyda, a to chyba Norman Mailer radził, że jak się coś pisze, trzeba to opowiadać, powtarzać i sprawdzać reakcję. Czyli zaczynamy.

Dżerzi: W mieście niedużym grasuje wampir. Raz na miesiąc morduje kobietę. I jest takie kochające się małżeństwo z dwojgiem małych dzieci ślicznych. I żona zauważa, że zawsze pod koniec miesiąca ten mąż zaczyna się dziwnie zachowywać. Potem znika z domu na jedną noc i wtedy znajdują zamordowaną kobietę. Rozumiesz? W końcu jest już prawie pewna, że wampirem jest jej mąż. I co robi? No, Masza, powiedz, co ona robi.

Masza: Może ucieka?

Dżerzi: Niby gdzie? Ma dzieci, nie ma pieniędzy...

Masza: Coś musi zrobić – przecież żal jej tych kobiet, pewnie miały rodzinę i dzieci, i o siebie też się boi. To co? Policja?

Dżerzi: Jaka policja? Kiedy mąż zniknął z domu, ona się przebiera, a jak myślisz, jak się ona przebierze?

Masza: A co za różnica jak?

Dżerzi: A oczywiście, że jest różnica. Ogromna różnica, bo ona się przebiera tak, jak wyglądały wszystkie ofiary wampira, bo on miał swój ulubiony typ. Blond włosy, duży cyc, no, może być i mały, obcisła sukienka mini, obcas dziesięć centymetrów, kozaczki, ale do kolan. Rozumiesz? Kurwa, ale ze smakiem, ważne, żeby nie nosiła rajstop, gołe nogi są podniecające, i idzie tam, gdzie znaleziono ostatnią ofiarę.

Masza: Ale po co?

Dżerzi: Nie wiem, po co. Ona też nie wie, po co, wie tylko, że na pewno musi tam iść, jak myślisz, Max, po co?

Max (wciągając długą linijkę białego proszku, który pracowicie dzielił na kilka porcji): Żeby odkupić. Albo przeżyć coś ostatecznego. Nabrać pewności może. Bo generalnie człowiek lubi mieć pewność. Bo pewność, ogólnie rzecz biorąc, jest dużo lepsza niż niepewność. Co ty na to, Dżerzi?

Dżerzi (uśmiecha się ironicznie): To bardzo ciekawe. Max – wyjaśnia Maszy – skończył Harvard, jest pisarzem, a na boku robił korektę mojej ostatniej książki. No, to co ty na to, Max?

Max: Na co?

Dżerzi: Na wampira.

Max (wciągając drugą linijkę): Świetne, tandeta udająca głębię. Kierowcom ciężarówek i gospodyniom domowym z Iowa, czyli twoim najwierniejszym czytelnikom, powinno się spodobać. A dla krytyków zrób go jeszcze survivorem z Holocaustu. No wiesz, skrzywdzony jako dziecko, nie może zapomnieć, przebaczyć, mści się na świecie.

Dżerzi: Ty pieprzony Żydzie. Myślisz może, że to jest śmieszne?

Max: Myślę, że nie, ty pieprzony Żydzie. Chcesz trochę koki?

Dżerzi: Nie bądź za sprytny, nie pluj w swoje pieprzone gniazdo (Dżerzi wciąga jedną linijkę).

Max: Tak jest, ekscelencjo. – Uśmiecha się, proponuje

linijkę Maszy, która przecząco kręci głową, więc sam ją wciąga. – Jak mi nie pozwalasz palić przy pracy, to co ja mam z tego wszystkiego za przyjemność. Może powiesz w końcu, gdzie, po co i dlaczego tak daleko…

Dżerzi: Przygotowałem dla ciebie coś specjalnego, przyjacielu. Nie będziesz żałował.

Tymczasem limuzyna wjechała w długą aleję-tunel, który tworzą zrośnięte koronami wspaniałe stare drzewa. Minęła korty tenisowe, pole golfowe i zatrzymała się przed budowlą stylizowaną na osiemnastowieczny zamek.

Kierowca otworzył drzwiczki. Dżerzi zarzuca sobie na ramię dużą torbę podróżną, a Max gwiżdże z podziwu, no bo nieźle się zaczęło.

Dżerzi wydał kierowcy polecenia – tak, oczywiście, że będzie czekał. A dookoła noc, pełnia księżyca, coś jakby horror movie. Z niedaleka słychać zajadłe ujadanie psów. Dżerzi ruszył w tamtą stronę, a Masza pobiegła za nim, Max wzruszył ramionami i rozglądał się z aprobatą.

Kilkanaście metrów dalej w drewnianym pomieszczeniu – psiarni otoczonej metalową siatką – miotało się i zanosiło szczekaniem kilka groźnie wyglądających psów myśliwskich. Na widok Dżerziego z furią zaatakowały metalową siatkę.

A Dżerzi, zbliżając twarz do samej siatki, szepnął z nienawiścią:

– No co, pieski? No co? Chciałybyście pożreć Żyda, co? No, dalej, może się uda…

Psy rzuciły się na siatkę, niemal się dławiąc wściekłym szczekaniem. Aż nagle, jakby zahipnotyzowane, ucichły, położyły się na plecach, piszcząc przymilnie i domagając się pieszczot. Masza przyglądała się temu z niedowierzaniem. Diabeł, pomyślała, czy co?

Tymczasem zapaliły się światła na podjeździe i za chwilę kamerdyner w liberii wprowadził ich do zamku. A tam ogromny hol, kominki, posągi, wspaniałe dywany, ale na nagich marmurowych schodach odgłos kroków niósł się jak w kościele. Potem znów świeczniki i obrazy. Masza przystanęła.

Dżerzi: Co ty na to – pogardliwie – malarko?

Masza: Jongkind. Johan Barthold, bez niego w ogóle nie byłoby Moneta, te tutaj to są akwarele, ale on wolał akwarele. Matko Boska, a to Monet. W ogóle nie marzyłam, że się tego w życiu dotknę. Nikt, ale to nikt tak nie rozumiał morza, a to jest najlepszy Utrillo, ale to już musi być kopia… musi.

Dżerzi pokręcił głową: Tutaj nie ma kopii (ale teraz jakby trochę inaczej spojrzał na Maszę).

Dżerzi: Potrzebujemy paru minut (rzuca kamerdynerowi, skręcając do jednego z pokojów). Proszę powiedzieć, że za chwilę będziemy gotowi (zamyka drzwi).

Max: No to może powiesz wreszcie, o co chodzi.

Dżerzi: Ekskluzywne sex-party dla garstki ludzi, którzy trzęsą światem, rozbieramy się, ty w nagrodę idziesz pierwszy i wybierasz.

Max: Wiesz co, Dżerzi, jesteś łajdakiem, ale łajdakiem wielkim i za to cię kocham. – To mówi, rozbierając się. – Coś do jedzenia też chyba będzie? W brzuchu mi burczy.

Dżerzi: My z Maszą mamy jeszcze coś do załatwienia, ona jest trochę nieśmiała.

Max ściągnął już z siebie wszystko. Po namyśle zdjął

też okulary i włożył do kieszeni powieszonej na krześle marynarki. Był zupełnie goły.

Max: Mam nadzieję, że laseczki będą przyzwoite. To te duże drzwi?

Dżerzi: Aha. Te rzeźbione i okute.

Tak więc Max rusza korytarzem, otwiera ozdobne drzwi i z uwodzicielskim uśmiechem wchodzi do ogromnej komnaty. Tyle że to nie sex-party, ale bardzo elegancka kolacja siadana. Palą się świeczniki. Kelnerzy w liberiach. Panie na ogół starsze, w wyrafinowanych toaletach, błyszczy biżuteria, a panowie w smokingach. Max mruży oczy i dopiero po chwili rozumie, co jest grane. Osłaniając się dłońmi, cofa się i wpada na Dżerziego, który jest w smokingu, i na Maszę w długiej, wieczorowej sukni.

Max: Ty sukinsynie! – Kurczy się, syczy i wybiega.

Dżerzi: Proszę wybaczyć – uśmiecha się do zesztywniałych gości. – Chciałem państwu przedstawić, to Max Burner. PhD na Harvardzie. Autor książki o Dostojewskim i o wpływie Audena na Josifa Brodskiego. Odrobinę ekscentryczny. A to Masza Woronowa, malarka z Moskwy, niepokoi się, czy wasz Utrillo nie jest czasem kopią.

– Pani Masza ma rację – uśmiecha się B.J., siwowłosa, nobliwa właścicielka zamku. – To kopia. Oryginał jest w Luwrze.

Teraz zaczyna się wspaniała kolacja, ozdobny stół, a cała impreza to po prostu fund rising. Dżerzi zbiera pieniądze na polsko-żydowską fundację.

Dżerzi: Ja wiem, ja straciłem w Polsce między rokiem 1939 a 1945 sześćdziesięciu pięciu bliskich krewnych z rodziny Lewinkopfów. Ale to nie Polacy ich zamordowali. Oczywiście spotkałem się z podłością i zbrodnią także ze strony Polaków. Ale losy polskie i żydowskie są skomplikowane. Według Abrahama Heschela, dusza żydowska właśnie w Polsce osiągnęła pełnię. Nie możemy ciągle patrzyć w oczy śmierci i żyć Oświęcimiem. W końcu ja, moja rodzina, ojciec i matka, przeżyliśmy tylko dzięki wspaniałomyślności polskich chłopów.

Całe towarzystwo słucha go nieufnie. A Max, już ubrany, ale tylko w dżinsy i sweter, upija się szybko i ponuro.

B.J.: W swojej książce pisał pan coś innego.

Dżerzi: To prawda. A teraz mówię i myślę coś innego. Przecież pani świetnie wie, że Francuzi wydawali Niemcom o wiele więcej Żydów, niż Niemcy od nich wymagali. A w Polsce za ratowanie Żydów karano śmiercią. Jest taka podupadła, biedniuśka, dawniej żydowska dzielnica Krakowa, nazywa się Kazimierz, Stary Kazimierz, na cześć króla Kazimierza Wielkiego, który zaprosił Żydów do Polski. Tam prawie wszyscy zostali zamordowani w czasie Holocaustu, ale przetrwały biblioteki, tysiące książek hebrajskich – no, skarby żydowskiej kultury – świadectwa wspaniałej żydowskiej filozofii i humoru, który potem przeniósł się do Hollywood. Świadectwa gigantycznego wkładu kultury żydowskiej w europejską. Trzeba tę dzielnicę i bezcenne rzeczy ratować. Ale pani ma problem, bo pani nienawidzi Polaków.

B.J. (z rosnącą agresją, trochę jak w transie): A tak, nienawidzę, nienawidzę tego prymitywnego plemienia, które gwałciło żydowskie dzieci, a potem je zabijało albo wydawało Niemcom, które zbierało kobiety, dzieci i mężczyzn w stodole, a potem podpalało i z radością słuchało ich błagań o życie albo chociaż o szybką śmierć.

Dżerzi słucha tego niby z uwagą, ale nagle coś jakby puszcza oko do Maszy.

Diabeł, myśli Masza, on jest diabłem.

B.J. (z furią): Nienawidzę tych, którzy robili pogromy i denuncjowali swoich przyjaciół i sąsiadów. Byli gorliwymi pomocnikami kata.

I urywa nagle, jakby się przebudziła z hipnozy. Zakłopotana otrząsa się i zupełnie innym głosem dodaje:

B.J.: Boże, co się ze mną stało? Ja wcale tak nie myślę, ja nigdy w życiu tak nie mówiłam. Nie rozumiem, przepraszam, ja, oczywiście, jestem gotowa wesprzeć tę fundację.

Max wybucha nagle śmiechem. Wszyscy patrzą na niego zdegustowani.

Nieprzyjemna praca
(dzień, wnętrze)

Sala wykładowa na uniwersytecie w Yale. Dżerzi i dwudziestu paru studentów, głównie dziewczęta. Postrzępione dżinsy i prawdziwe perły. Sprane T-shirty i nagle złoty rolex.

– Chcecie być pisarzami – mówi Dżerzi. – No cóż. To praca nieprzyjemna i dla was, i jeszcze częściej dla tych, którzy was czytają. Nie liczcie na współczucie, kiedy będziecie sobie wyrywali serca i wnętrzności, najprawdopodobniej was wyśmieją. A jeżeli przypadkiem jakoś ich zahaczycie, będą was chcieli kupić, i to będzie początek końca. Podsuną cyrograf. Diabeł w naszych czasach siedzi sobie za biurkiem i kupuje dusze, żeby je potem z zyskiem odsprzedać. Naszą jedyną bronią jest słowo. Pamiętajcie, że na początku było słowo. Słowo to piękna rzecz. Ma zapach, kolor i smak. Nie kłamie, nawet jeżeli intencją piszącego jest kłamstwo. Inaczej smakuje słowo Prousta, inaczej Tołstoja, inaczej zimne jak lód słowo Kafki. Pewien pisarz powiedział, że może opisać pranie białej bielizny, a zabrzmi to jak słowo Juliusza Cezara.

Dżerzi urywa na bardzo długą chwilę. Gęsta cisza. Studenci patrzą na siebie niepewnie, a Dżerzi się uśmiecha.

– Chyba starczy, to była kropka. Izaak Babel, genialny pisarz rosyjski pochodzenia żydowskiego, zamordowany na rozkaz Stalina, znał jej siłę. Napisał, że żaden sztylet nie wchodzi tak głęboko i brutalnie w ciało, jak dobrze postawiona kropka. Poczuliście ją? Stawiam kropkę. Koniec wykładu.

Otacza go kilkunastu studentów, prosząc o autografy. Jest wśród nich Daniel, ten młody dziennikarz, nasz znajomy z Russian Tea Room. Staje w kolejce, za chwilę podsuwa do podpisu *Kroki*. Dżerzi podpisuje mechanicznie.

– Świetna książka, nie wiem, czy mnie pan pamięta? – zaczyna Daniel.

– Oczywiście. Świetnie pana pamiętam. A skąd mam pana pamiętać?

– W Russian Tea Room… Był pan z Jody, a ja się przysiadłem.

– A tak, pisarz i dziennikarz, czytałem pana książkę, bardzo interesująca.

– Którą książkę?

– A skąd ja mogę wiedzieć i niech pan nigdy nie zadaje takich pytań. Myślałem, że pan jest poważnym człowiekiem. Przepraszam, ale muszę pracować.

Wraca do podpisywania, ale Daniel czeka. Kiedy studenci się rozchodzą, siada przy nim na krześle.

– Ja jestem teraz z Jody.

– Gratuluję. – Dżerzi przygląda mu się po raz pierwszy uważnie. – Wspaniała kobieta, co u niej słychać?

– Wszystko w porządku, chcemy napisać o panu.

– My? To znaczy kto? Pan i Jody?

– Nie. Jody nie chciała. Parę osób, sami mężczyźni.

– Szkoda, kobiety się bardziej przykładają.

– My też się przyłożymy, obiecuję, to będzie duży artykuł. Pewnie cover story.

– Dla kogo?

– Jeszcze się nie zdecydowaliśmy. Mamy propozycje z kilku pism. Z zamieszczeniem nie będzie problemów. Pan jest przecież taki sławny.

– Dziękuję.

– Będzie troszkę inny niż ten w „New York Timesie”.

– Mam nadzieję.

– Znaleźliśmy człowieka, który twierdzi, że napisał po angielsku *Malowanego ptaka*.

– Gratuluję. Tylko jednego? Ja słyszałem o kilku.

– My też – śmieje się Daniel, ale wzrok ma zimny. – Ten brzmiał dość poważnie. To Polak. Mieszka na Florydzie. Nazywa się Jordan i coś tam jeszcze.

– Tak, znam go, oczywiście.

– Powiedział, że bez problemu zgodził się nie umieszczać swojego nazwiska jako tłumacza, bo mu się książka wydała tandetna. Za tłumaczenie dostał od pana trzysta dolarów.

– Niedużo, co? Ale jak mu się książka nie podobała…

– Wczoraj rozmawialiśmy z Maksem Burnerem. To pana redaktor. Jeden z pana redaktorów. Tak pan ich nazywa… redaktorów… prawda.

– Tak ich rzeczywiście nazywam i tym oni są.

– Nie uwierzy pan, co nam naopowiadał, jak wygląda ta „redaktorska" praca dla pana. Że on siedzi przy biurku, a pan chodzi po pokoju i gada. Na przykład mówi pan, że żona się orientuje, że jej mąż jest wampirem, i razem jedzą kolację. A potem rozkazuje pan Wernerowi: „Zrób mi z tego scenę psychologiczną". Cha, cha, cha.

– Tak mówił? No proszę, ma talent bajkopisarza.

– Pan też nazywał siebie bajkopisarzem.

– Każdy pisarz jest bajkopisarzem.

– Pan świetnie czuje bajkę, genialnie pan zapisał te swoje strachy jako chłopca małego w tym potwornym słowiańskim świecie „parujących bagien, nadlatują jakieś zmory, przemykają wilkołaki, cmentarne upiory, z drzew zwisają wiedźmy". Widzi pan, umiem to prawie na pamięć.

– Pamięta pan to lepiej ode mnie.

– Czytałem dzisiaj w pociągu. Ciekawe, bo w książce Biegeleisena, chyba *Lecznictwo ludu polskiego*, znalazłem taki sam opis. Czytał pan może?

– Oczywiście, i co z tego?

– Burner opowiadał, że przynosi pan jakieś kawałki na kartkach, łamanym angielskim albo po polsku, trochę po rosyjsku, i mu każe to zamieniać na literaturę. Potem te swoje karteczki pan drze, żeby śladu, broń Boże, nie zostawić. A jego przed wyjściem pan rewiduje, żeby żadnego kawałeczka nie wyniósł, rewiduje. Tak powiedział. Praca osiem godzin dziennie, źle pan karmi i mało płaci.

– Obóz koncentracyjny po prostu.

– Zabawne. To jest dokładnie to, co on powiedział. Obóz koncentracyjny. Cha, cha, cha. Oczywiście nikt w to nie wierzy…

– Ale z uczciwości dziennikarskiej to napiszecie.

– Nie mamy wyjścia. Ale chcemy mieć pana komentarz. Także co do okoliczności pana przyjazdu do USA. Tych dwóch pierwszych książek o Rosji – non-fiction. Czy rzeczywiście pisał pan pod dyktando CIA? I jeszcze parę słów o tym polskim bestsellerze zadziwiająco podobnym do *Wystarczy być*.

Dżerzi się podnosi. Daniel też. Stoją naprzeciw siebie. Po chwili Dżerzi pyta:

– Czy pana kiedyś wrzucono do szamba, ale tak, żeby się pan napił?

– Nie. Ale co to ma wspólnego? I jeszcze jedno. Czy rzeczywiście pana ojciec był profesorem, a matka koncertową pianistką, która skończyła konserwatorium w Moskwie? Bo według naszych informacji pana ojciec pracował w „szmata-biznes", a matka nigdy w Rosji nie była. Trochę grała po amatorsku i o żadnych koncertach nie było mowy.

– A wdepnął pan kiedyś bosą nogą w gówno, ludzkie gówno? Albo w nie włożył rękę?

– Nie przypominam sobie.

– To bardzo długo bardzo śmierdzi. Żeby o mnie pisać, musiałby pan to poczuć. Do widzenia, było miło pana spotkać.

– Zgłosimy się jeszcze do pana. To był świetny wykład.

– Cieszę się, miło, że się pan pofatygował do Yale.

– Przecież powiedziałem, że się przykładamy. A przy okazji, pana słowo nie ma ani zapachu, ani koloru, ani smaku, i życzę miłego dnia.

Znaki ostrzegawcze

Dżerzi lekceważył znaki ostrzegawcze, tak jak ludzie lekceważą niewyraźny dym czy daleką katastrofę. A znaki były, i to było ich sporo.

Najpierw młodziutki pisarz z Los Angeles przepisał na maszynie dwadzieścia stron z powieści *Kroki*, za którą Dżerzi dostał National Book Award. Podpisał maszynopis swoim nazwiskiem i rozesłał do kilkunastu agentów literackich i wydawnictw. Także tego, które *Kroki* wydało. Wszyscy to odrzucili, niektórzy doradzając autorowi, żeby dał sobie spokój z pisaniem. Sprawa się zrobiła głośna, a Dżerzi, mocno zakłopotany, tłumaczył się, że nie sposób docenić wartości książki na podstawie dwudziestu stron.

Ale ten pisarz z LA odczekał i po dwóch latach wszystko powtórzył, ale tym razem przepisał nie dwadzieścia stron, ale całą książkę. I wszystko się powtórzyło.

To był rok 1982, ja akurat przyjechałem do Ameryki i przeczytałem o tej historii w „Time Magazine", artykuł pod tytułem *Polish Joke*.

Pisarze amerykańscy mieli niezłą zabawę, a Dżerzi znów się tłumaczył. Wcześniej, kiedy banda Mansona zamordowała Sharon Tate, Dżerzi ogłosił, że on też miał być ofiarą i ocalał przez przypadek. Był zaproszony na ten wieczór do rezydencji Polańskiego w Belle Air i nie pojechał tylko dlatego, że właśnie przyleciał z Europy i na lotnisku JFK zrobiono jakąś omyłkę z bagażem, i postanowił w Nowym Jorku przenocować. A Polański oświadczył, że to brednie, bo Sharon Dżerziego nie znosiła i nigdy by go do siebie nie zaprosiła. Takich historii przybywało i przybywało…

Jestem zmęczony...
(wieczór, wnętrze)

Pracownia Dżerziego. Dzwonek do drzwi na ulicy. Dżerzi podnosi domofon. To Harris. Naciska przycisk, więc za chwilę znów dzwonek. Teraz do drzwi. Dżerzi otwiera, podpierając się białą laską. Ma zamknięte oczy.

– Przestań się wygłupiać – krzywi się Harris.

– Ja już się napatrzyłem – mówi, nie otwierając oczu. – Świetnie wyglądasz.

– Márquez. Otwórz oczy.

– Co Márquez?

– Márquez dostanie Nobla.

– Na pewno?

– Na pewno.

– A to dobrze. To wielki pisarz. O niebo lepszy ode mnie.

– Może ty chory jesteś?

– Masz jeszcze coś?

– Odłóż tę idiotyczną laskę i otwórz oczy.

– Gorzej widzę, przyzwyczajam się do ślepoty – mówi, ale odkłada laskę i otwiera oczy. – Wiesz, że w Polsce spędzałem pół życia w ciemni, fotograficznej ciemni, to była też metaforyczna ciemnia, ale wzrok mam do dupy.

– Wiem, pisałeś o tym dziesięć razy.

– Kiepsko wyglądasz. Masz jeszcze coś?

– Mam jeszcze coś. – Harris niechętnie kiwa głową.

– No…

– Nieprzyjemnego.

– OK, dawaj.

– Coś się koło ciebie dzieje. Niedobrego.

– Całe życie.

– Dziennikarze dzwonią do wydawców, do mnie. Zadają mnóstwo pytań.

– No to odpowiadaj. Wiedziałem, że to się kiedyś zacznie. Właściwie nigdy się nie skończyło. Tylko się Bóg na chwilę zagapił. Coś jeszcze?

– Steven się wycofał…

– No, to chyba nie jest tragedia.

– Z tobą jest coś źle. On się wycofał. Jego asystent

zostawił wiadomość, że odwołują twój występ u niego w show. Dzwoniłem dziesięć razy. Nie oddzwonił.

– A Márquez to wielki pisarz.

– Wielki, niewielki, chodzi o to, że postępowy. Borges nie jest gorszy, a nic nie dostanie, bo reakcyjny. A ty też jesteś teraz konserwatystą, reaganistą. Trzeba coś zrobić. Zadzwoń do Stevena. On o tobie dobrze pisał. Przyjaźniliście się.

– Jestem zmęczony.

– Czym? Przecież nic teraz nie robisz.

– Byciem sobą jestem zmęczony, zamęczony nawet.

Dzwoni telefon. Dżerzi przyjmuje.

– A, to ty, Maszeńka – uśmiecha się pierwszy raz. – Pewnie, że się cieszę. Dobrze. Za pół godziny.

– Słuchaj, idioto!…

– Wychodzę.

– Nie zapomnij laski.

– Nie martw się, nie dadzą mi rady. Za późno zaczęli.

Retro 5
(plener, dzień)

Łąka, niebieskie niebo koniecznie, skowronki, a może bociany na gnieździe, zboże, czyli kłosy złote, pejzaż słodki. Właściwie przesłodzony. Dwunastoletnia śliczna dziewczynka, ta sama, która czerpała wodę ze studni, biegnie w wysokim zbożu, trzymając za rękę Jurka. Pada wśród kłosów, ściąga błyskawicznie sukienkę, nic pod nią nie ma, przyciąga twarz chłopca do swojego nagiego ciała. Przez chwilę leżą przytuleni. Chłopiec patrzy na nią zakochanym wzrokiem.

Dziewczyna: Całuj od samego dołu – rozkazuje.

Więc chłopiec całuje niezdarnie jej stopy, nogi, zagłębienie pod kolanami, potem uda. Dziewczynka popędza go uderzeniami w plecy. – Dalej, jazda, dalej. – Chłopiec dociera do gorącego pulsującego pagórka. Dziewczynka przyciska tak mocno jego twarz, że chłopiec traci oddech. A ona wygina się w łuk i z krzykiem ulgi opada. Po chwili rozpina mu spodnie, zrywa kłos i zaczyna nim drażnić ciało chłopca.

W czasie tej akcji głos Dżerziego z offu:

– Chciała zrobić ze mnie mężczyznę, wkładała mi do środka kutasa słomkę. To bolało, a on się rozrósł. I się zrobił wielki i obojętny. Mogę to teraz robić godzinami, bez przyjemności, tak, Maszeńko, dając rozkosz innym. Dla mnie liczy się tylko seks psychiczny, okrutny i szczery. Myślę, że kochałem tę dziewczynkę, ale przegrałem z konkurencją, jej ojciec znalazł dla niej innego kochanka.

Stajnia jest stara, powykrzywiana, z nadgniłym dachem. Chłopiec przygląda się, jak ojciec wprowadza do niej półnagą córeczkę i potężnego czarnego kozła. Tego samego, który go wcześniej atakował przed mszą. Może już wtedy był zazdrosny i wyczuwał w nim rywala. Chłopiec wdrapuje się po drabinie na dach. Przez dziurę widzi, jak ojciec drażni gałązką genitalia kozła, a dziewczynka zdejmuje sukienczynę i wsuwa się pod niego. W oczach chłopca błyszczą łzy.

Czarny pies

Dżerzi (off): To łzy. W Polsce się na wódkę mówi „łzy wdowy". Ładne, co?

Masza i Dżerzi siedzą przy barze w knajpie, całkiem eleganckiej, chociaż w East Village. Masza połyka proszki na serce, popijając je whisky, a Dżerzi też coś łyka.

– Wiem, że to wymyśliłeś. – Masza nie czuje się dobrze, prawie nie spała, budziła się spocona w środku nocy, zmieniała T-shirt i podkoszulek. – Wymyśliłeś z tym kozłem, kutasem i dziewczynką. Tak jak z tamtą w szpitalu. Tą Anitą. Umierającą.

– Nie, chyba nie. Szczerze mówiąc, nie za bardzo pamiętam, a co za różnica? Ale ty masz łzy w oczach. Wiesz, co ja straciłem, wyjeżdżając z Polski? Płacz. Umiejętność płaczu... Płacz został w Polsce. W Łodzi, z rodzicami, cmentarzami. Ja nie umiem płakać po angielsku. W Nowym Jorku czuję, że na przykład cierpię, ale nie umiem tego przetłumaczyć na łzy. Jak ty pięknie płaczesz. Zazdroszczę ci.

Masza wybucha śmiechem.

– Bardzo dobrze. Śmiejesz się, zamiast współczuć. Nareszcie. Nienawidzę współczucia.

Zza baru wychyla się na chwilę pysk czarnego psa, patrzy na Dżerziego i szybko się chowa.

– Co? Czego? Współczucia nienawidzisz? Przecież ty cały czas żebrzesz o współczucie, bez współczucia to akurat ciebie nie ma. Puste miejsce.

– Przesada. Żyję, i to dobrowolnie.

– Może i żyjesz, ale ogłuchłeś. Ja byłam wczoraj w Central Parku, przyłożyłam ucho do ziemi, ziemia tu jęczy tak samo jak w Moskwie, jak przyłożysz ucho na placu Czerwonym, to jęczy Lenin, wyje Stalin, ja słyszę, a ty już nie słyszysz. Ja słyszę, o czym myśli ten koń z dorożką na ulicy, mogę ci powiedzieć… (znów się śmieje, ale przez łzy, i wstaje).

– Idę się wyrzygać.

A barman podaje Dżerziemu słuchawkę.

– Telefon do pana.

I Dżerzi słyszy:

– Co, kochany, ciągle pracujesz nad tą Rosjaneczką, po co, kochany, po co, siłę zła chcesz sprawdzić? Duża jest. Dorwałeś nowego słuchacza, co jeszcze nie zna twojego całego repertuaru, a warto tak się męczyć! A tu się chmury zbierają, chmurzyska po prostu.

Dżerzi patrzy przez okno na ulicę, proszki zaczynają działać. Widzi mężczyznę, który rozmawia przez telefon, to znaczy uliczny automat. Po chwili jest już pewien, że to ten człowiek z nim rozmawia, i wykrzywia się szyderczo. Kładzie słuchawkę na barze i roztrącając ludzi, wybiega. Podbiega do faceta przy automacie. Łapie go za gardło, a tamten przerażony wyciąga szybko portfel i mu oddaje.

– Proszę, proszę. Nic mi nie rób. Proszę – błaga z silnym akcentem francuskim.

To nie ten głos i nie ten człowiek, więc Dżerzi oddaje portfel.

– Przepraszam. To ten mój pieprzony mózg. Przepraszam.

Poprawia mu koszulę i marynarkę. Ale mężczyzna jest ciągle w szoku.

– OK, OK. W porządku – mówi drżącym głosem. – Nic nie szkodzi. – Bierze portfel i rzuca się do ucieczki. Po kilkunastu krokach ogląda się i oddycha z ulgą, bo nikt go nie goni. – Pieprzony Nowy Jork! – krzyczy.

Toaleta w tej knajpie jest duża i nawet przyzwoita. Lustra, umywalki, trzy kabiny. Masza kończy wymiotować. Kiedy myje twarz, wchodzi Jody i podaje jej papierowy ręcznik.

– Ty przyszłaś z Dżerzim?

– Tak.

– Uciekaj!

– Co?

– Pryskaj stąd! Tu jest wyjście przez kuchnię.

– Bo co?

– Zabierał cię do szpitala i czytał chorym swoje koszmary?

– Tak.

– Mówił, że chce, żebyś poczuła zło?

– Tak.

– Zabierał cię do tych kazamatów gestapo, mówił, że miłość to agresja, opowiadał o dziewczynie i koźle?

– Opowiadał.

– Prosił, żebyś go ukarała za świństwa, kłamstwa, prosił, żebyś go biła?

– Nie. – Masza kręci przecząco głową.

– To może masz jeszcze szansę, uciekaj. Wyrzygaj się do końca i uciekaj. Czekam na ulicy.

Jody wychodzi, a Masza słabnie, wyciąga nitroglicerynę, wkłada pod język. Wchodzi do kabiny, siada na sedesie.

A Dżerzi tymczasem wrócił do baru. Maszy ciągle nie ma, ale wchodzi gwiazda TV Steven. Widząc Dżerziego, waha się przez moment, ale po namyśle uśmiecha się i siada obok przy barze. Barman wita go szczęśliwym uśmiechem i nalewa to, co zawsze.

– To ja, poznajesz mnie? – mówi Dżerzi.

– Miło cię zobaczyć. – Steven uśmiecha się z wysiłkiem.

– Miło ci? Cha, cha, wyrzuciłeś mnie ze swojego show. Ty też na mnie polujesz?

– Porozmawiajmy.

– Porozmawiajmy. Jest okazja, żeby z tobą porozmawiać, dzwoniłem, nie oddzwoniłeś.

– Porozmawiajmy. W przyszłym tygodniu ukaże się artykuł o tobie.

– Może twój?

– Nie, nie mój.

– I co dalej?

– Paskudny artykuł. Dlaczego nie chciałeś się spotkać z tymi dwoma facetami?

– Chciałem się spotkać.

– Powiedziałeś, że się spotkasz, ale w towarzystwie psychologa, który bada reakcje ofiar Holocaustu w sytuacjach stresowych. To było dość paskudne.

– Wyśmiali mnie.

– To też było dość paskudne.

– Zgadza się. – Kiwa na barmana, który napełnia szklanki i wykonuje na jego cześć kilka ewolucji butelką. Steven uśmiecha się do niego raczej niż do Dżerziego.

– Dużo dziś pijesz – mówi.

– A dużo dziś piję. Dziwne, co?

– Dżerzi, powiedz prawdę.

– Ho, ho, prawdę... I ty to mówisz, człowiek inteligentny.

– Po co powtarzałeś tyle razy te bzdury, że komuniści wypuścili cię z Polski tylko dlatego, że sfałszowałeś listy czterech profesorów do policji?

– A tak nie było?

– Nie. Sprawdzili to. Wyjechałeś normalnie, na stypendium, po prostu dostałeś paszport. Twój wuj w Ameryce wpłacił pięćset dolarów na twoje konto i dostałeś wizę.

– A co za różnica?

– Nie pieprz głupot, Dżerzi. Po co gadałeś i mnie, i w pięćdziesięciu wywiadach, i ostatnio w „New York Timesie", że miałeś w kieszeni cyjanek, na wypadek gdyby cię złapano? Bo zdecydowałeś, że jeśli nie żywy, to martwy uciekniesz z Polski.

– I co to ma za pieprzone znaczenie, jak wyjechałem? Zresztą to był mój gest w waszą stronę. Nie rozumiesz? Wasz amerykański wieloryb mnie, chudego, głodnego Żyda, połknął, przetrawił i wypluł, nafaszerowanego waszą pieprzoną energią. Chciałem się odwdzięczyć. A zresztą może miałem cyjanek?

– Nie, Dżerzi. Nie miałeś.

– A może mam przez cały czas w kieszeni.

– To pokaż.

– Proszę bardzo. – Wyciąga pudełeczko z białym proszkiem. – Chcesz spróbować?

– Odpieprz się. Dlaczego w Ameryce twierdziłeś przez pięć lat, że nie jesteś Żydem?

– A ty byłeś kiedyś Żydem? To proste, ze strachu. Chcieliście mi koniecznie przykleić żółtą gwiazdę. Ukrywałem się.

– Po co?

– Ojciec mi kazał.

– Przestań pieprzyć.

– Ja nie pieprzę. Na jakiś czas uwierzyłem, że nie jestem Żydem. Twoi koledzy próbowali mnie przekonać, że pracowałem dla CIA i KGB.

– Ci faceci znaleźli twoje podanie do USIA, podanie o pracę...

– Agencja Informacyjna Stanów Zjednoczonych to nie dokładnie to samo co KGB, to nawet nie to samo co CIA.

– Ale przyznasz, że blisko.

– Ale nie przyjęli mnie.

– To prawda, bo nie mieli do ciebie zaufania. Ale mogli ci pomóc wydawać książki.

– Ale nie pomogli.

– Tego nie wiem. Na cholerę dałeś ogłoszenie do gazet, że szukasz tłumacza, a w parę miesięcy później wyszła po angielsku twoja książka?

– Bałem się, że nie dam rady napisać po angielsku. Potem postanowiłem spróbować.

– Dlaczego się uparłeś, żeby pisać po angielsku? Tylko nie powtarzaj tych bredni, że chciałeś się oderwać od presji kulturowej twojego języka i pisać bez hamulców.

– A to jest akurat prawda.

– Twoi koledzy przysięgają, że im mówiłeś, że robisz

to tylko po to, żeby cię traktowano poważnie, bo w Ameryce musisz pisać po angielsku.

– A to też prawda. Przesłuchujesz mnie?

– Rozmawiamy. Sam chciałeś. Wynajmowałeś amerykańskich pisarzy, żeby ci pomagali.

– Owszem, potrzebowałem redakcji.

– A oni twierdzą, że pisali za ciebie.

– Aha, więc to oni napisali moje książki. Zdolni ludzie. Dlaczego nie napisali swoich?

– No, nie wszyscy mówią, że za ciebie pisali.

– To ilu?

– Powiedzmy dwóch, no, może jeden. Reszta mówi, że owszem, robili poprawki, ale książki są twoje.

– A to wspaniałomyślne.

– Ale poprawiali twój angielski?

– No i co z tego?

– Dlaczego powiedziałeś tym dziennikarzom, że każde słowo, kropka i przecinek w twoich tekstach są twoje? I tylko twoje? To było idiotyczne.

– Bo mnie wkurwili. Dawno nie byłem przesłuchiwany.

– Tego się nie da obronić.

– Nie da.

– Znaleźli faceta, który twierdzi, że przetłumaczył *Malowanego ptaka* i dostał za to trzysta dolarów.

– Cha, cha! A nie spytasz, jak to było z *Wystarczy być*, którą zerżnąłem?

– Wiem, że cię z tego ostatnio, jak by tu powiedzieć, trochę uniewinniono. Oj, Dżerzi, Dżerzi, coś ty narobił.

Wypijają.

– Mogę się ciebie o coś spytać? – uśmiechnął się Dżerzi.

Steven kiwa głową.

– Wierzysz w Boga?

– Wierzę.

– Jak myślisz, gdzie był Bóg, kiedy…

– Ja wiem, Dżerzi… Ale błagam, nie zaczynaj. Masz rację… Ale nie zaczynaj, bo nie o tym rozmawiamy.

– OK. Nie widziałeś Maszy?

– Kogo?

– Mniejsza z tym. Dobranoc, Steven. Ważne, żebyś miał czyste sumienie. A przecież masz. Prawda? No, nie mów, przyjacielu, że nie masz.

– Właściwie mogliśmy o tym porozmawiać przed kamerą.

– Ale nie możemy. Bo mnie wykreśliłeś. Prawda, Steven? Wiesz, ilu ludzi się z tego cieszy? Ja zapraszam. – Kładzie pieniądze na blacie. – Dobranoc. – Wstaje i odchodzi.

Steven patrzy za nim, zagryza wargi, ale barman podaje mu nowego drinka i stuka w bar.

– Na koszt firmy – mówi.

Steven wypija i tyle. A Dżerzi wchodzi do toalety, damskiej. Dwie są puste, trzecia zamknięta. Wali w drzwi, które w końcu ustępują.

Masza siedzi na sedesie, ale ubrana. Może śpi, a może zemdlała? Dżerzi moczy papierowy ręcznik i przeciera delikatnie jej twarz. Masza otwiera oczy.

Skoczek

Czyli Masza nie uciekła i teraz idą przez East Village. Masza czuje się lepiej, co nie znaczy dobrze, oddycha ciężko, ale oddycha. W końcu, myśli, nie oczekujmy od serca za dużo. Skręcają na Saint Mark's Place, potem w Ósmą ulicę, która, przecinając Pierwszą i Drugą Aleję, prowadzi prosto do Tompkins Square Park, potem do Alphabet City, czyli Aleje A, B, C i D, to jest tak zwany housing project, czyli kilkanaście budynków, które w porywie serca, jaki i w Nowym Jorku czasem się zdarza, miasto wybudowało i ofiarowało najbiedniejszym. No i Alphabet City stało się szybko centrum prostytucji i narkomanii. Ale to dalej, na razie jest Ósma ulica między Trzecią i Drugą Aleją, czyli samo serce East Village. Już ciemność, ale przejrzysta, zbierająca światło z zatłoczonej samochodami jezdni, z latarni, pizzerii, sushi barów. W jasnych oknach tkwią przylepione do szyb twarze starych samotnych ludzi, którzy wolą to od telewizji. A z ogromnych wystaw lalki człekokształtne i całkiem ludzkie manekiny. Ubrane na wieczór w perukach długich, białych, czarnych i złotych, przyciętych krótko albo opadających w lokach na ramiona. Krwawe usta, polakierowane paznokcie i tatuaże. Półnagie, zaplątane w łańcuchy, naszpikowane gwoździami, w T-shirtach, groźne albo wyrafinowane, rozmarzone w kreacjach z osiemnastowiecznego Wersalu. Podświetlone z góry, z dołu i z boku blade i wychudłe albo tryskające podejrzanym zdrowiem. I ten tłum fałszywy na wystawach nie tak znów bardzo różni się od żywego, ulicznego kłębowiska, w którym wymieszane są ofiary i drapieżnicy, niezdolni pisarze, poeci, malarze, stare Żydówki w perukach, blade prostytutki patrzące błagalnie na czarnych sprzedawców cracku. Bokiem pomykają niepewni – wolno fotografować czy nie – turyści z Tokio i kroczą czarni dostawcy dragów, zalewający ulice rapem z ghetto blaster, czyli odbiorników wielkości dużej walizki. Dalej na lewo w Café Veniros zagryzają espresso babeczkami truskawkowymi włoscy mafiosi. Są wystylizowani na serial *Rodzina Soprano*. A może to *Soprano* ich naśladuje. Kiedy zakładają nogę na nogę, odsłaniają przymocowane do łydek kabury z pistoletami.

Ale na Siódmej ulicy przy Café Europa tłumek trochę większy i nieruchomy. Bo jest skoczek, czyli na dachu się pojawił samobójca. Jeszcze żywy. Nie wszystkim chce się patrzeć, zwłaszcza że nie ma gwarancji, że skoczy, ale trochę ludzi jednak patrzy. To stary, wysoki budynek z lat trzydziestych, sześciopiętrowy. Na górze jest ciemność gęsta, więc ci na dole narzekają, że słabo widać, w ogóle nawet nie jest pewne, czy to mężczyzna, kobieta, czy transwestyta, stary czy młody? Ktoś się zaklina, że to młody chłopak, że go zna, ale nie za bardzo mu wierzą. Na oplatających budynek żelaznych przeciwpożarowych schodach coś pokrzykuje, para negocjatorów, i jest policja.

To wszystko już trochę trwa, bo po chodniku przepycha się karetka pogotowia, słychać wycie straży pożarnej i ci na dole zaczynają się na dobre niecierpliwić.

Ktoś krzyczy:

– Albo, kurwa, złaź, albo, kurwa, skacz.

Ludzie wybuchają śmiechem i wtedy ten jeszcze przez chwilę człowiek, a zaraz już ciało, leci w dół. I wtedy ten sam facet woła:

– Dlaczego?! Dlaczego, kurwa, to zrobiłeś?!

– A to był jednak chłopak, tak jak mówiłem – triumfuje ktoś na chodniku.

Potem pogotowie, policja, mocno spóźniona telewizja i plastikowe worki. Ludzie się rozchodzą, bo już po wszystkim. Masza i Dżerzi zostają dłużej.

– Czujesz? – pyta Dżerzi.

– Co?

– No, wciągnij powietrze. Taka uliczna śmierć ma specjalny zapach.

– Nie czuję.

– Samotność, strach… nie kusi cię?

– Nie.

– Pyk i wszechświat się rozpada, dekoracje znikają, tak czy inaczej będą go pamiętać, to nie jest najgorszy sposób na przedłużenie sobie życia.

Zrywa się wiatr, plastikowe torby na śmieci wzlatują do góry jak nocne ptaki, zaplątują się w drzewa, które też by chętnie odleciały, ale nie mają siły. I te torby lecą jeszcze wyżej. I tak samo łopoczą na wietrze w szemranym, ale wyzwolonym, że bardziej się nie da, East Village, jak na solidnej i eleganckiej Pięćdziesiątej Siódmej ulicy, gdzie teraz Masza i Dżerzi wysiadają z taksówki. Dżerzi popycha ją do środka, ale Masza się nie chce zgodzić.

– Ty mieszkasz z żoną – mówi.

– I co z tego.

– Jest późno, a ona jest w domu.

– Jest. To bez znaczenia.

– To ma znaczenie.

– Chodź, proszę cię, chcę, żebyś zobaczyła moje mieszkanie. Byłaś w pracowni, teraz zobaczysz mieszkanie. Musisz je zobaczyć. Nie bój się, nie będę cię gwałcił, przecież jest żona.

Potem portier zaspany, winda i znów dwa klucze, living room, zasłona, za którą pali się mała lampka, jakieś meble, które Masza widzi jak przez mgłę.

– Wróciłem – mówi Dżerzi. – Jest ze mną Masza.

– Good evening, Masza, miło mi cię poznać – dobiega zza kotary.

– Dobryj wieczier – odpowiada Masza i czuje, że to jest dla niej za dużo.

Patrzy na czerwony neon migający za oknem i próbuje go przeczytać, ale się jej nie udaje. Za to znów łapią ją mdłości. Na miękkich nogach wchodzi do gabinetu, staje przed lustrem, ma czarne wargi, rozmazany tusz pod oczami, wygląda jak sobowtór któregoś z tamtych manekinów. A w lustrze przegląda się pokój, tapczan, szafa wielka, uchylona, maski czarne, oprawione zdjęcia, jakiś obraz, nic ciekawego, plansza z rozkładem zajęć, karta Pen Clubu, znów zdjęcia, opiera się o biurko, a tam bałagan, maszyna do pisania, kartka wkręcona, stos zapisanych, ze dwadzieścia egzemplarzy znajomego „New York Times Magazine" i książka, jakaś poezja, po polsku chyba. I *Eugeniusz Oniegin* po rosyjsku? I najpierw chce jej się śmiać. Ale za chwilę myśli tylko o trzech rzeczach: żeby się nie wyrzygać, o tej kobiecie za kotarą i czy serce wytrzyma.

Widzi w lustrze, że on zdejmuje marynarkę, rozpina koszulę, podchodzi z tyłu, przyciska się, kładzie jej ręce na piersiach, czuje przez sukienkę na sobie jego naprężoną męskość. Spod kartek jeszcze jedna rzecz znajoma wygląda. I czyta najpierw cicho, a potem głośno: *Wiedziałam, że to nie był sen, tylko matka mi tłumaczyła, że musiał być, bo klamka od balkonu była za wysoko i bym nie dosięgła. Ale matki nie można było traktować poważnie, bo była alkoholiczką.* Wyciąga swój zeszyt i nie może zrozumieć, co się dzieje, jak i kiedy ten złodziej ją okradł. Odpycha od siebie te jego długie macki, podobno jedną krótszą. A on tłumaczy, że musiał, że czytał i płakał, że jest jak ksiądz, chciał oddać po cichu. I podaje jej zeszyt, ale Masza kręci głową i podnosi ręce do góry, że nie, bo to splugawione. Trafia do drzwi, on coś tam jeszcze szumi, ale ona krzyczy tylko do pomarańczowego światła za kotarą:

– Good night!

I słyszy łagodne i ciepłe:

– Spakojnoj noczi, Masza.

Klaus opisuje swoją wizytę w pracowni Dżerziego, jak się potem okaże, niezupełnie dokładnie

Otworzył mi w czarnych okularach, podpierał się białą laską. Zanim zadzwoniłem, parę razy przeszedłem tam i z powrotem po ulicy. Mnóstwo sklepików z tandetą, wystawione stojaki z T-shirtami, sukienkami i tenisówkami, hałas, bałagan i przeceny. Zadzwoniłem, otworzył i od razu chciałem wyjść, ale to już by był zupełny idiotyzm.

A on wyraźnie się ucieszył.

– Jednak pan przyszedł – powiedział.

No i wszedłem.

– Czy coś się stało? – spytałem.

– Nie, dlaczego? Ach, to – pokazał laskę. – Nie, to ćwiczę na wszelki wypadek. Przygotowuję się do zawodu ślepca. Dużo czasu spędzam w ciemni, wywołując zdjęcia, i wzrok mi się trochę popsuł. Niech się pan nie martwi. – Uśmiechnął się jakby złośliwie.

Zaprosił mnie do ciemni. Przypięte do nylonowych żyłek suszyły się zdjęcia. Akurat nie samotnych staruszków, tylko dwóch białych kobiet, gołych. Nogi miały bezwstydnie rozwarte, twarzy prawie nie było widać. Przestraszyłem się, że jedna z nich to Masza, i bałem się spojrzeć, ale spojrzałem, to nie była Masza. Chyba się domyślił, co czułem, bo wykrzywił twarz w uśmiechu, ale nic nie powiedział.

– Co pan sądzi o seksie? – zapytał po chwili.

– Nic oryginalnego – odpowiedziałem. – Wiem za to, co pan o tym myśli. Przeczytałem wszystkie pana książki.

– To miłe.

– Nie podobały mi się. Oczywiście nie znam się na tym.

– Niech się pan nie martwi – machnął ręką. – Wielu recenzentów jest pańskiego zdania. Te dwie – pokazał suszące się zdjęcia – to prostytutki. One na ogół świetnie pozują. Są naturalne. Ale wczoraj zaproponowałem zdjęcia jeszcze jednej i wie pan co, obraziła się. Za kogo mnie pan ma – powiedziała. Przyszłam tutaj do pracy. A chciałem jej zapłacić tyle samo, co za seks. Kobiety są nieobliczalne, zgadza się pan? Wydaje nam się, że wszystko o nich wiemy, że jesteśmy silniejsi, jesteśmy bykiem. Miażdżymy je, porzucamy, a potem, kiedy po walce na chwilę opuszczamy głowę, a one wymyślą coś takiego, że jak matador wbijają nam szpadę w serce. Korrida. Co pan o tym myśli? Podoba się panu ta metafora?

– Nie lubię korridy.

– Trudno. – Rozłożył ręce. – To może kawy się pan napije?

Wyszliśmy z ciemni i zrobił nam espresso z zamkniętymi oczami. Musiał oszukiwać, bo bezbłędnie ustawił malutkie filiżanki i nie wylał ani kropli, uśmiechnął się, jakby był z siebie dumny.

– No, to dlaczego pan chciał mnie odwiedzić?

– Pan się widuje z Maszą – powiedziałem.

– Z Maszą?… – jakby się zastanawiał.

– Z moją żoną.

– Ach, z Maszą – ucieszył się. – Wie pan, że moja żona zachwyca się nią. Bardzo ją polubiła, wie pan, że mam żonę, to znaczy nieformalną.

– Tak – powiedziałem. – Czytałem. – Coraz bardziej żałowałem, że przyszedłem, kombinowałem, jak uciec, żeby nie wyjść na zupełnego idiotę. Czułem, że się mną bawi i że mu to sprawia przyjemność.

– Nie uwierzy pan – uśmiechnął się. – Jesteśmy razem

prawie dwadzieścia lat i jeszcze nie mieliśmy seksu, ani razu, uwierzy pan?

– Nie – pokręciłem głową.

– Ma pan rację – roześmiał się – ale niektórzy mi wierzą. Tak czy inaczej nie wyobrażam sobie życia bez niej, troszczy się o wszystko i ma zadziwiający słuch na słowo. Proszę popatrzeć, tu są jej zdjęcia. – Pokazał wiszące na ścianie zdjęcia pięknej, wysokiej kobiety w wielkim kapeluszu. Obok wisiało jego zdjęcie w stroju do gry w polo i to, które znałem z „New York Timesa" z Warrenem Beatty. – Wie pan, słuch na słowo to wielki dar... to bardzo specjalny rodzaj słuchu.

– Czy Masza tu była? – przerwałem mu.

– Rodzaj talentu albo i talent... Była, oczywiście, dlaczego pan pyta? Słuch na słowo mają często zupełnie niespodziewane osoby.

– Czy pan z nią spał?

Zdziwił się, może i całkiem szczerze.

– A nie prościej było jej spytać?

– Bałem się, że jak raz coś padnie, to już potem nie ma ucieczki, nie można tego naprawić.

– Ma pan rację – ucieszył się. – A teraz już się pan nie boi? Przecież się pan spocił...

Miał rację, wytarłem z twarzy kropelki potu.

– Proszę, tu ma pan chusteczkę. Dlaczego pan myśli, że powiem panu prawdę?

Wyjął z kieszonki marynarki białą pachnącą chusteczkę i podał mi.

– Ręce ma pan też wilgotne. A po co pan chce wiedzieć? Pewność to nuda, a nuda to śmierć. Niepewność jest cudowna. Jest pan zazdrosny, jakie to podniecające, tyle że to się kończy, kiedy nabierze pan pewności. Wtedy to się zmieni w upokorzenie, nienawiść albo nudę. Ja tylko w chwilach niepewności umiem coś napisać. Wie pan co... nie powiem panu. Lubię pana i nie będę panu psuł zabawy, a może jeszcze kawy?

– Pan sobie ze mnie żartuje.

– Nie, dlaczego, myślałem, że może pan chce jeszcze kawy. To jest świetny ekspres. Kupiłem we Florencji. Nie chce pan, trudno... No dobrze, jeżeli się pan upiera, to powiem. Nie, nie spałem z Maszą. I co? Nuda! Nie mówiłem? Może teraz kawy?

– Czy pan mówi prawdę?

– A dlaczego miałbym pana okłamywać?

Teraz poprosiłem o kawę, zrobił ją po mistrzowsku, bez zbędnych ruchów, teraz z otwartymi oczami. Powiedziałem, że wróciłem wczoraj z Niemiec, że to było okropne. Masza nie miała nic do jedzenia, wszędzie puste butelki po wódce, resztki papierosów, zamknięte i zasłonięte okna. Pięć dni temu, kiedy wyjeżdżałem, wyglądała jak dziewczynka, a teraz szara twarz, sińce pod oczami, spierzchnięte usta.

– Podobno pokaz się udał... Gratuluję – przerwał mi. – Przy takiej konkurencji...

– Niech pan przestanie – poprosiłem. – Ona miała udręczoną twarz i oczy jej zgasły. Zawsze miała w nich takie światełko...

– A wie pan, że tak... też to zauważyłem. – Zastanowił się i powtórzył: – Też to zauważyłem. – Pokiwał głową. – Znam się na twarzach. Jestem fotografem.

– Już go nie ma.

– Światełka?

– Światełka. Była wystraszona, pijana, agresywna, bełkotała, że jest nikczemna i lazła do pana jak mucha na lep, oskarżała siebie, mnie i pana, a mówiła też, że ją pan okradł. Jeśli można wiedzieć, z czego pan ją okradł?

– Zabrałem jej zeszyt z notatkami, pamiętnik raczej, nie mogłem się oprzeć, wie pan, jak to jest… Chciałem oddać, ale nie wzięła.

– Chyba chodziło jej o coś więcej.

– Myśli pan?

– Krzyczała, że chce się rozwieść, chciała dalej pić, odebrałem jej flaszkę i wylałem do zlewu. Zaczęła mnie bić. Uderzyła mnie kilka razy w twarz.

Spojrzał na zegarek.

– Czy pan lubi dzieci? – zapytał.

– Pocięła też obrazy.

– Wszystkie? – zainteresował się. – Kilka było całkiem dobrych.

– Nie wszystkie, dlaczego pan pyta o dzieci?

– A nie, nic szczególnego. Po prostu chciałem panu przerwać. Moja żona lubi dzieci, ja nie.

– Ja lubię. Chcę mieć dziecko z Maszą.

– Świetny pomysł, rodzina, dzieci, kwiatki… to bardzo niemieckie.

– Chyba też ludzkie.

– Niemieckie to niekoniecznie znaczy ludzkie.

– Wiedziałem, że coś takiego pan powie.

I wtedy postanowiłem powiedzieć mu o liście.

– Trzy dni temu dostałem list od matki – powiedziałem.

– O ile pamiętam, wspomniał pan kiedyś, że pana rodzice od dawna nie żyją.

– Tak, ale list odebrałem trzy dni temu.

– Czyżby sławna niemiecka poczta?

– Nie – powiedziałem. – Mam taką ulubioną książkę, do której wracam co jakiś czas… no i właśnie matka przed śmiercią włożyła tam list do mnie.

– Niech mi pan pozwoli zgadnąć, *Buddenbrookowie*? Nie? *Historia ubiorów*? Widziałem coś takiego ze wstępem Yves Saint Laurenta. Nietzsche? *Poza dobrem i złem*? *Lisy w winnicy*? No, niech pan powie, *Wojna i pokój* może?

– Mniejsza z tym, to nieważne. Matka przed śmiercią włożyła tam list do mnie, wiedziała, że go kiedyś znajdę. No i znalazłem. To może pana zająć, bo to jest coś o seksie.

List matki Klausa W.

Kochany Synku

Jestem prawie pewna, że znajdziesz ten list. Właściwie pewna. Chciałam Ci o tym powiedzieć od dawna… no komuś muszę o tym powiedzieć. Rupert się do tego nie nadaje, mój mąż nadawał się jeszcze mniej. No więc tak. To było w czterdziestym piątym. Miałam 23 lata. Rupert miał 4. No i tuż, tuż przed końcem wojny przyjechałam do Berlina. Musiałam. Mój ojciec był bardzo chory. Nic mu nie pomogłam i potem zajmowałam się pogrzebem. Zupełny idiotyzm: ksiądz, karawan, wieńce, a na ulicach konie potykały się o trupy. Rosjanie już wchodzili. Dookoła rzeź, wieszanie rzekomych szpiegów, no straszny koszmar. A ja za długo czekałam. Wtedy cały tłum uciekał z miasta. No i jak zawsze, jednym się udawało, a innym nie. Mnie akurat nie. Trzech takich z gwiazdami na czapkach wrzuciło mnie do piwnicy, niedaleko Alexanderplatz, tam gdzie mieszkał Twój dziadek. Pamiętasz? Pokazywałam ci. Dom był zburzony, ale piwnica w dobrym stanie. Tyle że zamieniona w publiczny kibel i burdel, oczywiście. Trzymali tam trzydzieści kobiet, głównie młodych, było też kilka starych i parę dziewczynek, w sumie trzydzieści. Ciekaw jesteś, skąd wiem, że akurat trzydzieści? Cały czas liczyłam do trzydziestu, jak ci Rosjanie we mnie wchodzili. Z przodu i z tyłu, w usta, pojedynczo albo po dwóch, to ja sobie liczyłam do trzydziestu. Myślisz, że to niemożliwe? Możliwe. Rosjan nie liczyłam. Pili, śpiewali, wypróżniali się i gwałcili. Najpierw się broniłyśmy, potem już nie. Jedni odchodzili, przychodzili nowi. Lepiłam się od spermy, ale ciągle żyłam. Do picia była tylko wódka. Twarzy nie pamiętam. Zamykałam oczy i sobie liczyłam. To znaczy pamiętam jednego, na obu rękach i nogach miał zegarki zdobyte i one tykały. Widocznie dbał o nie i wszystkie nakręcał. A nad nami wojna, huk, gruz się sypał.

Potem ci żołnierze odeszli na dobre, zostawili nam puszki z wieprzowiną. Chciałam Ci, Synku, powiedzieć, że ten z zegarkami to mógł być Twój ojciec. Pozdrawiam Cię, Moje dziecko. Nie przytulam i nie całuję, bo mogłoby Ci się to nie spodobać.

Twoja matka

– Po co pan mi to przeczytał?
– Nie wiem, może chciałem panu czymś zaimponować? A może coś za to kupić?

– Całkiem niezły list, to by znaczyło, że jest pan w połowie Rosjaninem.

– Matka mnie nie lubiła, bardzo nie lubiła, miała żal, że się ożeniłem z Rosjanką. Może skłamała?

– A może nie?

– A może nie – przyznałem.

– Napijmy się. – Nalał whisky do szklanek i wrzucił parę kostek lodu. – Słyszałem podobne historie. Może ci wszyscy Niemcy na wschód od Łaby to Rosjanie. Co? Jak pan myśli? To by tłumaczyło, dlaczego Niemcy tak kochają Rosjan. Tylko po co mi pan to opowiedział?

– Nie wiem. Może z wdzięczności, że na tych zdjęciach nie było Maszy. Chciałem pana jeszcze o coś poprosić.

– Ale najpierw ja też mam prośbę – przerwał. – Chciałem się przejść z laską po ulicy, pomoże mi pan?

No i zgodziłem się wziąć udział w tej idiotycznej maskaradzie. Wyszliśmy na ulicę, on w czarnych okularach i z laską. Szliśmy. Ludzie rozstępowali się bardziej ze strachu niż ze współczucia. Ze strachu, że ich też to mogło spotkać, i z radością, że nie spotkało. Nagle poprosił, żebym go wziął pod rękę, i powiedział, że chce przejść przy czerwonym świetle.

– Po co?

– Bo chcę, pomoże mi pan czy nie? Proszę, żeby mi pan pomógł. To dla mnie ważne.

No i wleźliśmy na jezdnię. Wtedy ja też zamknąłem oczy. A dokoła wrzask kierowców, pisk hamulców, nienawiść, to trwało długo, ale przeszliśmy. Koszula lepiła mi się do pleców.

– Niech się pan uspokoi – powiedział. – Trzeba takich

rzeczy czasem próbować, to pomaga, dziękuję. Teraz, o co pan chciał prosić?

Powoli dochodziłem do siebie.

– Żeby pan darował Maszy – powiedziałem.

– A co mam jej darować?

– Życie.

– Czy to niemieckie poczucie humoru?

– Masza jest chora.

Potknął się.

– Prosiłem, żeby pan mnie wziął pod rękę. Ta laska tylko mi przeszkadza.

Wyrzucił laskę i znów wziął mnie pod rękę, mocno. Byliśmy prawie tego samego wzrostu. Bez laski ludzie już nam nie współczuli. Uśmiechali się. No cóż, dwóch pedałów w starszym wieku.

– Ona ma chore serce, bardzo.

– Co pan powie?

Zatrzymałem się i puściłem go.

– To jest bardziej upokarzające, niż myślałem, niech pan zdejmie te okulary.

– OK. Słucham pana. – Zdjął okulary.

– Spytał pan, co sądzę o seksie. Lubię seks, ale czekam. Jej nie wolno mieć seksu – powiedziałem. – To znaczy przed operacją.

– To szantaż? – Uśmiechał się.

– No właśnie – powiedziałem. – Bałem się, że pan tak to zrozumie. – Ruszyliśmy do przodu. Teraz zatrzymał się przed sklepem ze zwierzętami. Na wystawie małe urocze szczeniaki przewalały się w wyłożonej trocinami szklanej klatce.

– Cudne, co? – Uśmiechnął się. – Ciekawe, co z nich wyrośnie?

– Pewnie duże psy – powiedziałem.

– Miałem kiedyś psa. – Skrzywił się. – Zastrzeliłem go.

– Wściekły był?

– No, zadowolony nie był…

Skręciliśmy do Greenwich Village. Minęliśmy księgarnię. Na wystawie leżały jego książki. Dalej była włoska kawiarnia.

– Wejdźmy – poprosił.

Bez laski i okularów ludzie go rozpoznawali. Piliśmy cappuccino.

– Pan naprawdę jest o mnie zazdrosny? – Uśmiechnął się.

– Oczywiście. Bardzo. O pana jest trochę trudno być zazdrosnym, bo pana właściwie nie ma, pan jest kreacją. Konikiem, na którym siedzi kreacja i galopuje. Ale ja jestem o pana zazdrosny. Może całe moje życie jest w pana rękach. Niech jej pan daruje… proszę… co pan za nią chce?

– No to negocjujmy. Co pan proponuje?

– A co pan chce? Pieniądze pan ma, więc jej nie mogę wykupić. Apelować do pana przyzwoitości to by było śmieszne. Jak pan chce, mogę przed panem uklęknąć.

Spojrzał na zegarek.

– Tylko jeśli pan lubi. Muszę już iść. A gdzie jest Masza?

– Na badaniach w szpitalu. Nie będzie mogła mieć tej wystawy przed operacją.

– Biedna mała. Miło było pana zobaczyć. – Podniósł się. – Chodźmy.

– Dobrze – powiedziałem.

– Niech mnie pan odprowadzi do domu – poprosił

i znów zamknął oczy. – Proszę mnie wziąć pod rękę. Jestem zmęczony.

– To były *Pasjanse*?

– Co *Pasjanse*?

– Ta książka, do której matka włożyła list. *Pasjanse*.

Tiomnaja nocz' w Café Karenina

Pogoda była przygniatająca, popędzane wiatrem fale deszczu waliły w szyby, bębniły po drewnianych deskach boardwalku, cofały się, i znów próbowały na siłę wepchnąć do środka. Dwie czerwone latarenki na łańcuchach przed wejściem huśtały się i wirowały jak komety. Czarne niebo wymieszało się z rozhuśtanym oceanem, a kelnerzy z gośćmi.

Na malutkim wciśniętym w kąt proscenium pianista i harmonista grali piętnasty raz *Podmoskownyje wieczera* i robili przerwę konieczną, żeby wypić przyniesione im w dowód wdzięczności szklanki ze stoliczną. Harmonista był wymyślony przez Boga do grania na akordeonie, miał krótkie nogi, był niski, ale szeroki i rozciągał płuca akordeonu do samego końca. Był prawie trzeźwy. Pianista niemłody, chudy z długimi tłustymi włosami i szponiastymi palcami, trzymał się gorzej. Poza tym wszystko było tak, jak być powinno. Tłok, ktoś przeklinał, ktoś czytał głośno list od narzeczonej z Moskwy i płakał, ktoś próbował opowiadać dowcip, ale mu ciągle przerywano.

Wpadły, ale tylko na chwilę, dwie młodziutkie prostytutki z Mińska, prawie dziewczynki, przysłano je z burdelu obok, bo zabrakło wódki. Dla grubego Grigorija, właściciela stacji benzynowej, i jego dwóch kobiet zatańczyły i odśpiewały za stówę *Szkołę tańców balowych Salomona Piara* i dostały po szklaneczce ekstra, Rysiek wydał im karton stoli, zakręciły się i wróciły do roboty.

Akordeonista zaśpiewał *Tiomnaja nocz'* i sala na chwilę przycichła, bo to była pieśń z filmu *Dwa bojca,* czyli *Dwaj żołnierze,* a śpiewał ją tam ulubieniec Rosji, legendarny głos, Mark Bernes, którego Stalin w ramach jednej z czystek skazał na śmierć za niewłaściwe pochodzenie. Ale że trwała wojna i walczący żołnierze domagali się Bernesa, więc Stalin wysłał go na front z zawieszonym wyrokiem śmierci i koncertami – dopóki śpiewasz, żyjesz.

A ja siedziałem z Klausem Wernerem przy służbowym stoliku Ryśka tuż obok okna z widokiem na ciemność. Przywlokłem tu Klausa, bo niby był w Moskwie, ale nigdy nie był na Brighton, a jak robił ten film, to powinien przynajmniej je poczuć i zjeść syberyjskie pielmienie w rosole. Nie tylko pielmienie, bo Rysiek co jakiś czas podrzucał półmisek z wędzonymi flądrami, węgorzami czy czerwonym sniperem, no i piliśmy. Ja więcej, on mniej, bo byłem spięty i tłumaczyłem, że jeszcze jedna retrospekcja jest konieczna i że trzeba ją nakręcić w Warszawie, a on się upierał, że nie, kilka już jest, a to w ogóle anachronizm i chce mu się rzygać, jak kamera wjeżdża w twarz aktora, przenikanie – przeszłość. Że owszem, on wie i rozumie, że żyjemy w kilku czasach równocześnie, bez dzieciństwa nie ma starości i odwrotnie, ale to ostatecznie można kawałkiem dialogu albo starym zdjęciem załatwić.

Byłem pewien, że mu chodzi nie o sztukę, ale o kasę, bo chciał mieć jeszcze tylko trzy dni zdjęciowe w Nowym Jorku, a całą resztę w Toronto, które od dawna w filmach udawało dużo taniej East i Greenwich Village, a uważał, że jazda do Polski to wyrzucone pieniądze. Co gorsza, popierał go ten młody, ale z nominacją, serbski reżyser, bo miał już zaklepany projekt następnego filmu, oparty na dzienniku ochroniarza Miloševicia, i gwiazdę do głównej roli. Ale ja prosiłem, błagałem i prawie płakałem, że bez przyjazdu Dżerziego na podpisywanie *Malowanego ptaka* po prostu się nie da, bo to jest jak u Greków: przeznaczenie, pułapka i klątwa pukają do drzwi.

No i teraz w Kareninie Klaus między *Ech raz, jeszczo raz* i *Oczy czornyje,* między wędzonym węgorzem i ośmiornicą, poprosił, czybym mu uprzejmie nie wyjaśnił coś, czego nie rozumie w ogóle, więc widzowie też mogą nie załapać. Po co, na co i dlaczego Dżerzi do Polski – odkładając na bok względy sentymentalne – przyjechał? No, bo każdy człowiek, jak wiadomo, boi się czegoś najbardziej w życiu. A on cały czas się trząsł, że ktoś się natknie na zapomnianą wioskę. I się wyda wielkie kłamstwo, że on nic a nic nie jest chłopcem z *Malowanego ptaka*. Tylko wprost przeciwnie, polscy chłopi, którzy może nie byli aniołami, ale go jednak całą wojnę z ojcem i matką przechowali, no, może niekoniecznie z miłości i za darmo.

– I dlatego – ciągnął Klaus – zwłaszcza po tej aferze z „Village Voice", w której on na zawsze stracił wiarygod-

266

ność, instynkt jakiś podstawowy samoobronny powinien go trzymać jak najdalej od ojczystej Polski. Bo jeszcze mu tego brakowało.

Rysiek podrzucił wędzonego jesiotra i skropił cytryną, a ja, przebijając się przez burzę za oknami i w środku, powiedziałem, że to żadna zagadka i wszystko bardzo proste, bo, po pierwsze, gdzie on znalazł informacje, że człowiek się zachowuje racjonalnie? Przecież człowiek to jest taki stwór, który sam się prosi o nieszczęście i ze wszystkich sił ciągnie właśnie do rzeczy, których się najbardziej boi. A kto jak kto, ale on w tym zawsze celował i zrobił w tej dziedzinie specjalizację. Lubił sprawdzać odporność losu, upewniać się, że żadne tam przeznaczenie, tylko i wyłącznie przypadek. No bo po co niby włóczył się w nocy po Harlemie, dlaczego skończył w wannie, jak się zawsze bał wody? Po co, mając stracha przed milicją, zerżnął w Łodzi żonę milicjanta i ten go prawie zastrzelił, a w każdym razie gonił z pistoletem i on po tym musiał zmienić spodnie. Po co tam, gdzie się z rodzicami przechował, złamał absolutny zakaz wychodzenia i poleciał na zamarznięte jezioro na łyżwy, a tam dopadły go dzieci wieśniaków, wywróciły „Żydka" na lód i zaczęły ściągać mu spodnie, żeby zobaczyć gołym okiem, jak wygląda sławne obrzezanie. I na szczęście jego krzyki o pomoc – żadne tam solidne katolickie „matko!", tylko kompromitujące „mame!" – usłyszał syn gospodarzy, u których się ukrywał, a że był starszy i silniejszy, przegonił łobuzów.

Po co córce sąsiadów, dwunastoletniej Ewce, powiedział, że nie jest żadnym Kosińskim, tylko Żydem Lewinkopfem. Ona przestraszona chlapnęła to rodzicom, a ci, jeszcze bardziej przestraszeni, przylecieli na skargę do Kosińskich. No bo oni oczywiście wiedzieli, że gdyby jakiś głupek poleciał z tym do Niemców, toby cała wieś poszła z dymem. I to było najlepszą ich przyzwoitości gwarancją. Zresztą Dżerzi się potem na Ewce za ten donos całkiem nieźle odegrał, robiąc ją w książce seksualną maniaczką kopulującą z ojcem, bratem i śmierdzącym czarnym kozłem.

– Czyli to jest raz – powiedziałem Klausowi – a teraz dwa: wczuj się w sytuację.

Już w butelce stolicznej na naszym stoliku widać było dno. Harmonista śpiewał ochrypłym głosem, „że coś tak się porobiło, chłopaki, że nic nie jest tak jak trzeba. Albo palisz na czczo, albo pijesz, bo masz kaca".

Wichura uderzała i się cofała, ale jaka tam wichura, nawałnica już teraz, i ja się też rozkręcałem.

– Po tym, co na niego spadło w Nowym Jorku razem z fatalną w skutkach obroną w „New York Timesie", która sprawę bardzo pogorszyła. Bo Kosiński Kosińskim, poszła gra o coś większego. Czyżby się wielki i przeczysty „New York Times" potknął? Więc od razu wszystkie pisma, a i telewizja, zatarły ręce, oskarżając niby to najuczciwszą gazetę na świecie, że wbrew oczywistym faktom broni kumpla. A ten kumpel jakoś osobiście nie spieszy się z podaniem „Village Voice" do sądu. I tak oto z małej sprawy się zrobiła wielka ogólnoamerykańska. Dżerzi twierdził, że do sądu nie idzie, bo jest z totalitarnego kraju i zawsze będzie bronił wolności prasy, nawet wbrew swoim interesom i do ostatniej kropli krwi, ale w to to już za dużo osób nie wierzyło. No i po tej masakrze, po której przestało się mówić o adaptacji *Pasji* na Broadway, po której skasowali jego promocyjną podróż po Niemczech, to on potrzebował najbardziej dwóch rzeczy:

1. Jak najszybciej zniknąć.
2. Najmarniejszego choćby sukcesu.

A to mu Polska w całkiem solidnym rozmiarze obiecywała. Sama się zgłosiła, a to, co się stało w Ameryce, nic nikogo nad Wisłą nie obchodziło, nie obchodzi i pewnie nie będzie obchodzić.

I proszę uprzejmie, nagle po latach dzikich napaści, dzikich, bo z nazywaniem go ohydnym paszkwilantem, brutalnym oszczercą wielbiącym esesmanów, wstrętnym opluwaczem, nagle wszyscy na kolanach, pełna Canossa. Więc mało, że triumf, ale odwet, i to jaki, a kto sobie odwetu potrafi odmówić? Oczywiście rozumiał, że po paskudztwie stanu wojennego to jest zagrywka, że jego przyjazd pod koniec lat osiemdziesiątych będzie wykorzystywany przez rządzącą ekipę jako dowód na nowe otwarcie, przekreślenie i wymazanie całkowite wstrętnej nagonki, uśmiech do Europy i wielki apel do żydowskiej kieszeni. Docenienie, z opóźnieniem, ale jednak, ogromnego światowego sukcesu Żyda, ale i Polaka, albo nawet Polaka, chociaż Żyda, tyle że miał ważniejsze sprawy na głowie.

Rysiek wymienił flaszkę, sala łagodnie wirowała, harmonista żalił się, „że tak się porobiło, chłopaki, że teraz już ani w knajpie, ani w cerkwi nie spotkasz Boga", dwie stare kobiety w perukach zaczęły dziwny taniec, jacyś ludzie o czerwonych twarzach i mętnych oczach klaskali. Oczywiście, oczywiście – ciągnąłem dalej, miałem pewien kłopot z wymówieniem tego „oczywiście". Więc powtórzyłem ze trzy razy – oczywiście – i mi wyszło, czyli oczywiście, oczywiście też to wszystko wiedział, ale zrobił rachunek i wyszło mu, że warto. A z czym jak z czym, ale z manipulacją to był pewien, że da sobie radę. A na dodatek to jednak, co by nie mówić, właśnie podróż sentymentalna i nie lekceważ tego, Klaus, bo nie wolno.

Wychodzi książka, i jest już nie paszkwilem, ale arcydziełem. Do tej pory dla uproszczenia lżono go bez wydania książki.

No i jeszcze taki drobiazg, kto wie, czy nie najważniejszy, że ślad tego triumfu na pewno dojdzie i do Nowego Jorku. A co do ryzyka, to nie wyglądało na duże, bo był zupełnie pewien, że mieszkańcy jakiejś zapadłej wioszczyny, nawet jeżeli coś do nich dojdzie, to raz, że nie skojarzą, a jakby nawet, to się nie odważą przyjechać do stolicy. On jest za wysoko, Dąbrowa za daleko, minęło pół wieku, ślady się zatarły, dlatego to był grom z jasnego nieba.

– Ano właśnie – powiedział Klaus. – Czyli zrobił głupio, bez sensu, zachował się jak idiota, co ci próbuję udowodnić.

Zmusiłem go, żeby wypił jeszcze jedną szklaneczkę. Deszcz zabębnił w okno z taką siłą, że się obaj odchyliliśmy. A ja pokazałem Klausowi dwie duże, gołe, owłosione postacie, chyba kobiety i mężczyzny, które przebiegły przez boardwalk w stronę oceanu. Popatrzyliśmy za nimi i zapytałem, czy uważa ich zachowanie i decyzję kąpieli w lodowatej wodzie w czasie sztormu za bardziej czy mniej racjonalną od postanowienia Dżerziego, żeby do Polski pojechać. Wypił, zakrztusił się, wzruszył ramionami i powiedział:

– To wszystko, ale to wszystko, co mówiłeś, od początku jest nic niewarte, bo stało się inaczej.

Ucieszyłem się, że też ma już problem z wymówieniem
„nic niewarte", nieduży, ale jednak już mu się słowa trochę
plątały. Muzycy mieli przerwę. Wiatr zagłuszał szum sali,
raz lepiej, raz gorzej. Przez chwilę siedzieliśmy w milczeniu, nie wiem, o czym myślał, ale patrzył w ciemność.

– Normalnie wieczorem jest tu bardzo cicho i spokojnie – powiedziałem. – To znaczy na zewnątrz. Pachnie
ocean, wiatr jest łagodny i widać gwiazdy.

– Ciekawe, gdzie się mewy pochowały – mruknął.
Nagle napił się już bez namawiania i roześmiał: – Mają
instynkt, to się pochowały, on nie miał.

– Owszem – powiedziałem – to się inaczej potoczy-
ło, niż Dżerzi zaplanował. Ale to może nie mieć związku z jego przewidywaniami, które były logiczne, tylko
z przeznaczeniem, czyli na przykład z zastawioną pół
wieku temu pułapką.

No bo, drogi Klausie, czy to do filmu nie wspaniałe, do
kurwy nędzy, czy to nie kuszące, czy to nie sexy? Scena
jest taka: Dżerzi ma podpisywać w Warszawie w „Czy-
telniku" na ulicy Wiejskiej książkę i tego jeszcze w Polsce nie było. Tłumy jak na demonstracji, tysiące ludzi się
ustawia po podpis pisarza. No bo w tym skansenie, na
tym zadupiu nadwiślańskim jest okazja dotknięcia ręką
gwiazdy międzynarodowej, ręki, co to była podawana
Kissingerowi, Warrenowi Beatty, Diane Keaton, Kurto-
wi Vonnegutowi. Okazja zakupienia tajemniczej książki,
która już się po całym świecie rozeszła w milionach egzemplarzy, czyli kolejka, wydawane numerki.

Zaczyna się bajka, bo on nadjeżdża... I to jak nadjeżdża... Czarną limuzyną, długą, z amerykańską flagą, garnitur, koszula olśniewająca, polscy pisarze przy stoliku w kawiarni „Czytelnika" z zawiści się skręcają, ale chuj z nimi, z tą biedotą. Parę tysięcy ludzi w kolejce wstrzymuje oddech, a potem wybuch miłości, podziwu, zachwytu, tyle że ten zachwyt dzięki wcześniejszym wywiadom w telewizji miał taki zasięg i siłę, że obudził śpiące demony, zastukał do tamtej zabitej deskami wioszczyny. I dwóch byłych chłopców, czyli syn gospodarza, u którego się Jurek z rodzicami ukrywał – przez przypadek ten sam, co uratował Jurka, jak mu na ślizgawce ściągali spodnie. I jeszcze jeden syn sąsiadów, brat niewinnej Ewki-kurewki z książki, czyli te byłe dzieci wsiadły do pociągu jednego, potem drugiego i przyjechały do Warszawy. Broń Boże nie po to, żeby oskarżać. To byli dobrzy ludzie, książki zresztą nie znali i nic ich nie obchodziła, w ogóle nie mieli pojęcia, że ich sobie na ten dzień wypożyczyły erynie. Ale oczywiście, oczywiście, liczyli na wdzięczność. Potem mówili, że wystarczyłoby zwykłe dziękuję, ale pewnie, że liczyli na coś więcej, co im bogacz ze Stanów Zjednoczonych mógł za taki drobiazg jak uratowanie życia ofiarować...

Widzisz to, Klaus, jak ustawiają się w kolejce, pocą, przepychają, dochodzą, przedstawiają – to my! I tu Dżerzi, wielki i zawsze przytomny, wielki Dżerzi, na widok zmaterializowanego sennego koszmaru się pogubił. Ja nie mówię, żeby zaraz objął i zapłakał, ale nie wstał nawet, tylko podał rękę na siedząco, powiedział, że jego rodzice nie żyją. Oni na to, że ich żyją. Podpisał książki, za które zapłacili, i tyle. Owszem, żona wzięła od nich adres i obiecała, że się odezwą, ale się nie odezwali. Więc obaj byli koledzy z piekła ponarzekali głośno, ten i ów ich podsłuchał, pokręcili się, wrócili na wieś i tak się ta wioska Dąbrowa Rzeczycka znalazła na mapie.

Odegrałem to z pasją, pierś mnie bolała, bo się w nią tłukłem. – I co, drogi Klausie – spytałem – mi powiesz, że to nie jest scena? Bo Dżerzi wpadł w panikę. I całkiem sporo osób uważa, że to był jeden z powodów samobójstwa. Bo drugiej i jeszcze gorszej demistyfikacji by nie dał rady wytrzymać. Z tym że jeżeli tak było, to się kolejny raz omylił, bo, póki co, ta rzecz była całkiem lokalna, warszawska, czyli prowincjonalna, i triumfalnego pochodu przez Polskę, gdzie go dosłownie noszono na rękach, nie przerwała.

A ta część wstydliwa przepłynęła za ocean dopiero po kilkunastu latach i nikogo już nie obeszła. Bo przedtem wyszła jeszcze książka ostatnia, *Pustelnik z 69 Ulicy*, którą pisał siedem lat, i miała być dowodem, że jest wielkim pisarzem i sam sobie bez żadnej pomocy pisze, tyle że książka była okropna, recenzje fatalne, a najważniejsze pisma, takie jak „New York Times", „Newsweek" czy „Time", w ogóle jej nie chciały zauważyć. A potem Dżerzi już nie żył. NY ma krótką pamięć, a jego sprawa przestała budzić emocje w ogóle i to jest może najsmutniejsze.

– To się zmieni po naszym filmie – przerwał Klaus i obiecał, a nawet przysiągł, że tę scenę nakręcimy, ale na razie musi lecieć, bo jest umówiony z Iriną, w której się z wzajemnością kocha.

– Z jaką Iriną?!

– Tą, co gra Maszę – odpowiedział.

O tym nic nie wiedziałem i mnie zatkało, ale tylko na chwilę.

– To dlaczegoś jej nie wziął tutaj?

– Chciałem – przyznał. – Chciałem. Ale ona nie chciała. Powiedziała, że ma dosyć Rosji i Rosjan.

Sięgnął po portfel, Rysiek go powstrzymał, że wykluczone, więc się pożegnał, podniósł chwiejnie, ale jednak dotarł do drzwi, kulejąc bardziej niż zwykle. Mokra wichura i huk oceanu wdarły się do środka. A on upadł i stoczył po schodach do limo, które cały czas czekało na parkingu. Rysiek przez chwilę pomocował się z wichrem, ale wygrał, drzwi zamknął, przywołał do porządku kelnera – byłego dyrektora elektrowni atomowej, który, przeklinając stracone stanowisko, kurewstwo żony i podłość Putina, nie chciał przyjąć pieniędzy od dwóch starych kobiet, bo mu duma nie pozwalała. Ale Rysiek przyjął za niego i znowu się przysiadł.

– Jeszcze raz mu powiedziałem, że przepięknie zagrał Walerego – machnął ręką. – To gówniana rola. Rzecz jasna, rozumiem, żeś ją napisał, żeby zaspokoić koniunkturalne zapotrzebowania amerykańskich Żydów. – Znów przyniósł półmisek z wędzoną flądrą, ale to już był ten czas, że nie mogłem jeść.

– Trochę słuchałem tego, coście tu pieprzyli, i powiem tak: ja Dżerziego rozumiem, że pojechał, bo odegranie się albo, jak kto chce, zemsta czy rewanż, jak go zwał, tak go zwał, to jest bardzo piękne i głębokie uczucie, które nadaje sens życiu i jest głównym motorem rozwoju cywilizacji.

A za oknem był już prawdziwy sztorm. Ocean podszedł całkiem blisko i groził. Nie był już czarny, przecinały go białe pasma piany. Połknął plażę, a resztki piasku wymieszane z deszczem waliły w szyby.

– Mój ojciec, na ten przykład – Rysiek nalał nam do szklanek – był dyrektorem dużych zakładów, całkiem dużych, i był wysoko w partii. Jednego dnia koledzy go wyrzucili i zrobili dyrektorem cmentarza.

Dwie gołe owłosione postaci przebiegły przez boardwalk od strony oceanu.

– Ruscy – mruknął. – Nikt im nie da rady. No i wtedy ojciec zrobił listę i przykleił ją do ściany w mieszkaniu. A ściany miał z czarnego marmuru, bo przychodziły dostawy na płyty dla zasłużonych i ojciec kradł połowę dla siebie. Prawie wszystko w mieszkaniu było z czarnego marmuru: ściany, stół, biurko, parapety. Niby ładne, ale troszkę przypominało grób. Mieszkał sam, bo matka od niego uciekła, ale zawziął się: przestał pić, brał witaminy, chodził na aerobik i czekał na tych kolegów. Jak umierali, chował ich w najbardziej podmokłej części cmentarza. Spuszczał te trumny prosto do wody. A potem odhaczał ich na swojej liście, wszystkich przeżył, bo był zawzięty i czuł się narzędziem sprawiedliwości. Jak spuścił trumnę z ostatnim, wrócił do picia i umarł, bo stracił motywację, tylko przedtem się ożenił, żeby państwo nie dostało mieszkania.

– Wypijmy za niego – powiedziałem.

Wypiliśmy i ucieszyłem się, że poszedłem wcześniej do toalety, bo teraz bym nie doszedł.

– To jest zemsta i ja to szanuję, ale ty mi wyjaśnij, po co Niemiec robi ten film.

– Jezu, jeszcze jeden chce wyjaśnień. – Popiłem wódkę ulubioną przez Stalina, najzdrowszą na świecie wodą Borżomi.

– Bo dlaczego Dżerzi zatęsknił do Polski, to nie mam wątpliwości. Ameryka go kopnęła w dupę, a Polska robiła laskę na kolanach, czyli jasna sprawa. Dlatego z mety pokochał wszystko, co polskie, razem z Jaruzelskim, żydowską dzielnicą w Krakowie i tą Uleńką, zresztą cudną. Podobno ona chciała mu dać dziecko, ten Żarówa, co jeździł dorożką, mówił, że ją woził z jego spermą po lekarzach, ale jakoś nic z tego nie wyszło, nie mógł albo nie chciał. Może był już ogólnie przez ten atak za ciężko przetrącony, bo to jednak cała Ameryka na niego naskoczyła.

Wiesz, jak to jest: naprzód, kolego, w trzech na jednego. Może bez żony sobie życia nie wyobrażał, a ty wiesz, co niektórzy mówili, że ona coś na niego strasznego miała, naprawdę strasznego, gorszego niż z tą wioską, jakiegoś haka. Albo w ogóle miał już dosyć, bo mu kutas przestał stawać. Bóg jeden miłosierny raczy wiedzieć. Ale taki jeden jego bliski kumpel Maciek powiedział, że on podjął decyzję, żeby wziąć z tą żoną nieoficjalną prawdziwy ślub dopiero, kiedy już się ostatecznie zdecydował na odjazd, czyli samobójstwo, i że ona przez dwa lata woziła dla niego taką flaszeczkę z trucizną.

A co to zresztą można wiedzieć… może naprawdę kochał tę żonę albo Ulę, albo chuj wie kogo, już się pogubiłem? Tak czy tak, jego mogę ogólnie zrozumieć, ale Niemca już wcale, kasy na tym i tak nie zrobi, to na pewno. Żeby chciał się zemścić i zrobić z niego łajdaka większego, niż był, jego pamięć sponiewierać, to by było logiczne i to by pasowało. Przez tego naszego kochanego pisarza ta jego ruska żona wylądowała na wózku. A znów Masza nic nie chce gadać, wyjaśniać, z nikim ani słowem rozmawiać, a zwłaszcza z Klausem. Podobno się z nim rozwiodła na własne życzenie, czyli nie do Dżerziego ma żal, tylko do Niemca, i to jest dla mnie trochę trudne.

Zamyślił się na parę minut i zamknął oczy. Muzycy przerwali, żeby się napić, a ja obracałem w rękach szklankę i słuchałem, jak huczy ocean, zawodzi naciskane przez wiatr okno, a wszystko zatupuje napity tłum. Myślałem, że Rysiek zasnął, ale za chwilę otworzył oczy.

– A tak szczerze mówiąc, chuj mnie to obchodzi. Przed chwilą postanowiłem, że na sto procent ożenię się z Olgą i mam w dupie granie w filmach. Olga jest gruba, ale mnie kocha.

– Masz rację – zgodziłem się. – Mnie też to z Klausem męczy, tylko ci jeszcze powiem na koniec, bo on mi tłumaczył, że to z Maszą było najpiękniejsze, co w życiu przeżył, i chce się temu jeszcze raz przyjrzeć, jeszcze raz przeżyć, nawet jak to się zrobiło potem najgorsze w życiu. Gdzie popełnił błąd na przykład, chce zobaczyć.

– A może on po prostu lubi kino – Rysiek się zastanowił.

– Może i tak – zgodziłem się.

– A on daje jakąś kasę tej Jody, co pcha wózek z byłą żoną?

– Nie spytałem się. Zresztą Jody tak czy inaczej jest bogata. Też ją przedtem Dżerzi podkatował i może dlatego się do Maszy zgłosiła, bo ofiary się lubią razem trzymać. To jest cienka sprawa – miłość, nie?

– Grałem w *Romeo i Julii* – zgodził się Rysiek.

– A może on też w cud wierzy, że jak Masza zobaczy siebie na ekranie, to przeżyje szok, zrozumie, że on był superfacetem, że zrobiła błąd, omyliła się w ocenie sytuacji.

– Co to, to nie, cud może się zawsze przydarzyć, ale ona jest teraz dobrze po czterdziestce, takie zmartwychwstanie w jej wieku jest mało zabawne. Do tego Klaus teraz pokrywa tę Irinkę, co gra Maszę, czyli na co mu oryginał.

– A skąd wiesz?

– Wiem i tyle.

Z huku deszczu i mgły znów się wynurzyły obie Białorusinki, przed wejściem wyrzuciły kikuty parasolek i wyplątały się z płaszczy gumowych, jakie noszą rybacy. Były sine z zimna. Po twarzy spływał im tusz, pogubiły rzęsy, szminka się rozmazała, wyglądały jak zapłakane dziewczynki.

Rysiek posadził je przy naszym stoliku, przyniósł kolejny karton, postawił na podłodze, chciały biec z powrotem, ale mruknął, że się nie pali, nalał im do szklanek i doniósł półmisek wędzonych ryb, tylko trochę się zataczając. Rzuciły się na nie łapczywie, jak mewy, wyrywając sobie co lepsze kawałki, i znowu ruszyła muzyka.

Teraz grały dwie ścigające się harmonie, jakaś kobieta wyrwała się trzem mężczyznom i krzyczała, że chce do domu, jeden z nich w eleganckim garniturze zwymiotował na podłogę, ale zaraz rzucił stówę sprzątaczce. – Pierdoleni Azjaci – mruknął Rysiek. Ktoś zaśpiewał: „Żyjesz jeszcze, biedna stara matko, i ja żyję, pozdrowienia ślę...". Harmoniści jeden, a potem drugi podchwycili:

278

„Niechaj sączy się nad twoją chatką to wieczorne światło w sinej mgle".

To był *List do matki* Jesienina, czyli ulubiona piosenka urków gułagowców w całym Związku Radzieckim albo Rosji, co kto woli, Białorusinki też to znały i się przyłączyły. Teraz śpiewała już cała sala.

A gdy siny mrok na wieś się kładzie
Często widzisz niby blisko – tuż
Jak ktoś nagle mi w karczemnej zwadzie
Wbija w serce ostry fiński nóż.

– Jak w cerkwi – uśmiechnął się Rysiek.

I teraz ja wiem, że to zabrzmi trochę dziwnie, owszem, owszem, byłem pijany, ale film mi się jeszcze nie urwał, i słowo daję, więc słowo daję, że właśnie wtedy przysiadła się ta sama matka, która przyjechała z Moskwy, żeby odszukać syna, i postawiła koło krzesła plastikową torbę Marlboro, format A4.

– To był cud – powiedziała. – Zwykły cud. – Rysiek nalał jej pełną szklankę, a Białorusinki podstawiły swoje. – Cud, że mój synek się odnalazł. Wracamy do Moskwy pojutrze, zabieram go. No, powiedzcie panowie sami, czy to nie jest zrządzenie boskie. Zanim Zacharek tu przyjechał, zaprowadziłam go do dentysty Salomona Pawłowicza. Bo synkowi ci Czeczeńcy połamali w jamie zęby. A Salomon Pawłowicz to najlepszy dentysta w Moskwie od zawsze, i dostać się do niego to ho... ho... jak trudno. Na szczęście jedna znajoma babuszka nas zaprotegowała, taka, co przynosiła mu wiejskie jajka, i się zgodził mojego Zacharka przyjąć poza kolejnością, i dał do wyboru albo mostek platynowy, albo pozłacany, albo żelazny. Poprosiliśmy o najtańszy, żelazny, na kreskę – bo nic już nie mieliśmy. Wszystko poszło, a ostatki na Zachara bilet. I Salomon Pawłowicz zrobił mu konkursowo. Białorusinkom łzy ciekły po policzkach, a cała sala zawodziła.

Po dawnemu łaknę twej pieszczoty
I o jednym tylko marzę w snach
By czym prędzej od tej złej tęsknoty
Znów powrócić pod nasz niski dach.

I teraz gdyby nie te zęby, ten Igor, co chodzi po plaży z detektorem i szuka kluczyków od samochodu albo drobnych, nigdy, ale to nigdy by go nie namierzył i nie odkopał. Jego główka była dopiero jeden dzień pod piachem, więc w ogóle niezepsuta – pokazała plastikową torbę. Zakopali ją przy samym drewnianym spacerniaku, obok zejścia na plażę z tej tutaj restauracji Karenina.

– Słyszałem – pokiwał głową Rysiek. – Ale nie wiedziałem, że to pani syn. Czyli że mu nie wybaczyli.

– Bo to nie ludzie są, ale bestie. A bestia nigdy nikomu nie wybaczy. Dobrze, że się tak skończyło szczęśliwie, bo mógł bez śladu zniknąć, a tak spocznie w ojczystej ziemi. Podobno Irinoczka, jego narzeczona, za którą na swoje nieszczęście przyjechał, gra w filmie. Widać tak Bóg zdecydował. – Wypiła jeszcze jedną stoliczną, zabrała plastikową torbę i poszła.

I modlitwy nie ucz mnie, bo po co,
Co odeszło, już nie wróci, nie.
Tyś jedyną łaską i pomocą,
Tyś jedyne moje światło w śnie*.

– Jezu – powiedział Rysiek. – Jak ta nasza Irina tego swojego Zachara kochała. Po całych nocach zdzierali z siebie skórę na dachach, w parku, gdzie się dało. A jak go wzięli do wojska i wysłali do Groznego, to była pewna, że nie wróci, i wymyśliła, że się utopi. Usiadła nad rzeką Moskwą i obliczała na akacji, skakać czy nie skakać. Wyszło jej, żeby skakać, ale akurat obok usiadł pies przybłęda, czarny kundel, popatrzył na nią ludzkimi oczami, jakby wiedział, położył łeb na kolanach i wyrosło między nimi tajemnicze porozumienie, takie, jakie się tylko między człowiekiem a zwierzęciem zdarza.

– I nie skoczyła?

– Nic a nic. Czekała, czekała i się doczekała, jak na Dworcu Białoruskim wysiadł z metra, wychudzony, posiwiały, on czy nie on? On! I znów płacz, ale ze szczęścia. Dopóki tutaj nie wyjechała zarobić, a dalej wiesz.

– Burdel.

– Ten po sąsiedzku. A taki staruszek wysłał list do Zachara i proszę bardzo, nagle klucz się przekręca, drzwi jej pokoiku się otwierają, czyli wchodzi klient, a ona, nie patrząc, mówi regulaminowo: – Zapraszam pod prysznic. – A tu cisza, ani ruchu, ani głosu. Odwróciła głowę i nie ma o czym mówić. On. Upadł na kolana. A ona bije

---

* Przełożył Kazimierz Andrzej Jaworski.

go, kopie po twarzy, gdzie popadnie. Jemu krew już cieknie z wargi, ale nie oddaje, tylko powtarza: Moja wina, moja bardzo wielka wina, ale skąd i jak mogłem przypuścić. Wtedy ona też na kolana, całuje mu ręce i mówi: Przebacz. I tak płakali objęci. Wtedy jej drugi w kolejności mężczyzna, a tutaj dozorca, przynosi ubranie, jeszcze z Moskwy, zarobione prawie trzysta dwadzieścia dolarów i paszport. Potem obaj, pierwszy i drugi, coś sobie obiecują i już ulica.

Ona się tłumaczy Zacharowi, że źle wygląda, na pewno blado, bo nie była od trzech miesięcy na powietrzu. Wsiadają w metro numer F, przesiadają się na Czternastej ulicy i już są na Manhattanie, w mieszkaniu też z widokiem, ale na rzekę Hudson. Tam żyła sobie Rosjanka – staruszka z dwoma psami kundlami, też w zaawansowanym wieku, razem z synem, profesorem poezji na Columbii. Tym samym, co potem Irinie załatwił stypendium na wydziale aktorskim. I ten profesor pokazuje, co, jak, gdzie i za ile ma się jego matką zajmować. I otworzył przed nią jej własny pokój zamykany od środka.

Więc się z Zacharem zamknęli, Zachar ją gładzi, ale nie całuje, zdejmuje spodnie, tak jak wszyscy, więc ona też się rozbiera, on jest miękki, ale ona się przecież na tym zna, więc on twardnieje, ale przed wejściem grzebie w spodniach i wyciąga prezerwatywę. No tak, jasna sprawa, ona mu na to – boisz się AIDS – brzydzisz się, i jemu mięknie. Wstaje, wkłada spodnie, zapala papierosa, biega po pokoju tam i z powrotem, a ona wciąż najpierw mówi, a potem krzyczy: Brzydzisz się, brzydzisz się.

I wtedy on wybiegł na dobre.

– A skąd ty to wszystko wiesz?

– A stąd, że ja się nie brzydziłem. Coś ci powiem – zamyślił się Rysiek i nalał. – Wiesz, że ja kiedyś grałem barona w *Trzech siostrach*.

– No wiem, pięknie grałeś, widziałem.

– I uważaj, ja to wymyśliłem tak. Że ten baron musi nosić okulary! Nikt tego wcześniej nie wymyślił, nawet Czechow. I ten baron do szaleństwa i utraty tchu kocha się w najmłodszej siostrze, też Irinie zresztą. No i ona w końcu godzi się za niego wyjść za mąż. Godzi się, ale go nie kocha. Z rezygnacji się godzi i z rozpaczy. Żeby uciec z tego pieprzonego miasteczka. I mu mówi uczciwie, że się zgadza, że będzie mu posłuszną, wierną żoną, ale go w życiu nie pokocha. I potem, jak ten skurwysyn Solony wyzywa barona na pojedynek, to ten baron, czyli ja, przed pojedynkiem zdejmuje okulary. Uważasz mnie? Zdejmuje i zostawia. A bez okularów jest normalnie ślepy i idzie się strzelać.

Obaj wypiliśmy.

– To żaden pojedynek, rozumiesz mnie, to jest samobójstwo. On wie, że ona nigdy, ale to nigdy go nie pokocha, i w takiej sytuacji nie chce mu się żyć w ogóle.

– Może – powiedziałem. – No i co?

– No i to, że ja podejrzewam, że ten cały Zachar podobnie wykombinował i naumyślnie sprawę z łopatami zawalił... Wiesz, to był transport okrętem z Moskwy, z tym że te łopaty miały ostrza nie tyle ze stali, co ze wzbogaconego uranu. I on zawalił naumyślnie, doniósł czy coś, bo chciał, żeby go ciachnęli. Bo wiedział, że ani ona mu nie wybaczy, ani on jej. Chociaż oboje są niewinni. Tak uważam. I co o tym myślisz?

– Może i tak – powiedziałem. – Ale ty, Rysiek, jesteś romantykiem.

– A jaka jest inna rozmowa. Ale z Olgą się tak czy tak ożenię.

Wypiliśmy obaj i spróbowałem się podnieść, ale upadłem. Sufit zawirował, a sala śpiewała. Białorusinki wzięły mnie pod ręce.

Dwa dni zdjęciowe na Manhattanie
(dzień, plener)

Dżerzi i Harris idą Pięćdziesiątą Ósmą ulicą. Właśnie się ukazał artykuł w „Village Voice", pierwsza strona, ogromne litery: „Jerzy Kosinski's tainted words" (to coś, jakby „skażone słowa" Jerzego Kosińskiego i też pewnie aluzja do „Painted bird"). Jest wyłożony we wszystkich kioskach. Na billboardach, na przystankach autobusowych. Przechodzą koło wystawy księgarni Coliseum, właśnie kiedy sprzedawca usuwa z niej książki Dżerziego.

– To idiota. – Harris wzrusza ramionami. – Kretyn. Właśnie teraz sprzedaż ruszy. Spoko, Dżerzi. Będziemy kontratakować. Wydawnictwo już wysłało list do gazety. Kilku redaktorów uważa, że zostali przez dziennikarzy zmanipulowani. No lecę. Mam spotkanie w Pen Clubie. Zaraz potem zadzwonię. Trzymaj się i nic się nie bój. Zobaczysz, że jeszcze na tym obaj zarobimy.

(noc, wnętrze)

Dżerzi wchodzi do mieszkania. Za oknem jak zawsze miga „American Airlines". W gabinecie sprawdza messages. Wszystkie są od dziennikarzy i jeden od Maszy. Sekretarka jest pełna. Włącza TV bez dźwięku. Na jednym z kanałów widzi swoją twarz i gazetę z artykułem. Wyciąga proszki. Łyka jakiś jeden, po namyśle jeszcze jeden, popija whisky. Patrzy na siebie w TV. Siada przy biurku, przez chwilę pisze coś na maszynie. Wyciąga kartkę, czyta i drze. Pisze następną, tej nie wyrzuca. Przechodząc przez living room, rzuca sakramentalne:

– Dobranoc.

Zza kotary wychodzi piękna wysoka kobieta. Jakby ogromnie podobna do jego matki. A może to ona? Tak się w każdym razie Dżerziemu wydaje. Obejmują się. On jak dziecko chowa głowę na jej piersiach.

Ona: Jestem z tobą, maleńki.

Dżerzi: Wychodzę.

Ona: Pamiętaj, że zawsze będę cię kochać.

Logorea

Na rogu Szóstej Alei i Pięćdziesiątej Siódmej było tak jak zawsze. Przywitał się z dziewczynami, nie wiedziały o jego klęsce, zresztą nic ich to nie obchodziło. Carmen chętnie zgodziła się iść do klubu. Ale tuż przed wejściem dał jej dwieście dolarów i dalej poszedł sam.

Było duszno i wilgotno. Rozpiął koszulę, potem zdjął krawat i marynarkę, żółtawe ołowiane chmury nad Hudsonem rozmazywały się w czerni. Znad New Jersey nadchodziła burza. Przedostał się przez highway i ruszył na szerokie kamienne molo, jedno z kilku wchodzących głęboko w rzekę. Było prawie pusto. Kilka zaplątanych w siebie cieni przesuwało się obok w stronę miasta i światła. Z ogromnej kilkupoziomowej hali niedaleko słychać było przygaszony stukot golfowych piłek.

Doszedł do końca mola i długo z obrzydzeniem patrzył na wodę. Prawie czarna, unosiła w stronę oceanu pustą butelkę i połamane gałęzie.

Wzdrygnął się i zawrócił.

Lunęło. To nie był zwykły deszcz, z nieba wylewały się kubły wody. Potem błysnęło i nadleciał spóźniony grzmot. W jednej chwili mokra koszula przylepiła się do ciała, a w butach zachlupało. Na szczęście był już po drugiej stronie highwayu. Zwinął marynarkę i przytulił ją do piersi.

Pierwszy bar, do którego dopadł, był długi, ciemny i obskurny, klimatyzacja nie dawała rady, pachniało piwem, kurzem i potem. Najwięcej światła padało z zawieszonej nad stołem bilardowej lampy. Dwóch Murzynów pochylało się nad wytartym zielonym suknem. Na stoliku obok tłoczyły się puste butelki po budweiserze. W głębi popijało piwo wymieszane czarno-białe towarzystwo. Szybko zamówił wódkę z tonikiem, wypił duszkiem i w ciasnej toalecie zdjął koszulę i wytarł się papierowym ręcznikiem. Na chwilę wsadził koszulę pod suszarkę do rąk. Trochę pomogło. Przy barze poprosił o wodę, z górnej kieszeni marynarki wyciągnął torebeczkę, którą pół godziny wcześniej sprzedała mu Carmen. Proszki były wilgotne, popił białą rozłażącą się w ustach masę i zamówił jeszcze jedną wódkę z tonikiem.

Na ekranach telewizorów zawieszonych nad barem zderzały się ogromne ciała koszykarzy.

– New York Knicks i LA Lakers – wyjaśnił biały, ogolony na łyso barman. – Lakers dają im w dupę. – Dziobnął palcem w przymocowane na ścianie pożółkłe oprawione zdjęcie. – Jack Dempsey, podobno tu kiedyś pił. O ile to nie jest podróbka. – Wzruszył ramionami i bez pytania napełnił szklankę wódką.

Z głębi baru wynurzyła się biała kobieta. Miała duże piersi, jaskrawo pomalowane usta i smutne oczy.

– Przepraszam pana, ale mieszkam obok. Gdyby pan chciał, to biorę tylko pięćdziesiąt dolarów, a pieniądze są mi potrzebne na operację.

Barman spojrzał pytająco, ale widząc, że Dżerzi nie reaguje, mruknął:

– Spieprzaj, Jenny, wystraszysz mi gościa.

Kobieta posłusznie odwróciła się i zniknęła w kłębach dymu. Dżerzi dotknął palcami czoła – było gorące, przestraszył się, że zachoruje, koszula trochę się ogrzała, ale poczuł dreszcze.

– Cześć, Żydzie, myślałeś, że się schowasz? Otóż w życiu, i jeszcze długo nie.

Obok niego siedział mężczyzna w szarym PRL-owskim garniturze i uśmiechał się ujmująco. Na oko był młodszy od Dżerziego o dobre trzydzieści lat. Jasne włosy układały się w równe fale. To była ta sama twarz, która błysnęła przed maską buicka, czyli Walery z Sandomierza, ale nie do końca. Dziwna twarz, falująca wewnętrznie, jakby ulepiona z kilku.

– A to ty byłeś w tej budce. – Dżerzi też się uśmiechnął całkiem przyjaźnie.

– Pewnie, że ja, przecież wiedziałeś, że to ja. Dobrze robię francuski akcent? Postawisz coś? Mam kłopoty z kasą, przejściowe, nic poważnego, ale krępujące.

– Tobie zawsze. – Dżerzi zamawia wódkę z tonikiem, płaci, resztę zostawia na barze.

– Wódka z tonikiem? To świetnie, nie wiem, jak ci dziękować. – Pije kilka łyków. – Widzisz, jaki miły jesteś. Nowy Jork to drogie miasto, przecież wiesz, ile ty się musiałeś namęczyć, żeby stanąć czterema kopytami na szczycie, dokonałeś rzeczy niemożliwej, niewiarygodnej... Co się tak krzywisz, przecież wiesz, że z tobą trzymam – patrzy z wyrzutem – a ty mnie chciałeś udusić. A raz mnie o mało nie przejechałeś, swoją drogą, jeździsz jak wariat. Dobra, mniejsza o to, przecież wiesz, że się na ciebie nie umiem gniewać.

Dżerzi wypija duszkiem drinka, zamawia dwa nowe.

– No pewnie, masz rację, trzeba się napić, a ja o nic nie mam żalu, ja cię kocham, pamiętam cię od takiego malutkiego. – Dżerzi pije wódkę jak wodę. – Ajajaj – kręci głową mężczyzna. – Widzę, że się przejąłeś tym gównem. Ja cię rozumiem. Jesteś wrażliwy, może nadwrażliwy... –

Też szybko wypija. Po chwili pojawiają się dwie nowe pełne szklanki.

– Patrz, barman stuknął dwa razy w barek, czyli że na koszt firmy. I wcale cię nie poznał... czyli to jest uczciwy człowiek.

– Nic się nie zmieniłeś, nie tyjesz, nie łysiejesz. – Dżerzi z uznaniem kiwa głową.

– Nareszcie dobre słowo, ty też świetnie się trzymasz. Na razie i tak mamy szczęście. Co tak patrzysz? Mamy, słowo honoru, że mamy. No, bo tylko pomyśl. Jakby ci z „Village Voice" znaleźli tę twoją wioskę w Polsce? No, Dąbrowę, co? Byłoby ciekawie. Co? Się zapytasz, co za różnica, sam czy z rodzicami, i masz rację. Przecież oni tu codziennie łżą jak psy. Ale wiesz, jak jest, to by się zrobił jeszcze większy bałagan, no nie? Może by, dajmy na to, powiedzieli, że ty jesteś ich wielką omyłką? I że ten ogrodnik z twojej książki *Wystarczy być* to ty? Eee tam, tak daleko by się nie posunęli. Nie, o to się nie powinniśmy martwić, prawda? I że wszystko, co napisałeś, to tylko sadystyczna wyobraźnia. – Przerywa, patrzy długo na Dżerziego. – Mogę być z tobą szczery?... Bo ja się trochę boję. Trochę, tylko ociupinkę, że ty w głębi duszy jakiś kawał szykujesz, co? Przeciwko nam obu, co?

– Nie przeszkadzaj, ja się kurczę.

– O nie. Ty, kochany, jesteś ciągle ogromny. Zna cię cały świat. Nie należysz w ogóle do siebie. Nie wmawiaj sobie, że po śmierci będziesz większy, niech ci Bóg da długie życie. Ty wiesz, że ty krzyczysz przez sen? Ale ja zawsze będę przy tobie. Zawsze. No chyba że...

– Chyba że co, ty paskudo? Chyba że co?

– Dobrze, dobrze. Uśmiechasz się? Widzę, że cię humor nie opuszcza. Ale jak chcesz, to porozmawiajmy poważnie, chcesz? Postawię sprawę jasno, ty, megagwiazda literatury, znalazłeś się w głębokiej dupie. Odebrali ci twoje książki i honor. I to kto? Jacyś nieudacznicy… Nie ma o czym mówić, skrzywdzono cię. Teraz, czy jest szansa, żeby się odkuć, bo na razie ty się ośmieszasz, płaczesz, krzyczysz, że to niesprawiedliwość, i to ty krzyczysz. Ty! Przecież wiemy obaj, że sprawiedliwości nie ma w ogóle i nie będzie, dlatego cię przepraszam, ale ten twój płacz jest i blady, i nieśmiały. Co pokazujesz? Słabość pokazujesz, Jureczku. Ty szukasz sojuszników, a ich nie ma, sprzedali cię w jedną chwilę. No wiesz… ten zasrany Pen Club. Przez dwie kadencje wypruwałeś sobie dla nich flaki. Nikomu się nie chciało, a ty walczyłeś… Tak jest, walczyłeś o tych wszystkich prześladowanych dupków na świecie. A oni nic… Woda w usta, ani słowa… Co? Tacy, kurwa, niewdzięczni? – Wolniutko opróżnia szklankę, przeciera oczy.

– Wybaczysz mi, trochę się wzruszyłem. Serce mam miękkie. No jeszcze po małym, jak pić, to pić, nie?

Po chwili pojawiają się pełne szklanki.

– Znów dostaliśmy podwójne. Ten mordziasty w barze znów stuknął dwa razy i nie wziął forsy. Czyli co to ja mówiłem? Aha. Ty zajmujesz na świecie ogromnie dużo miejsca, niewyobrażalnie dużo, i ja widzę, że ty sobie zacząłeś coś wmawiać, że się kurczysz na przykład, nieprawda, mój drogi, i byś chciał to wszystko ścisnąć do rozmiaru jednego ciała. Nie, to po prostu śmieszne. Pijemy? Pijemy. – Ruch szklanek na barze. – A wiesz, że teraz już nam policzył? Z krytykami to już sam popieprzyłeś, twoja wina, oni się teraz tłumaczą, że ich zahipnotyzowałeś, niezłe, co? Ale czy ja ci, Jureczku, nie doradzałem? Doradzałem, że krytyków trzeba pielęgnować, robić im maseczki, laskę, wklepywać kremy, polerować paznokcie, bo talenciki u nich mizerne, kompleksów od chuja, próbują uwierzyć, że są na coś potrzebni. Radzić się ich trzeba, oni to uwielbiają. I ty to robiłeś, ale się poczułeś za ważny i pogardę zacząłeś okazywać, po jednej głupiej recenzyjce, pogardę. Chlapnąłeś, że to zera, które żyją z twojej krwawicy. Głupota i pycha. Mam rację? I od razu nie jesteś już ani Beckett, ani Dostojewski, ani Kafka, ani nawet Genet. Genet, co pół życiorysu sobie zmyślił, żeby być sexy i atrakcyjny. Już teraz jesteś bezwartościowy sadomasochista i złodziej. Łatwo przyszło, łatwo poszło, co? A pamiętasz, że o Dostojewskim największy ruski krytyk Bieliński napisał, że się na nim zawiódł i że to kompletne zero… A wiesz, co o Puszkinie Ruscy pisali? Że on to pryszcz na nosie bladej, umierającej rosyjskiej poezji… Czepiają się, że *Wystarczy być* trochę podobne do tego tandetnego *Dyzmy*. A Szekspir to nie rżnął z Marlowe'a? Wszystko jest zerżnięte z czegoś, co już było, tyle że nienapisane. Nie jest tak? Ale ty się nie poddasz, co? Za wysoko zaszedłeś. Pamiętaj, kim są twoi kumple. To Aga Khan i Oscar de La Renta, Kissinger, Sulzbergerowie--stratosfera. Nie pozwolisz, żeby duch Adolfa Hitlera cię pośmiertnie dogonił, no, owszem, on jest nieśmiertelny, ale tobie nie da rady. Prawda?

A zobacz, ja już nie mówię o PEN-ie, ale twoi pojedynczy koledzy pisarze też siedzą cichutko i zacierają rączki.

Dzwoniłeś do Mailera? Dzwoniłeś. Do Vonneguta dzwoniłeś? Dzwoniłeś. I co? Ani jeden nie pisnął w twojej obronie. Ani jeden. A wiesz dlaczego? Bo ty jesteś obcy. Nie o to chodzi, co w Polsce, że obrzezany i nos, ale, po pierwsze, przyjezdny, a po drugie, za daleko zaszedłeś w szczerości, w tym, co między kobietą i mężczyzną albo kobietą i kobietą, albo mężczyzną i mężczyzną, mniejsza z tym. Pogubiłem się, ale coś ważnego chcę powiedzieć. Bo oni to są mieszczanie, małe duszyczki. Owszem, ich bohaterowie mogą sobie na to albo tamto pozwolić, ale oni, broń Panie Boże, ściskają pośladki. A ty, obcy. Ten Camus sobie obcego wymyślił, ale sam moralista od góry do dołu. A u ciebie noc. NOC. I w życiu, i w pisaniu. Tego ci, kurwa, nie wybaczą. Żebyś się trzymał Holocaustu, byłoby OK.

No dobra, rozgadałem się, logorea. To jest u mnie nie do opanowania, jak się napiję. Dobra, umówmy się, nie wszystkie twoje książki to arcydzieła. Ale kto pisze same arcydzieła?

I teraz przechodzę do tego, co ważne. Tylko nie przerywaj i się nie wkurzaj. Usiądź sobie wygodnie i odetchnij głęboko. O tak. Lepiej? Lepiej! Jureczku, dopadli cię. Rozszarpali. I to, co masz zrobić, wymaga odwagi, ale ty jesteś odważny. Odsłoń się, żeby przykontrować, a potem atak. Oni dołem, dołem, a ty górą, górą, czysty boks – strategia plus technika.

Bo o co poszło? Poszło o to, że zwykły koszmar to dla nich za mało. Wampiry chciały więcej krwi. To dołożyłeś. Walnąłeś, że piesek Judasz, że szambo, że kozioł, że wieszają, że niemowa, że gwałt, ale to wszystko było dla nich za anonimowe. Za mało namacalne, prawda? Jakiś tam mały chłopiec żydowski to chuj ich obchodzi. No to wpakowałeś w to szambo siebie. Stałeś się śmierdzący, ale namacalny, a potem jeszcze dokładałeś, i jeszcze… No i proszę, nadstawili uszu. Kupiłeś ich ciekawość! Ciekawość, ale nie miłość. I wykrzycz to, wrzaśnij, napluj im w twarz, roześmiej się, a nie skamlaj. Oni by chcieli zrobić z ciebie kłamliwego psa przybłędę, bo zająłeś miejsce na wszystkich szczytach, o których im się nie śniło. I teraz cię za nogi i na dół, zgraja szakali. Może mają już kogoś na twoje miejsce, co? Przecież dzięki tej przebierance, o którą mają do ciebie żal i pretensje, twoją książkę o płaczu dziecka przeczytały miliony ludzi. Tych samych ludzi, którzy teraz patrzą, jak cię publicznie jebią, i biją brawo. Ale właśnie tacy są ludzie. Napijmy się jeszcze po jednym, Jureczku, co? Jakoś się lepiej poczułem… Ci dranie wrzeszczą, że nie znasz angielskiego, oskarżają, że używałeś redaktorów. A pewnie, że używałeś, wszyscy to robią, a ciebie jednego chcą rozpiąć na krzyżu. Że brałeś od nich garściami, a dlaczego miałeś nie brać? Żałować sobie, jak to było dobre? Jesteś człowiek myślący, co tam myślący, gigant jesteś i dlatego, że nim jesteś, chcą cię zarżnąć. Krzyczą, że sadomaso. A może byś tak wymienił nazwiska tej reszty z klubu VIP-ów, trzydzieści dwa kluczyki? No? Wtedy by zadyndał z tobą na krzyżu cały olimp. Z tym, że coś mi mówi, że ich by raczej nie ruszyli. Ty się nadajesz do ruszenia, a inni nie. To jak? Pójdziesz z nimi na wojnę? Dasz radę? Rzucisz rękawicę? Daj łapę. Deal?

– Bracie, nie machaj tak rękami – klepnął Dżerziego stary siwy Murzyn, który siedział na stołku obok. – O mało żeś mi drinka nie wylał.

Dżerzi otrząsnął się.

– Nieźle ciągniesz. To już będzie czterdzieści dolarów – pochwalił go barman.

Zabawa w chowanego
(wnętrze, wieczór)

Dżerzi w pracowni. Szykuje kąpiel. Wanna, woda, piana. Domofon się odzywa.

Dżerzi: Kto?

Masza: Ja.

Dżerzi: Czego chcesz?

Masza: Wpuść mnie.

Dżerzi: Nie.

Odkłada słuchawkę domofonu. Za chwilę od nowa ten dzwonek męczący, długi i już wiadomo, że się nie odczepi. Dżerzi w końcu podnosi.

Dżerzi: To ty?

Masza: To ja.

Dżerzi: Spieprzaj!

Odwiesza słuchawkę, wchodzi do wanny. Za chwilę walenie do drzwi. Już tych od mieszkania.

Dżerzi: Shit.

Walenie nie ustaje, więc wychodzi z wanny, wyciera się, wkłada spodnie i po namyśle, z uśmiechem, na gołe ciało marynarkę, prezent od Klausa. Otwiera. Wchodzi pijana Masza z flaszką whisky do połowy opróżnioną.

294

Wygląda okropnie. Trzyma flaszkę tak, że whisky leje się na podłogę. Dżerzi odbiera jej resztkę. Stawia na stole.

Masza: Skurwysyny. Faszyści.

Dżerzi: Kto cię wpuścił na klatkę?

Masza: Co za różnica, to podłe. Co za świnie!

Bierze flaszkę i pociąga łyk.

Masza: Ja wiem, jak się czujesz.

Dżerzi: To mi opowiedz. Calvin Klein?

Masza: Co?

Dżerzi: Dżinsy.

Masza: Nikt im nie uwierzy.

Dżerzi: Już uwierzyli... ludzie wierzą, chcą wierzyć.

Nalewa whisky jej i sobie. Wrzuca lód.

Dżerzi: Napij się i w drogę. Co, ja się mam nad tobą litować?

Masza (pije i płacze): Biedaku...

Dżerzi: Jeszcze i litość, znowu litość mnie spotyka.

Masza: Za co cię tak los doświadczył? Mój biedaku.

Dżerzi: Jaki los? Co ty pieprzysz o losie? Paru zawistnych gnojków. Spieprzaj z tym ruskim losem.

Masza pokazuje marynarkę.

Dżerzi: To prezent od twojego męża. Kobieto, idź już do domu. Ja jestem zajęty, pracuję, myślę, gdzie by się schować, OK?

Masza (rozbiera się): Schowaj się we mnie, nie znajdą cię, będziesz bezpieczny.

Dżerzi: Wracaj do domu, biedna, chora, głupia, ruska kobieto.

Masza (bije go w twarz raz i drugi): Chodź, ty głupi

skurwysynie. Zrujnowałeś mi wszystko. (Pcha go na tapczan, szarpie się z jego spodniami).

– No, pokaż, co potrafisz, ty żydowski kundlu.

Znów go bije. Dżerzi się poddaje. Zaczyna się seks,
dziki i brutalny, zakończony wspólnym orgazmem.

Porno-kino 2

Zapala się światło. Rząd foteli inwalidzkich. Drze-
mią na nich albo wpatrują się nieruchomym wzrokiem
w ekran, teraz już pusty, stare kobiety. Na jednym z nich
Masza, obok, trzymając ją za rękę, siedzi Jody. Właśnie
obejrzały na ekranie wykonaną przez Irinę i Billa impro-
wizację na temat ostatniej wizyty Maszy w pracowni Dżerziego. Jody przygląda się jej uważnie, ale twarz Maszy nie
zdradza żadnych uczuć. Poza nimi na sali, tak jak na początku, paru bezdomnych, kilku Japończyków statystów,
rozczarowanych, bo na ekranie za mało było wiązania
i kajdanek. Czarne kobiety z opieki społecznej milkną na
moment i wracają do coca-coli i popcornu. Dzieci zmęczone. Kilkoro śpi, reszta bawi się już bez przekonania. Pojedynczy erotoman niechętnie zapina rozporek.

Reżyser zatrzymuje kamerę, też nie jest zadowolony.

– Wrócimy do tej sceny jutro.

Naradza się z operatorem.

Sprzątaczka polska, ta sama, która wcześniej odku-
rzała u Dżerziego, zaczyna zamiatać. W stronę przygoto-

wanego w holu cateringu suną postacie z tej opowieści:
Ojciec, Matka, Steven, ksiądz, niemieccy żandarmi i inni.
Przez chwilę miga twarz Klausa Wernera. Masza ma za-
ciśnięte usta. Jody poprawia koc na jej kolanach.

– Przyniosę ci sok jabłkowy. Jest najlepszy na żołądek.
Znika w holu.

– Zabierzcie ją ode mnie – szepcze Masza do czarnych
kobiet. – Błagam, ratujcie. Ona mnie porwała. Uczepiła
się mnie, nie pozwala ani żyć, ani umrzeć. – Urywa, bo
pojawia się Jody z kubkiem w ręku.

– Masz, kochanie – mówi. – Pij, bo się odwodnisz.

I Masza posłusznie pije. Kończy i oddaje plastikowy
kubek Jody, która wypycha ją razem z wózkiem na zatłoczoną hałaśliwą Dziewiątą Aleję. – Miałby teraz siedemdziesiąt trzy czy siedemdziesiąt cztery lata? – pyta, pchając wózek w górę miasta w stronę Czterdziestej Drugiej.

Miniatura oceanu

Wieczorna Czterdziesta Druga ulica, duży ruch,
wszystko błyszczy albo miga, hałas i wiatr. Falują na nim
i szumią pagórki plastikowych wypchanych śmiecia-
mi worków, czyli znów plastikowa symfonia. Jody pcha
w tłumie fotel z Maszą, z przeciwka nadchodzi Dżerzi. Mi-
jają się, nie zauważając. Potem Dżerzi wchodzi do swojego
mieszkania. Zdejmuje płaszcz, za oknem jak zawsze miga
czerwony neon. Przechodzi przez living room, coś mówi

w stronę kotary. Domyślamy się, co to jest, ale słów nie słychać, zagłusza je muzyka. Przez chwilę jeszcze „plastikowa", potem Liszt. Ten sam walc, który grała na pianinie jego matka.

W gabinecie sprawdza messages też przygłuszane Lisztem. Otwiera szafę i długo przygląda się przebraniom. Z leżącej na biurku plastikowej przezroczystej torebki wyciąga dwie książki Marqueza. Odkłada je na bok. Torebkę wciska do kieszeni, jakoś trzeba pokazać, ale dyskretnie, że ma w niej też buteleczkę z od dawna przygotowanymi rozpuszczonymi barbituranami. Bierze butelkę johnny walkera, szklankę, wraca do kuchni i wyjmuje z zamrażalnika kilka kostek lodu. Starannie napełnia szklankę.

Wchodzi do łazienki i zamyka za sobą drzwi. Słyszymy tylko Liszta i szum lejącej się do wanny wody, potem czerwony neon za oknem zaczyna się krztusić, przypominając odrobinę wykres EKG, i na chwilę wyrównuje się, przechodzi w długą ciągłą linię. Drzwi łazienki otwierają się i wychodzi sześcioletni czarnowłosy chłopczyk, ten sam, co na początku opowieści. Patrzy na nas ogromnymi, przestraszonymi oczami. Wykres jest znów tylko migoczącym neonem. A chłopczyk biegnie ulicą, przepychając się przez ogromny, kolorowy, szumiący tłum, biegnie Broadwayem i dogania pchającą wózek Jody, bierze ją za rękę, idą razem.

Fade out
The End

List Klausa W.

Drogi Januszu!

Pomijam uprzejmości. Wiem, że Ci nie zapłacono ostatniej raty i czujesz się, jak wy to pięknie na Wschodzie określacie, wydymany. Ale, po pierwsze, ja mam teraz inne problemy, po drugie, są od tego prawnicy. A między nami, jak na to, co z siebie dałeś, to i tak zarobiłeś sporo. No przyznaj. W końcu podesłałem Ci pełno materiałów, które tylko z grubsza obrobiłeś. Część była prawdziwa, część niekoniecznie, ale co za różnica.

Wiem, że masz żal, że to się wszystko wlecze i rozłazi. Mnie też przykro. Szkoda, że nie nakręciliśmy tej sceny retro z Warszawy. Miałeś oczywiście rację, że bardzo by się przydała, ale ten Serb i tak przekroczył budżet, a ja już nie chcę wkładać w to więcej pieniędzy, swoich i nawet cudzych. Bo chyba nie myślisz, że to wszystko zrobiłem za swoje pieniądze. Milan uciekł teraz do innego filmu, jest gdzieś pod Belgradem, a jego biuro i agentka twierdzą, że nie można z nim złapać kontaktu, bo stale gubi komórki. Serbowie! Ale Jack Tempchin, pamiętasz Jacka, taki nieduży ze spiczastym nosem, executive producer, na razie skleja to, co jest nakręcone, i twierdzi, że nie jest źle i będzie szukać dystrybucji. Jak znajdzie, może będziemy coś dokręcać. Tę Twoją scenę też.

Ja na razie mam dosyć Dżerziego, polskich pisarzy, serbskich reżyserów i rosyjskich aktorek. Siebie mam też dosyć od dawna. Główny powód mojego, nazwijmy to, zniechęcenia jest taki, że już wiem na pewno, że mi to nic a nic nie pomoże. I mój terapeuta, który mi to doradzał, przekonując, że ten film będzie miał leczniczy wpływ i że to świetna kuracja, jest idiotą. Miałem się przyjrzeć, co w tej sprawie spieprzyłem, a czego nie. Bo się od tego od trzydziestu lat nie mogę odczepić. Ja nie jestem pewien, czy ten terapeuta był całkiem obiektywny, coś za bardzo lubi kino, sam zainwestował w ten film i się całkiem histerycznie wykłócał o miejsce w czołówce. Że konsultacja psychologiczna i jeszcze jakaś tam opieka. To wielki fan Dżerziego. Uważa go za kogoś w rodzaju Juliana Sorela dwudziestego wieku. Napisał pracę porównującą jego śmierć z samobójstwem Prima Leviego. Też, jak wiesz, pisarza i ofiary Holocaustu.

A Ty zauważyłeś, że ja utykam? Teraz troszkę mniej, bo zrobiłem operację, dwie nawet, no i buty na zamówienie. Teraz to są dwa centymetry, nawet niecałe – jeden centymetr i osiemdziesiąt dziewięć milimetrów.

Mam trochę żalu, że mnie nie lubiłeś, a ja lubię ludzi, którzy mnie lubią, chociaż trochę nimi gardzę, bo nie ma we mnie dużo do lubienia. Sam siebie nie lubię. Ale jest mi miło, kiedy jestem podziwiany, właśnie dlatego, że mi się to nie należy. Co Ty na to? Przesadzam, oczywiście, że przesadzam. Jestem wrażliwy. Tak, właśnie wrażliwy, i przykro mi, że tego nie zauważyłeś.

Pewnie nie wiesz, że ja miałem całkiem solidne załamanie. Po tym, jak zostałem sam, a Masza, no wiesz… Powiem ci krótko. Zastanawiałem się, czy ze sobą nie skończyć. Dziwnie mi się to pisze, ale ten terapeuta powiedział, że w pewnym sensie zrobił to za mnie Dżerzi. A ja nie chciałem popełniać plagiatu.

Napisałeś, że był wielkim mistyfikatorem, ale demony, które ciągle wyczuwał za plecami, były prawdziwe. I że pewnej nocy otoczyły go w tej wannie na Pięćdziesiątej Siódmej ulicy ciasnym kręgiem. Koło mnie też się parę upiorów kręci i kręci. Trochę prawdziwych, trochę sobie wymyśliłem, żywych i nieżywych. Jeżeli ten film będzie finansową klęską, to zapłaci za to chociaż po części Hans Schüler, terapeuta. Pieprzę jego rady i chętnie pociągnę go do dołu. Mój brat Rupert też z nami popłynie. Ale on ma tyle pieniędzy, że może tego nie zauważyć, niestety. Żeby Cię pocieszyć, powiem, że najważniejszej dla mnie sceny też nie nakręciliśmy. To akurat nie z braku pieniędzy, tylko się przestraszyłem. Coś Ci może o niej napiszę, trochę później.

Wracając do nogi. Kiedy byłem mały, to były prawie cztery, dokładnie trzy i dziewięćdziesiąt jeden milimetrów. I wierz mi, że to jest dużo. A brat był idealnie piękny, równy, w ogóle wszystko, co najlepsze. Boże, jak ja go kochałem i podziwiałem.

Możesz sobie ten kawałek opuścić, ale na wszelki wypadek napiszę. To jest o tyle ciekawe, że designerstwem zająłem się w związku z tą nogą za krótką. Ubrania są, jak wiadomo, po to, żeby maskować, ukrywać wady, eksponować zalety, no i oczywiście dodawać prestiżu. Większość tych ubraniowców, takich jak ja, to kalecy psychiczni, jeżeli nie fizyczni. Nie mówię, że wszyscy, ale paru na pewno ma coś popieprzonego w głowie albo w budowie. A mój starszy braciszek, czyli Rupert, jako że bezbłędny, zajął się czymś innym. Nie pamiętam, czy Ci mówiłem. Kancelarie prawne, eksport-import, jakieś stocznie – gigantyczne pieniądze.

Rupert był o cztery lata starszy, a to w tym wieku ma znaczenie. Ogromne. Ty jesteś jedynakiem, to nic o tych mękach nie wiesz. On urodził się w czasie wojny, a ja na początku roku 1946, w styczniu. Na samym początku stycznia. Pasuje do tego listu matki, co? Między nami, myślę, że matka to zmyśliła. Nie lubiła mnie, chciała mi jeszcze na zakończenie zza grobu zrobić świństwo. O kochaniu to w ogóle nie było mowy.

Czekaj, bądź cierpliwy, będzie jeszcze o filmie, ale teraz trochę o uczuciach. A wiesz, że ja się czuję samotny? Zawsze tak było. Nawet do Ciebie się trochę przywiązałem, zabawne, co? Dlatego Masza była dla mnie tym, kim była. Ale na razie wyobraź sobie Ruperta, słodkiego blondynka, oczy oczywiście niebieskie, włosy złote, muskuły i tak dalej. Na początku nie było mi z nim źle. Bawiliśmy się w wojnę, z tym że on był zawsze Niemcem, Anglikiem albo Amerykaninem, a ja rozmaicie, Żydem, Cyganem, Rosjaninem albo Polakiem. I potem nagle mnie olał. Bez ostrzeżenia. Trach, i koniec. No, nie widział mnie, po prostu, jakbym się zrobił przezroczysty. On miał wtedy dwanaście lat, a ja równo osiem.

Ojciec był chory, wrócił z wojny z odłamkiem w kręgosłupie, tego nie dało się operować. Trochę się ruszał, ale nie bardzo. Utykał na lewą nogę. Nie podobało mu się, że ja też kuleję. Wściekał się, że go przedrzeźniam. No i matka dbała o wszystko, czyli o biznes, kancelarię adwokacką, stocznię w Hamburgu i o Ruperta. Uważała go za geniusza. Stroiła jak laleczkę, a ja donaszałem po nim rzeczy. Uczciwie mówiąc, nie sprawiało mi to przykrości, miał ładne ubranka i go kochałem. Piszę o tym, chociaż to nie ma związku, ale tak naprawdę to ma. Przekonasz się, jeżeli doczytasz do końca. Czytasz? Czytasz. Wiem, że tam jesteś ze mną.

No więc raz wszedłem do łazienki, a mieliśmy we dwóch wspólną i łazienkę, i sypialnię. To był ogromny dom. Stary dom w Monachium, z ogrodem, coś takiego, co Mann w *Buddenbrookach* opisał, wszystko ciężkie i przygniatające, mniejsza z tym. Czyli raz wszedłem do łazienki, rano, ale po śniadaniu, sery, dżemy, bułeczki chrupiące, kawa z mlekiem, a on stał przed lustrem i się onanizował, spojrzał na mnie i jakby mnie nie było, przezroczysty braciszek. Naturalnie stanąłem obok i zacząłem robić to samo. Rupert miał wielkiego, ja małego i nie szło mi. On wytrysnął na lustro, ja nic. Popatrzył pogardliwie, powiedział: wytrzyj, i wyszedł, a szofer matki nas odwiózł do szkoły.

Po lekcjach grał w nogę z kolegami z klasy, a ja siedziałem i patrzyłem. Jak strzelił bramkę, biłem brawo i wrzeszczałem najgłośniej, nawet nie spojrzał. Ale dwa dni później znów wchodzę do łazienki przed szkołą, a on siedzi na sedesie ubrany, tylko rozpięty, a przed nim klęczy Bridget, czyli córka pokojówki, trochę ode mnie starsza, z warkoczykami, pulchnym tyłkiem, ale bez piersi, i ma go w ustach. Jak mnie zobaczyła, spłoszyła się i uciekła.

Nareszcie mnie zauważył. Był wściekły, wrzeszczał, więc szybciutko ukląkłem na jej miejscu i zrobiłem to, czego ona nie dokończyła. Tylko nie myśl, że ja jestem pedał, nic takiego nigdy mi nie chodziło po głowie, nie chciałem, żeby się gniewał, i myślałem, że mnie polubi. I rzeczywiście, pogłaskał mnie po głowie i się uśmiechnął. Położył palec na ustach, jakbym nie wiedział, że to jest między nami.

Co o tym sądzisz? Brzydzisz się? Może się brzydzisz, a może coś z tego rozumiesz, chociaż jesteś pieprzonym jedynakiem i nie wiesz, jak to jest w rodzinie. Opisuję to, bo nic a nic mnie Twoje zdanie nie obchodzi, a mam potrzebę zwierzeń. Maszy o tym nie mówiłem, opowiadałem prostytutkom, ale musiałem za to płacić dodatkowo. Wieczorem znów poszedłem do niego do łóżka, a rano on przyszedł do mnie. Nie podniecało mnie to nic a nic, on nawet wziął mnie raz i drugi za kutasa, ale machnął na to ręką, i słusznie. Nie miałem pretensji. Byłem szczęśliwy, odzyskałem go. Własnoręcznie mnie ostrzygł, raz dał przy śniadaniu swojego french toasta, zabierał na mecze, a raz nawet stałem na bramce, niestety, wpuściłem trzy gole, więcej mnie nie wzięli. Matka trochę się dziwiła, ale nie miała na dziwienie czasu, bo, jak mówiłem, wszystko na jej głowie.

Kiedy Rupert pojechał do szkoły z internatem, wpadłem w depresję. Matka zajęła się moją nogą, chyba wstydziła się chodzić z kulawym. Rupert ma teraz w Hamburgu dwójkę dzieci. Dwóch dorosłych synów, nawet podobnych do niego.

Przed Maszą ja nie byłem z żadną kobietą. W sensie wspólnego życia. Oczywiście sekretarki, asystentki, półprostytutki i oficjalne. Jeden kolega załatwił mi wstęp do najelegantszego burdelu w całych Niemczech, dostać się tam było trudniej niż zostać posłem do Bundestagu.

Wracając do Maszy, ten ich ogólnonarodowy geniusz Puszkin napisał w przymiarce do Mozarta i Salieriego, z której potem wszyscy zrzynali, że sprawiedliwości nie ma ani na ziemi, ani nie ma jej też i wyżej. Oni tak myślą. Ci Ruscy. I najgorsze, że mają sto procent racji. No, ale chwileczkę, a wdzięczność? Nic o wdzięczności czy o jej braku nie ma u Puszkina, pokaż mi w ogóle książkę o wdzięczności. A ja w końcu wyprowadziłem Maszę trochę jakby z niewoli egipskiej, dałem nazwisko, obywatelstwo, wierność, miłość, pieniądze na studia malarskie, wystawę w SoHo, zorganizowałem najlepszych kardiologów. Dałem jej w ogóle wszystko, co miałem. No, to prawda, że nie śmierdziałem wódą, nie plułem w nocy na ścianę, nie biłem jej i może tego jej brakowało? Jak myślisz? Może zrobiłem dla niej rzecz najgorszą przez to, że wywiozłem ją z Moskwy.

A może to polega na tym, że my mówimy dusza, a oni duszaaa. I oni sobie wzajemnie rozpinają te duszeee tak jak my rozporek. Ja nie jestem ślepy, widziałem, że Masza mnie nie kocha, ale wiedziałem, że się stara. Nie kochaaa, ale odrobinkę kocha. Pewnie jesteś ciekaw, jak wyglądało nasze życie erotyczne i czy jej to sprawiało przyjemność? Ja też. Spaliśmy ze sobą niedużo przez to jej serce. Zawsze leżała nieruchomo, żadnej reakcji, ale była taka piękna, że patrzyłem na nią i sam się wzruszałem. Miała długie, jasne włosy, w których tonęła. Kiedyś nie wytrzymałem i spytałem, czy w ogóle coś czuje. Powiedziała, że owszem tak, ale matka ją nauczyła, że rozkosz okazują tylko prostytutki, a kobiety uczciwe mają zaciskać wargi i tyle.

I takie cudne, delikatne stworzenie polazło do tego oszusta i zboczeńca. Oczywiście za bardzo się nie dziwiłem, że Dżerzi ją opętał. No, bo gdzie mnie do niego. Ja sam na jego widok głupiałem, bo jestem snobem, jeszcze o tym nie wspomniałem, więc tak, jestem.

Podziwiałem go, przyznaję. Uważam, że go nie do końca sprawiedliwie zaszczuto, ale jak przed chwilą ustaliliśmy, sprawiedliwości nie ma. A że był wielki, to spadł z wielkim hukiem, mimo że nie utykał nawet na centymetr.

Wiem, że Masza nie nadawała się na żonę dla Niemca, ale postawiłem wszystko na jedną kartę, chciałem z całych sił. W końcu zaczęło się dobrze, ona mnie podziwiała, uważała za jakiegoś półboga, zachwycały ją karty kredytowe, drogie restauracje, zakupy, i do tego wiedziałem, że dla niego ona nic nie znaczy, nic a nic, czyli po co ją ćwiartuje i po kawałeczku wykrada, po co włazi na moje terytorium? Po co mu to?

Wszystko przez ten mój pechowy wyjazd. Gdyby nie to, upilnowałbym ją. Nie wolno jej było zostawiać samej. Idiota ze mnie. Przyjechałem, patrzyłem na nią i nie wiedziałem: ona czy nie ona. Smutne zwierzątko w klatce. Wpatrywała się w telefon i bała wychodzić, żeby nie przepuścić, jak on zadzwoni. To było tak okropne, że to ja do niego zadzwoniłem, żeby się z nim spotkać. Co ty na to? Wytłumaczę ci, co miałem na myśli. Kombinowałem, obliczałem, iść, nie iść, co zyskam, co stracę. Zrobiłem bilans, jestem w tym dobry, wyszło iść. No, zresztą wiesz to wszystko, bo Ci opowiedziałem. To znaczy, trochę wiesz, trochę nie wiesz. Może się i wstydzę, ale napiszę.

Mówiłem Ci, pamiętasz, że się go spytałem, czy mam przed nim uklęknąć, a on na to – tylko jeżeli to panu sprawi przyjemność, coś w tym stylu – nie pamiętam. Tak to mamy w filmie, ale tego, co teraz, nie mamy. No więc ukląkłem, tak jest, drogi Januszu, ukląkłem. Oczywiście nie na ulicy, ale w pracowni u niego ukląkłem. I domyślasz się, co dalej? Tak. Sięgnąłem mu do rozporka. Może to był szok, taki, jaki żołnierze mają na polu bitwy, szok pola walki, tak to się modnie nazywa. Nie wiem. Wiem, że zakręciło mi się w głowie i już nie byłem pewien, czy to on, czy Rupert, a może coś mi mówiło, że tylko tak mogę go przebłagać, rozpacz, może powtarzałem sobie: to dla niej, dla Maszy, obłęd po prostu. Uśmiechnął się, pierwszy raz się do mnie uśmiechnął, spojrzał z zainteresowaniem, ale się cofnął, zapiął, i dalej się uśmiechał.

No, jednak troszkę jestem ciekaw, co czujesz i co o mnie myślisz, kiedy to czytasz? Ale w końcu… Może to był sposób na tego skurwiela? Może poczuł bratnią duszę? Bo pogładził mnie po głowie, całkiem jak Rupert, i powiedział OK, i wiedziałem, że poczuł do mnie sympatię, byłem prawie pewien. Cieszyłem się, bo wyglądało, że to podziałało. W każdym razie przez tydzień nie zadzwonił ani razu. A Masza się męczyła, piła, po niej zawsze widać, kiedy wypije nawet jednego drinka, jakoś się mgliście zaczyna uśmiechać. A ja nie odstępowałem jej, miała schowaną wódkę, znalazłem, ale udałem, że nie, dobrze, niech pije, myślałem, proszę bardzo. Profesor wyznaczył termin operacji, jeszcze tylko tydzień, potem szpital i ją wywożę.

Zero alkoholu, koniec z papierosami, znormalnieje. Wrócimy za pół roku na wystawę. Albo i nie.

I wtedy ukazał się ten tekst o nim. Niebo otworzyło się nade mną. Ktoś napisał, że zawsze mamy dość sił, żeby znieść cudze nieszczęścia.

Chciało mi się śpiewać i śpiewałem. Jest taka piosenka, którą śpiewają w pubach w górnej Bawarii po kilku litrach piwa. Mężczyźni wstają i siadają, znowu wstają i kołyszą się, najpierw w lewo, potem w prawo i śpiewają: do góry, do dołu, w lewo, w prawo. To trochę odpowiadało mojej sytuacji. Zresztą nie znałem innych piosenek, a te, co znałem, były z czasów zakazanych. Śpiewałem!

Położyłem na widocznym miejscu gazetę z tym artykułem i pomyślałem, udało się, zwyciężyłem. Przeczytała i nie powiedziała nic. Nic. Zaproponowałem, żebyśmy poszli do Tiffany'ego, rozerwać się, jak normalni ludzie. Chciałem jej kupić bransoletkę, taki prezent, jako symbol zwycięstwa. Najpierw się zgodziła, ale potem, że nie, że źle się czuje, źle wygląda, jest zmęczona i się prześpi, a ja się dałem nabrać.

Ale byłem głupi! Zapomniałem, że u ruskich kobiet to działa odwrotnie, że miłosierdzie i litość. Wybrałem bransoletkę piękną, złotą, wysadzaną brylantami, drogą jak diabli.

Wróciłem i już oczywiście jej nie było. Mój Boże, polazła, do tego oszusta polazła. Przez godzinę biegałem po barach, coś jak w Moskwie, i oszukiwałem się. Opowiadałem sobie bajki, chociaż wiedziałem, gdzie jest. Najpierw pobiegłem w lewo, do Russian Samovar, potem w prawo, do Russian Vodka Room i Uncle Vanya. Potem usiadłem i znów biegałem, a wyobraźnia pracowała. Naprawdę można mi było współczuć. Słowo honoru, że można było. Boże, jak ja się ośmieszałem, wydawało mi się, że wszyscy na ulicy to widzą i się ze mnie śmieją. Chodnik pod nogami też falował, a nie byłem pijany prawie wcale.

A może by go zabić? Naprawdę tak pomyślałem. Ale jak? Nie wiedziałem, gdzie kupić rewolwer. Potem pomyślałem, żeby podpalić jego pracownię, to było łatwiej. Kupić na stacji kanister i trochę benzyny, zapałki miałem, tylko nie byłem pewien, czy się dostanę do niego na klatkę. No i mogłem zrobić krzywdę jakimś niewinnym ludziom. Usiadłem na chwilę na ławce i znowu biegałem. Co jakiś czas dzwoniłem do domu i w końcu odebrała. Mimo całej wściekłości poczułem ulgę. Wróciła. Była w łazience, pijana. Ten znajomy nieobecny wzrok i uśmiech. Przeszła nago przez pokój i położyła się. Boże, jaka była piękna. Zapytała, czy chcę wiedzieć, gdzie była. Wzruszyłem ramionami.

– Masz rację – powiedziała. – Byłam u niego – i dodała: – Ja chcę wrócić do Moskwy.

Zatkało mnie jak po ciosie w żołądek. Straciłem oddech. Pomyślałem, że najgorsza rzecz, jaka mi się w życiu przydarzyła, to to przeklęte podwórko w Moskwie, na którym ją pierwszy raz zobaczyłem. Wyobrażałem sobie, że zacznie przepraszać, tłumaczyć się, usprawiedliwiać, a ja będę się starał zrozumieć, potem sobie wybaczymy. A tu mi ona mówi, że chce wrócić do Moskwy. Nic ode mnie nie chce, nie potrzebuje niczego, co jej dałem. A za chwilę operacja, wszystko opłacone, umówione, oszalała! Pokiwałem głową, że rozumiem, i dodałem, że kupiłem dla niej coś. Położyłem bransoletkę na stole i wyszedłem, a może wybiegłem. Raczej wybiegłem, bo jak się jest w desperacji i chce się to pokazać, to się wybiega, a nie wychodzi. Prawda, panie pisarzu, tak piszecie? Wybiegłem, ale nie wsiadłem do windy, jakoś miałem nadzieję, że wyjdzie za mną. Trochę poczekałem. Nie wyszła. No to już naprawdę wybiegłem na Broadway. Chciałem to sobie przemyśleć i poukładać, ale nie umiałem.

Nagle olśniło mnie, może to i dobrze, że to wszystko już się kończy. Teraz zacznę żyć normalnie. A ona? Głupia, głupia! Przecież ten Dżerzi więcej na nią nie splunie.

A z drugiej strony, czy ja będę umiał bez niej żyć… Nie bardzo wiem, jak, kiedy i po co wylądowałem na Christopher Street. Może Ci się zdarzyło tak iść czy biec w stanie prawie obłędu. No to przepychałem się przez ten tłum pięknie pachnących mężczyzn w T-shirtach albo skórach. Uśmiechali się, cieszyli, obejmowali, głośno gadali, śmiali, pomyślałem, że idą sobie na kolację, popić, do kina, do łóżka. A ja? A co ze mną?

Jestem sam!

Przeglądałem się w podświetlonych krwawo wystawach i coś mnie podkusiło, wszedłem do pierwszego z brzegu sex-shopu i zacząłem kupować. Sklep był pełen, czyli interes szedł dobrze. Przepchnąłem się przez kolejkę i wrzucałem do torby wszystko, jak szło. O mało mnie nie pobito, uratowało mnie to, że zawsze, kiedy się zdenerwuję, mówię z akcentem. Jakiś olbrzym krzyknął: – To Niemiec, im się zawsze spieszy na wojnę. – I się roześmiali.

Zaczął padać deszcz. Całkiem solidny, żadne tam krople, strumienie. Wszyscy się pochowali, ale ja nie, wsadziłem torbę z zakupami pod marynarkę i trochę szedłem, trochę biegłem. Pusta ulica. Z przeciwka szło dwóch młodych czarnych, w tenisówkach i skafandrach. Wyglądali groźnie, normalnie na pustej ulicy bym się przestraszył, ale to oni popatrzyli na mnie i przeszli na drugą stronę. Musiałem wyglądać jak szaleniec, tak się też czułem.

Nie byłeś nigdy w naszym lofcie, to Ci opowiem. Bez szczegółów. Łóżko jest raczej king size, czyli właściwie czteroosobowe. Niby ekologiczne, z drewna, ale z przodu i z tyłu ma powyginane w kształcie roślin ozdobne miedziane kraty, a dwa potężne pręty posrebrzane zakończone są lwimi głowami. Masza leżała z brzegu i zajmowała mało miejsca. Skuliła się, wyglądała na jeszcze szczuplejszą, niż była. Prezentu nie rozpakowała. A już samo pudełeczko było dziełem sztuki, szkarłatno-czarne, długie, wykładane atłasem, ze złotym malutkim zameczkiem – arcydziełko.

Wtedy wysypałem na łóżko wszystko, co kupiłem. Sporo rzeczy, nie będę wyliczać. Kupowałem jak dziecko w sklepie z zabawkami. Nie wiedziałem w ogóle, do czego większość służy. Żeby się rozpłakała, coś wyjaśniła, ale nic, obcy człowiek.

Pamiętasz, Janusz, on napisał w którejś książce jedną z tych chorych paskudnych scen, że jakaś kobieta, półkurwa, którą wydał bogato za mąż, nie była mu posłuszna i zwabił ją gdzieś, dał zastrzyk obezwładniający oraz wynajął trzech plugawych owrzodzonych włóczęgów, żeby ją na jego oczach brutalnie rżnęli, a on sam na to patrzył i robił zdjęcia. W *Cockpicie* to było chyba, a potem ją napromieniował. Takie gówno. Ale ja nie wiedziałem, co robić, więc tylko potrząsałem kajdankami.

Popatrzyła na mnie ze współczuciem, tak jak się współczuje przetrąconemu psu albo kotu z odgryzionym ogonem. Patrzyła uważnie, czytała ze mnie, jak z nut, całą moją małość i podłość. Z półboga zrobiłem się w jedną chwilę nędzarzem. Jezu, jakie to niesmaczne, błaganie o litość i miłość. I wtedy wezbrały we mnie: nienawiść, żal, zawiść – słowem ruska trojka. Wsiadłem do tej trojki i poczułem się silny. Wszedłem w Maszę. Mój terapeuta interpretował to jednoznacznie: zatrzeć ślady Dżerziego i odzyskać terytorium. Próba nieudana.

Kiedy skończyłem, leżała bez ruchu. Wrzuciłem do pojemnika na śmieci to całe świństwo. Ukląkłem przed nią i rozpłakałem się. Przysięgam Ci, Janusz, że szczerze płakałem. Miałem nadzieję, że mnie zrozumie, przytuli, pogłaszcze po głowie. Wszystko by było uratowane. Byśmy sobie oboje wybaczyli, ale nie drgnęła, leżała bez ruchu jak lalka, z której wyjęto serce i wnętrzności. Podniosłem jej rękę i zacząłem całować. I ta ręka opadła. Pocałowałem jej stopy, były lodowate, i wtedy otrzeźwiałem i przestraszyłem się. Zadzwoniłem po pogotowie. Co Ty na to? Podobałaby Ci się taka scena?

Ten profesor w szpitalu patrzył na mnie jak na robaka, a Masza, kiedy ją odwiedzałem, zamykała oczy. Poproszono, żebym nie przychodził, bo jej to szkodzi, ale miałem prawo.

Do Dżerziego dzwoniłem wiele razy, w końcu odebrał. Powiedziałem, że Masza jest w szpitalu, nie przejął się w ogóle, dodałem, że to przez niego. Powiedział, że bredzę. Zacząłem krzyczeć do słuchawki – roześmiał się. Przyznał, że owszem, przyszła do pracowni, włamała się właściwie i chciała mu pomóc nie wiadomo jak, porozmawiali i poszła. Nie miał na nią ani czasu, ani ochoty, wyrzucił ją prawie siłą i nic go nie obchodzi, gdzie polazła i tyle. A co do kłopotów, to ma własne.

Powiedziałem, że wiem, nie mogłem sobie tego odmówić. Dodał, że porozmawia z Jody, wtedy o Jody usłyszałem pierwszy raz. Jaka Jody? Dlaczego Jody? Odłożył słuchawkę i już więcej nie podniósł. Dzwoniłem, ale nie odbierał. Nie uwierzyłem mu wtedy i nie wierzę teraz. To musiało być tak, jak wymyśliliśmy i weszło do filmu, prawda? Ta scena w pracowni. Nie ma innej możliwości. Niestety. Jestem pewien.

Bardzo chciałem, żeby Masza przyszła i obejrzała tę scenę. Obserwowałem ją, obejrzała i nic, nie drgnęła nawet.

Zresztą ta Jody zadzwoniła do mnie pierwsza, że wie wszystko, tak powiedziała – wie wszystko – głupia dziwka, co ona wie, jak ja nic nie wiem. Poinformowała, że z Maszą jest lepiej, ale źle, nie chce mnie widzieć, chce rozwodu i żebym płacił. Zasugerowałem, że wolałbym to usłyszeć od Maszy, jestem jej mężem, więc to chyba jakaś gruba przesada, do kurwy nędzy, nie?!

Przyszedłem do szpitala, Masza zamknęła oczy, a Jody mówiła za nią. Biedna Masza. Była taka blada, chudziutka, a jej włosy leżały na poduszce jak nieżywe. Nie rozmawiała ze mną w ogóle. Z poczucia winy czy krzywdy? Jak myślisz?

Kiedy wyszła ze szpitala, zamieszkała u Jody. Czy ona jednak trochę nie przesadzała? Potem byli adwokaci, podział majątku i tak dalej. To nie był problem. Rupert się tym zajął, oszukał ją tak, jak tylko on potrafi. Tak okradł, że ja musiałem jej bronić. I byłem sam, i jestem sam. Tyle że czegoś się o sobie dowiedziałem. Ale czy było warto?

A przecież mogło być tak pięknie. Ja wszystko wymyśliłem, a ona zburzyła całą konstrukcję. Operacja by się udała, zdrowa by była, miała wystawę, to byłby sukces, jestem tego pewien. Przestałaby myśleć o Kostii, o Moskwie, poznałaby wspaniałych ludzi, sto razy większych i zdolniejszych od tego psychopaty, który nas oboje wykończył. A potem siebie. Jak myślisz, czy ona z nim w końcu spała, czy nie?

Ta jej kopia, Irina, chętnie poszła ze mną do łóżka i nawet się zgodziła tego wysłuchać. Stanęła po mojej stronie, dałem jej za to tę bransoletkę i zaproponowałem, uśmiejesz się, małżeństwo. No, oczywisty idiotyzm. Odmówiła, powiedziała, że wyjdzie za mąż tylko z miłości. Ma poczucie humoru. Wyjechała z tym Serbem, który dał jej rolę żony ochroniarza Miloševicia. No i widzisz, Ty też tego wysłuchałeś w pewnym sensie za darmo, jeżeli oczywiście doczytałeś do końca.

Pozdrowienia!
Twój Klaus Werner

PS Jak myślisz, czy ja jestem pół-Rosjaninem?

Spis treści